KB174685

제 3 권

울산대학교 의과대학

서울아산병원 내과증례집

CASE of the WEEK Vol.3

편집 : 서울아산병원 내과 전공의위원회

감수 : 홍창기

군자출판사

울산대학교 의과대학 서울아산병원 내과

Case of the Week Vol.3

Asan Medical Center Department of Medicine Case of the Week Vol. 3;
Edited by Residency Program Committee, Introduction by Changgi Hong

첫째판 1쇄 인쇄 2012년 4월 20일
둘째판 1쇄 인쇄 2013년 10월 15일
셋째판 1쇄 인쇄 2015년 1월 5일
셋째판 1쇄 발행 2015년 1월 12일

편 집 서울아산병원 내과 전공의위원회
감 수 홍창기
발 행 인 장주연
출 판 기 획 김도성
편집디자인 한은선
표지디자인 김민경
발 행 처 군자출판사
등록 제 4-139호(1991. 6. 24)
본사 (110-717) 서울특별시 종로구 창경궁로 117 (인의동 112-1)동원회관 BD 6층
전화 (02) 762-9194/5 팩스 (02) 764-0209
홈페이지 | www.koonja.co.kr

ISBN 978-89-6278-944-7
정가 45,000원

발간사

울산대학교 의과대학 서울아산병원 내과 *Case of the week* 제 3권을 발간하게 된 것을 전체 내과 의국원과 더불어 축하합니다.

서울아산병원 내과의 화요일 *Case of the Week* 집담회는 초대 내과장 홍창기 교수님의 주도하에 시작되어 지난 25년간 내과의 전통으로 자리잡았습니다.

Case of the Week 집담회는 교육적인 증례, 희귀한 증례 등 내과에서 접하는 다양한 증례를 통하여 전공의들에게 최신 의학지식뿐 아니라 임상적인 추론을 학습하는 장입니다. 2012년 제 1권 발행 후 매년 모인 증례들을 모아 발행하다 보니 금년에 제 3권을 발간하게 되었습니다. 내과 전공의로서 수련에 필요한 증례들을 모아놓은 만큼 공부에 부족함이 없도록 본 증례집을 통하여 내과 수련을 완성하길 바랍니다.

본 증례집은 아산병원에 몸담고 있는 의국원 뿐만 아니라 내과를 수련 받은 모든 후학들에게도 도움이 되길 바랍니다.

의학분야도 세분화되다 보니 광범위한 내과의 공부가 더욱 어려워지는 현실입니다. 추후에 세부전문의가 되고자 하더라도 우선은 훌륭한 Generalist가 되어야 훌륭한 Specialist가 될 수 있다고 생각합니다. 본 증례집은 전 분과를 고루 안배하여 증례를 배분하였습니다. 내과 전문의가 되고자 한다면 알아야 할 증례들을 담았으므로 두루 살펴보길 권합니다.

1, 2권에 이어 본 증례집 제3권 발간에 지도해주시고 감수해주신 초대 내과장님이신 홍창기 교수님께 감사 드립니다. 또한 늘 수고해주시는 전공의 여러분, 최상호, 고은희, 김영학 교수, 임채만 교수님께 감사 드립니다.

2014년 11월

서울아산병원 내과장 유 빈

Why Case of the Week? Why POMR?

서울아산병원 내과에서 시행하고 있는 *"Case of the week"*(임상증례토론회)은 우리나라 타 교육병원에서는 보지 못하는 독특한 점이 있다. 이는 임상현장에서 의사가 진단과 치료에 관한 결정을 어떻게 내리는지 그 추론의 과정을 훈련시키려고, 실제 있었던 증례자료를, 진료현장을 simulation 하는 식으로 진행되는 것이기 때문이다. 전공의가 의학지식을 축적하는 것은 필수적인 준비이지만, 그것만으로는 임상현장에서 올바른 판단과 결정을 내리는데 충분하지 않다는 것은 모두가 주지하고 있다. 그 축적된 지식을 활용하여 적절한 결정을 내리는 skill은 의과 대학 교과과정이나 수련과정 아무데서도 정식과목으로 학습할 기회가 없는 것이 현실이다.

1960년대 서울대학교병원에서 내과 전공의 과정을 마치고 기회가 있어 1970년대에 미국의 한 대학병원에서 내과 전공의 과정을 다시 밟은 일이 있었다. 당시 내과 과장은 Harvard 의과 대학병원에서 온 비교적 젊은 분이었는데, 매주 임상증례토론회를 직접 주관하였다. 이것은 내가 그때까지 못 본 방식으로 진행되었고 전공의 수련에 참 좋다고 생각했다. 환자에게서 단계별로 수집한 자료를 가지고 그때 그때 어떻게 다음 단계의 진단이나 치료에 관한 올바른 결정을 내리는 가를 토의하였다. 그가 주관하는 이 임상증례토론회에는 내과의 전스태프가 참석하게 되어 있어 어떤 문제나 어떤 issue에도 그 자리에서 즉시 권위 있는 전문적 자문을 스태프로부터 얻을 수 있었다. 그 때문에 예상 못한 문제에 대한 자문을 해야 하는 스태프들에게는 좀 부담스러웠어도 배우는 입장의 전공의들에게는 그 이상 좋을 수가 없었다. 환자로부터 자료를 수집하는 일은 전공의 몫이기에 필요한 검사를 빠트리지 않으면서 불필요한 검사는 절대로 해서는 안 되었다. 왜 무엇은 안했느냐, 왜 무엇은 했느냐, 무슨 생각을 했느냐, 왜 그렇게 생각했느냐 등의 질문을 받을 때 곤경에 처하지 않으려고 엄청난 준비를 하고 긴장하곤 했다. 이 conference에 참석하면서 이런 것을 한국에 도입하여 전공의 수련과정에 활용하면 참 좋겠다고 생각했다.

때마침 많은 미국의 교육병원에서는 Weed가 개발한 문제중심의무기록(Problem-Oriented Medical Record, POMR)을 채택하고 있었는데, 내가 수련을 받던 병원에서도 이 system을 도입하기로 하고 전공의는 물론 스태프들도 workshop에 같이 참석하여 배웠다. 내가 한국에서 임상수련을 받을 때 진단 란에 "Impression"이라고 쓰는 것이 주관적인 개인의 "인상" 만으로 치료를 하겠다는 것 같아 못마땅했는데, POMR에서는 진단자리에 "문제"가 들어서고, 반드시 병명이 아니어도 된다고 하여 '아! 바로 이것이구나'

하는 생각이 들어 잘 배워 가지고 가야겠다고 결심했다. POMR은 과학적 사고를 요하며 확실하지 않은 것은 확실하지 않은 것으로 인정하고 기록하는 솔직함이 있었다.

나는 POMR이 앞서 말한 미국대학병원의 임상 증례 토론회와 그 기본적인 사고방식이 잘 합치된다는 것을 간파하였다. 이 둘을 잘 접목하면 scientific principle에 근거한 clinical reasoning skill을 가르치는, 지금까지 체험한 것 중 가장 효과적인 teaching platform이 될 것이라는 확신을 가지게 되었다. 이러한 속셈 때문에 나는 수련을 받으면서도 학습과정에 대한 많은 자료에 접하고 나름대로 mental experiment를 하는 버릇이 생겼는데 마침 서울아산병원의 내과과장직을 맡게 되었다. 내가 내과 수련을 받을 때 체험했더라면 좋았을 것이라고 생각되는 여러 가지를 시도하고자 했다.

그 중에서도 "*Case of the Week*"는 가장 정열을 바쳤던 program이었다. POMR은 과학적 임상추론을 돕는 가장 효과적인 도구라는 확신으로, 전공의가 이 도구를 잘 사용하도록 숙달시키려는 노력을 기울였다. 다른 술기와 마찬가지로 이 도구를 사용하는 술기도 숙달하면 art의 경지에까지 이를 수 있다고 생각한다. 술기의 숙달은 제2의 천성이 될 때까지 계속 반복하는 노력을 기울여야 가능한 것이다. 제 2의 천성이 되면 그때는 생각하지 않고 "반사적으로" 해도 잘하게 된다. 운동선수와 음악연주가가 매번 지식과 원리를 생각하며 경기하고, 연주하지 않는다.

나는 운동선수를 배출하는 것이나 음악가를 배출하는 것과 임상 수련을 비교한다. 운동 coach나 음악 lesson을 시키는 사람은 배우는 사람이 제대로 하는지 잘 못하는지를 현장에서 check하고, 필요한 교정을 그때그때 해 주는 과정을, 제대로 할 때까지 몇 번이고 되풀이 한다. 전공의 지도도 이처럼 지도교수의 헌신이 요구되는 일이다. 훌륭한 의사를 길러내는 일이 훌륭한 운동선수나 훌륭한 음악가를 길러내는 일보다 쉬우리라고 기대할 수는 없지 않은가. 전공의가 의무기록을 제대로 작성하는지 그렇게 못하는지를 check하고, 잘 안되면 그때그때 몇 번이고 교정해주는 일이, 병실이나 외래에서 이루어지지 않고 있는 것이 현실이다. 지식을 전수하는 것이 아닌, 임상술기를 숙달시키는 과정에 들이는 노력은 아직도 충분하지 않다.

Why Case of the Week? Why POMR?

사실 임상경험이 많은 선생님들이 진료하는 것을 보면 마치 임상추론이 생략되고 직관에 의해 판단하고 결정하는 것처럼 보이기도 하지만, 이는 그 reasoning skill이 상당한 경지에 다다랐기 때문에 추론의 과정이 거의 무의식적인 것처럼 보이기 때문이다. 이런 분께는 POMR의 각 단계를 차근차근 밟아 간다는 것이 불필요한, 오히려 귀찮은 일로 느껴지는 것이 사실이고, 아직 숙달되지 않은 전공의에게 POMR의 각 단계를 차근차근 거쳐 가도록, 그래서 숙달될 때까지 반복해지도 한다는 것이 견디기 어려운 작업으로 느껴진다. 더구나 매년 새로 입국하는 전공의에게 또 처음부터 시작해 같은 교육을 해야 하는 것은 교육적 사명감 없이는 어려운 일이다.

미국에서 신장내과 스태프로 일하면서 체험한 중요한 전기가 또 하나 있다. 나름대로 성실하게 환자중심의 진료를 한다고 했어도 환자의 outcome은 기대한 만큼 만족스럽지 못하여 왜 그런지 이해할 수가 없었다. 많은 성찰과 연구 끝에 터득한 insight는, 한마디로, 내가 배워 가지고 있었던 인간관, 질병관이 불충분하다는 것이었다. 내가 의과대학에서 또, 내과 수련 중에 배운 것은 인체에 관한 것, 질병이 어떻게 생기고 증상과 증후가 어떻게 해서 나타나게 되는지 하는 pathogenesis, pathology 위주의 공부였다(정신과학에서 정신이나 심리적인 면에 접하기는 했지만). 그리고 치료는 그 pathology, pathogenesis를 correct하여 정상으로 돌이키는 것을 목표로 하는 paradigm 의 임상의학이었다. 그러나 pathology를 normal로 되돌이킬 수 없는 경우가 허다하다는 것을 임상체험으로 알게 되었고, pathology가 정상화되지 않아도 삶을 잘 견디고, 삶에서 의미를 찾아 "건강하게" 삶을 지속해 가는 경우를 허다하게 경험하면서 임상의학의 paradigm 변화가 필요함을 절감하게 되었다. 즉 pathogenesis(genesis of disease)에 기반을 둔 의료에서 holiogenesis(genesis of health, genesis of wellness; 이 단어는 사전에도 없는, 내가 만들어낸 말이다)를 추구하는 의료로의 전환이 필요하다고 생각했다. Human health의 신체적 측면, 심리적 측면, 사회적 측면에 덧붙여 한 걸음 더 나아가 가치와 의미를 고려하는 spiritual dimension도, 사람 건강의 필수요소라고 생각하게 되었다. Holistic medicine은 이 네 가지 측면을 다 고려하는 의료이고, 의사는 늘 이것을 염두에 두어야 한다는 생각을 갖게 되었다.

그렇다면 holistic medicine을 구현하기 위하여 POMR이라는 도구와 임상추론이라는 술기를 어떻게 적용할 것인가? 결론적으로 말하면, history taking이 그런 면에서 대단히 중요하다는 것이다. 병력청취는 단순히 질병관련 자료수집의 과정이 아니라, 의사와 환자의 인간관계가 시작되는, 신뢰를 획득하는, 사실상 치유가 이미 거기서 시작되는, 중요한 수순절차라는 것을 요즈음 진단학에서도 강조하고 있다. 병력을 청취하는 중, 사회적 존재로서의 인간, 영적존재로서의 인간을 이해하기 위하여, 환자의 social history가 그 역할을 하여야 한다고 믿는다. 기계적으로 직업이나 음주와 흡연력을 물어보는 것을 넘어 이 환자를 한 인간으로 이해하기 위한 깊이 있는 탐색이 이루어지는 단계라고 생각한다. 물론 환자를 한 인간으로 이해하는 것이 첫 만남에서 충분히 이루어지기를 기대할 수는 없다. 신체적 문제를 다루면서 입원기간 내내 혹은 반복되는 외래방문을 통한 여러 번의 만남으로 social history taking이 누적적으로 이루어져, 건강상의 문제를 assess하고 management plan을 세울 때, 한 인간으로 이해된 환자의 특성이 반영되는 개별적인 건강관리(individualized management)가 되어야 한다. 이렇게 하지 않으면 우리는 수의사와 다름이 없게 된다.

서울아산병원 내과에서 수련 받고 나간 많은 분들이 전공의시절에는 그 가치를 잘 느끼지 못하고 오히려 귀찮아했으면서도 자기들이 가르치는 입장에 서게 된 후에는 POMR이 전공의 수련에 좋다는 것을 느꼈다고 말한다. 그동안 축적된 이 conference의 자료 중 일부를 모아 책으로 내어 전공의 수련에 자료로 삼는다고 하니 무한한 기쁨과 보람을 느낀다. 아무쪼록 좋은 도구를 사용하는 술기의 숙련을 위한 지속적 교육과 학습노력이 내과 과원 전원의 참여 속에 이루어져 좋은 성과와 전통이 이루어지기를 기대한다.

서울아산병원 내과 초대과장 홍 창 기

Case of the Week 3권을 내며

*Case of the Week*을 책으로 묶어 보자는 생각은 20년 넘게 서울아산병원 내과 의사들의 소망이었습니다. 그간의 *Case of the Week*에서 반전(反轉)이 숨어 있고 아쉬움과 감탄이 베어 나오는, 굴곡지고 땀냄새가 나지만 왠지 향기롭게 느껴지는 증례들을 함께 경험했었기 때문입니다. *Case of the Week*은 내과 의사로서의 자존심을 자극하는 서울아산병원 내과 의사들 만의 짜릿한 집단경험이었습니다. 이 아까운 보물들이 기억 속에서 희미해져 가는 것을 다들 아쉬워 했습니다. 오래오래 다들 바라기만 하면서 엄두를 못 내던 일을 3년여 전에 임채만 교수님께서 앞장 서셨습니다. 어렵게 어렵게 1권은 후향적으로 증례들을 정리 했습니다. 서울아산병원 내과와 *Case of the Week*을 만드시고 일구어 놓으신 홍창기 선생님께서 일일이 증례들을 꼼꼼히 살펴주셨고, 그야말로 주옥과도 같은 Problem-Oriented Medical Record (POMR)에 대한 서문(序文)과 정신이 번쩍 들게 하는 Doctor Hong's comment를 남겨 주셨습니다. 하지만, 길지 않은 시간이 지난 증례들에 대해서 궁금한 점도 많고 아쉬운 점도 많았습니다. 후향적 기록의 한계가 느껴졌습니다. 2권부터는 전향적 기록이 되었습니다. *Case of the Week*을 하고 나서 2주 안에 모여서 *Case of the Week*의 청중들에게서 나온 이야기까지 담고자 했습니다. 그렇게 해서 보라색 표지의 2권이 나왔습니다. *Case of the Week* 3권은 전향적 기록이 되고 나서의 두 번째 묶음입니다. 형식은 2권과 같고 POMR의 원칙을 지키려 애썼으며 독자들의 이해를 돕기 위해 가급적 최신 지견들을 mini-review 양식으로 길지 않게 정리해 넣었습니다.

1권을 함께 만들었던 전공의 선생님들 중 많은 이들이 이제는 서울아산병원을 떠났고 군대로 갔던 선생님들은 이제 곧 전임의 과정을 위해 돌아온다고 합니다. 이 작업도 이제는 연륜(年輪)이 생길 때가 되었는데, 매너리즘에 빠지는 것은 아닌지 좀 걱정이 되기도 합니다. 1, 2권이 나오는 동안 그냥 임채만 선생님이 이끄는 대로 뒤에서 걸어 왔습니다. 3권에서는 다른 역할을 하려다 보니 문득 문득 스스로에게 답답하고 주위 사람들에게 미안한 생각이 들었습니다. 내분비 내과 고은희 선생님이 귀하지만 궂은 일을 다 해주셨고 전공의 선생님들이 사관(史官)이 되어 일일이 기록을 정리해 주었습니다. 멘토이신 임채만, 홍창기 선생님께서 이번에도 화룡점정(畵龍點睛)을 찍어 주셨습니다. 이 책은 진단 결과 보다 과정을 함께 했으면 하는 책입니다. 독자 분들이 찬찬히 이 기록들을 따라 가면서 서울아산병원 내과의사들의 고민과 경험을 함께 할 수 있었으면 합니다.

2014년

서울아산병원 내과 **최 상 호**

Clinical Reasoning (임상 추론)

홍창기

I. 임상추론을 학습하여야 하는 이유

- 의사는 물론 일반인도 의학 관련 정보(medical information)에 접근하기 편리한 세상이 되었다.
- 이들 의학 관련 정보가 개별 환자에게 유용하려면 의학지식(medical knowledge)으로 정제되어야한다.
- 의학지식이 의사에게 필수적(essential)이나, 임상현장에서는 그것만으로는 충분하지 않다(not sufficient).
- 임상의학은 본질적으로 문제해결(problem solving) 과정이기 때문이다.
- 모든 문제해결은 그 해결을 위한 합리적 결정(decision-making)이 필요하고, 합리적 결정은 적절한 판단(judgments)과 추론(reasoning)을 요한다.
- 그러므로 의학지식이 환자에게 실질적인 도움이 되려면 적절한 판단과 합리적 결정으로 뒷받침 되어야 한다.
- 임상문제를 해결하기 위한 합리적 결정을 내리기 위해서는 정확한 판단(진단)과 합리적 결정(선택, choice)을 위한 임상추론(clinical reasoning)이 뒷받침 되어야 하므로, 의사는 임상추론이라는 필수적인 숨기(skill)를 슘득하고 완숙시켜야 한다.

  다시 한 번 강조하면, 임상추론과정을 거쳐 working diagnosis에 이르고, 이 working diagnosis에 근거하여 선택한 치료행위를 통하여 임상문제가 해결된다.

II. 임상추론은 어떻게 학습하나

- 임상추론이라는 이 skill도 다른 skill처럼 반복해서 갈고 닦아야 숙달되겠지만
- 진료행태의 엄청난 변화와 함께 의학교육 환경도 큰 변화를 피할 수 없게 되었으며, 바삐 돌아가는(task heavy) 진료현장에서, 첨단기기의 사용이 보편화되었고, algorithm에 따르는 공식화된 진료가 통용되는 환경에서 노련한 임상가와 함께 증례를 관찰하고 임상추론을 학습할 기회가 드물어졌다.
- 임상의학 지식의 가장 좋은 학습방법이 교과서를 학습하는 것 외에 실제증례를 많이 경험하는 것임과 마찬가지로, 임상추론을 학습하는 '최선의', '이상적인 방법' 은 노련한 임상가가 추론하는 증례를 관찰하고 함께 체험하고 많이 공유하는 learning by example이다. 노련한 임상가가 think aloud하는 (머릿속에서 생각하는 것을 여과 없이 그대로 말하는) 것을 녹취, 분석하여 임상추론의 과정을 연구할 수도 있다.
- 편안하게 think aloud 할 수 있는 노련한 임상가가 드믄 현실에서, POMR system은 잘 활용하면 노련한 임상가의 많은 도움이 없이도 임상추론이라는 skill을 연마하는데 좋은 tool이 될 수 있다.

III. Components of clinical problem solving

임상의학적 문제의 해결은 다음의 단계를 순차적으로 거친다.

a. Data collection

b. Problem identification

c. Diagnostic hypotheses generation

d. Refining diagnostic hypotheses

e. Diagnostic verification

f. Decision-making related to patient management

g. Implement action plans (decisions made)

위의 c, d, e, f가 바로 임상추론과정이라고 볼 수 있다.

b의 problem은 우리 POMR의 Problem List에 해당하는 것으로 c, d의 diagnostic hypotheses 와는 구별되는 것이며, 아직 진단으로 확증되지 않았어도 clinical fact 라면 problem 으로 list 하는 것이다. 예를 들어 설명하면, "Lymphocyte-dominant pleural exudate"는 하나의 clinical fact로서 Problem List에 기재할 수 있다. 그러나 AFB나 caseating granuloma의 소견이 얻어지기 전까지는, assessment의 "Tbc pleurisy"는 하나의 diagnostic hypothesis로 취급하고 Problem List에는 기재하지 않는다. AFB나 caseating granuloma가 pleural biopsy에서 관찰되었다면 그때는verified diagnosis로서 하나의 clinical fact 이므로 Problem List에 기재하는 것이다.

3차의료기관에는 다른 의료진이 소개하는 환자나 다른 병원에서 전원되는 환자를 많이 보게 된다. 의무기록을 지참해 오는 환자의 경우는 객관적 자료에 의해 진단이 verify 되었으면 바로 POMR의 Problem List에 기재할 내용도 있지만, 환자가 진술하는 타 의료진의 진단은 어떻게 취급할 것인가? 이때는 의무기록의 객관적 자료로 verify 되기까지는 하나의 historical data이므로 "… by history"라고 토를 달아 기록하여, 아직은 verification이 필요함을 적어둔다. 이 문제가 verify 된 후, update 할 때는 "by history"를 제거하거나 혹은 "by CT" 혹은 "by biopsy" 등 verification의 근거를 제시하여 하나의 clinical fact 임을 기록한다.

c, d의 diagnostic hypotheses는 우리 POMR의 Assessment에 해당하는 것이다("assessment" 에는 diagnostic hypothesis에 관련된 내용 외에도 clinical urgency 혹은 예후에 관련된 내용과 치료나 처치에 대한 환자의 반응을 평가한 내용도 포함된다.).

e. Verify 된 diagnosis는 clinical fact로 간주할 수 있으므로 Problem List에 올릴 수 있다.

f. 환자의 건강상 문제를 관리하기위한 선택(decision-making)은 위의 verified diagnosis에 근거한 치료적 결정은 물론, 응급처치를 요하는 문제나 대증치료가 필요한 증상에 대한 치료적 결정을 포함한다. 물론 cost-benefit analysis가 되어야 함은 강조할 필요가 없을 것이다.

IV. Generation of diagnostic hypotheses

- 진단과정은, 환자와 접하면서 얻어진 몇 가지 단서의 묶음(chunk of cues)이 촉발시키는 initial diagnostic hypotheses (최초의 진단적 가설)가 우리 머릿속에 생성되면서 시작된다.

  Chunk of cues의 예

  - ✓ 연령, 성별, CC 혹은 reason for visit
  - ✓ CC, onset, general appearance
  - ✓ PH and CC

- 이들 진단적 가설은 Initial Data Base 즉 History, Physical Examination and "Routine" Lab이 모두 모아지기 전에 이미 우리 머릿속에 만들어 지는 것이 보통이다.
- 이들 진단적 가설이 머릿속에 생성되면, Initial Data Base의 수집단계에서 이미, 다음 단계인 Refinement of diagnostic hypotheses와 merge 하는 일이 일어난다.

  예를 들어 황달이 주소인 환자의 병력을 청취할 때, 다른 환자라면 안 물어볼 수도 있는 history, 수혈을 받은 적이 있는지, 간에 독성이 있을 만한 약물을 섭취한 일이 있는지를 묻고, 신체검사를 할 때에도, 간이 촉지 되는지, 문맥압의 상승 소견이 있는지, 간경화에서 흔히 볼 수 있는 다른 소견이 있는지를 주의 깊게 관찰하게 되는 것이다.

- Initial Data Base를 고정된 틀(complete H & P, and Routine Lab)에 따라 수집하는 것은 임상의학에서의 역사적 관행일 뿐 임상추론에 반드시 필요한 것은 아니다.
- 그러나 전통적인 Initial Data Base 만이 가지는 진단적 가치도 있다. 즉, Baseline data가 수집 정리된다든가, 여러 가지 risk factors를 인지한다든가, 투약력을 얻어 투약상 과오를 피하게 되는 것 외에도, 환자를 관찰하는 체계적 훈련에 도움이 되므로 수련 과정에서는 전통적인 Initial Data Base를 강조하고 요구하는 것이다.
- 이처럼 진단적 단서(cues)는 의무기록의 순서와 관계없이 여러 저기에서 얻을 수 있다. 예를 들면, 문진이 시작되기 전에 이미 general appearance에서 얻어지는 단서라든가, 예상 못 했던 비정상 소견(검사실 및 physical exam)이 후에 발견되는 것 등이다.

- 노련한 임상가는 처음에, 병력과 과거의 의무기록에 많은 무게를 두고 진단적 가설을 만들지만, 새로이 여기저기에 보이는 단서를 놓치지 않는다.
- 응급 상황에서는 때로 short-cut 하는 것이 유용할 때가 있다("get-a-quick-clue-then-order-a-CT-scan").

V. Refinement of diagnostic hypotheses

- 진단은 임상자료를 근거로 진행하는 추리 과정이다.
- 환자와 처음 접하면서 얻어진 단서의 묶음이 촉발한 initial diagnostic hypotheses를 refine하기 위해 추가 자료를 PI, ROS, PE 중에 수집할 뿐 아니라, 그 이후 추가 관찰과 검사에 의하여 얻어지는 자료(clinical data)에 근거하여 diagnostic hypotheses가 refine 되며 진화하는 것이다.
- 이 refine하는 과정은 "working diagnosis"에 도달할 때 까지 계속된다. "Working diagnosis"라 함은, 예후를 말할 수 있으며, 치료행위를 지시할 수 있기에 충분한 근거가 되는 verified diagnostic category를 말한다.
- 진단적 가설은 수정되고, 구체화되면서 refine 되는데, 어느 것은 탈락되기도 하며, 새로운 가설이 추가되기도 하고, 탈락시켰던 가설이 되살아나기도 한다. 이런 일련의 현상을 evolution of diagnostic hypothesis라 한다.
- 추가 자료 수집의 목표는
  여러 진단적 가설을 감별하여 진단의 불확실성을 점차 줄여 working diagnosis에 이르려는 것이다. 임상소견간의 인과관계를 찾아내며, highly likely hypothesis를 보강하고, unlikely hypothesis를 eliminate하여 working diagnosis에 이르는 것이다.
- 추가자료를 수집하는 방법의 선택은
  선택하고자 하는 방법에 수반하는 비용(cost)이나 위험(risk) 그리고 치료선택에 영향을 주는지(efficacy)를 고려하여 하게 된다. 추가적인 병력이나 신체검사는 사실상 risk free 하기 때문에 항상 활용할 것이나, invasive and costly test는 신중하게 할 것이다.

또한 선택하는 검사가 defensive practice 혹은 financial incentive의 영향을 받고 있는지, 순수한 연구를 위한 것인지 등의 윤리적 고려를 해야 한다.

- 검사는, 검사결과가 post-test probability를 충분히 변화시켜 추후의 decision-making에 영향을 줄 때 가장 유용한 것이다(high utility).
  검사 결과 여하가 이후의 decision-making에 아무 영향을 주지 않는 경우는 불필요한 검사이다(예; highly unlikely disease의 부재를 증명하기위한 검사, highly likely disease를 더 확인하기 위한 검사).
- Quantitative probabilistic analysis의 개념을 이해할 필요가 있다. 이는 검사의 결과를 알았을 때 진단의 확률이 어떻게 변화하는지를 계산하는 것으로, pre-test probability가 검사 결과에 따라 변경된 확률 즉 post-test probability를 이해해야 한다.
  Pre-test probability는 지금 다루는 환자와 같은 집단이 어떤 질병을 가지는 유병율(prevalence)이며, (즉 belief about the likelihood of a diagnosis)
  Post-test probability는 검사결과를 해석한 후 수정된 likelihood of a diagnosis즉 positive predictive value이다.
- Quantitative probabilistic analysis를 위해서는 진단검사방법의 sensitivity와 specificity를 알아야한다.

	TEST RESULT:	
POSITIVE	NEGATIVE	Disease PRESENT
TRUE POSITIVE	FALSE NEGATIVE	Disease ABSENT
FALSE POSITIVE	TRUE NEGATIVE	

Sensitivity는 likelihood of a positive test result in a patient known to have a disease 즉 TRUE POSITIVE, [“positive in disease”, “PID”] 이고 Specificity는 likelihood of a negative test result in a patient known not to have a given disease 즉 TRUE NEGATIVE, [“negative in health”, “NIH”]
여기서 false positive와 false negative의 개념이 따라온다.

- Positive predictive value는 검사 결과가 positive로 나왔을 때의 post-test probability인데, true positive rate를 true positive rate와 false positive rate의 sum으로 나눈 값이다.
- PSA(prostate-specific antigen)의 예를 들어 위의 개념을 이해해 보자. 60 ~ 64세 남자를 survey 보고한 문헌(Eur Urol. 1994;25:281)을 보면, asymptomatic, organ-confined prostate cancer의 prevalence (pre-test probability)가 0.108 이었고, PSA screening test의

  True positive rate (sensitivity) 0.71

  False positive rate (1 - sensitivity) 0.29

  True negative rate (specificity) 0.51

  False negative rate (1 - specificity) 0.49로 보고하고 있다.

  62세의 환자에서 PSA가 positive로 나왔다면 그가 prostate cancer를 가지고 있을 확률(positive predictive value)은 얼마일가?

  Patient population의 true positive rate는 pre-test probability (prevalence) (0.108) × sensitivity (0.71) = 0.07668 이며, 따라서

  Patient population의 false positive rate는 [1 − pre-test probability] × [1 − specificity] = (0.892) × (0.49) = 0.43708 이다.

  따라서 positive screening test를 보인 환자에서 cancer가 있을 확률은 true positive / (true positive + false positive) = 0.07668 / (0.07668 + 0.43708) = 0.149이다. 즉 검사전의 확률(0.108)이 검사 후 0.149로 수정되었을 뿐이다. 검사의 specificity가 낮은 때문에 prevalence가 낮은 상황에서는 별로 도움이 안 되었다.

  이런 quantitative analysis를 Bayesian analysis라고 한다.

- When a test is highly sensitive, a negative test result helps "rule out" a disease. ("Negative SnOut")
- When a test is highly specific, a positive test result helps "rule in" a disease. ("Positive SpIn")

- 그러므로 screening은 high sensitivity and moderate specificity를 가진 검사로 시작할 것이다. 이들 검사는 보통 비용이 저렴하며, risk가 없는 것들이다.
  그런 다음 screening test에서 양성으로 나오면 좀 더 specific 한 검사로 confirm 하는 것이 좋다. 이들 검사는 보통 비용이 높고 invasive 한 것들이다.
- Low pre-test probability (즉 "less likely") 인 경우는 specificity가 높은 test를 선택해야 한다. Specificity가 상당히 높지 않으면 false positive rate가 높아서, post-test probability (즉 positive predictive value)가 별로 커지지 않기 때문에 진단에 도움이 안 된다(위의 PSA screening test에서 처럼).
  그러나 diagnostic uncertainty를 줄일 수 있는 이 specificity가 높은 tests는 흔히 invasive and expensive tests이므로 신중해야 한다.
- 검사방법의 sensitivity와 specificity를 결정할 때 병의 존재를 판정하는 gold standards는 pathological, histologic evidence, specific biochemical or immunochemical markers or genetic marker를 받아드리는 것이 보통이다.

VI. Verification of diagnostic hypothesis

- Criteria of a working diagnosis
  - ✓ Coherence(논리적 통일성): 환자가 가지고 있는 predisposing factors나, 경과 중에 관찰된 complications까지도 포함해서 모든 임상소견간의 연관성이 적절하고 pathophysiological explanation이 수긍할만한 진단이며,
  - ✓ Adequacy(충분성): 정상, 비정상 소견을 모두 설명할 수 있는 진단이어야 하고,
  - ✓ Parsimony(경제성): 가급적 간단명료한 설명이 가능한 것이 좋다. 임상상의 어느 부분은 A라는 진단으로 설명하고, 다른 부분은 B라는 진단으로 설명해야 한다면 parsimonious 한 diagnosis가 아니다.

이상의 criteria를 충족시키는 diagnostic hypothesis는 verify 된 working diagnosis라고 말할 수 있으며, 그에 근거하여 예후를 말할 수 있고, 그에 근거하여 치료 선택을 한다면 합리적인 치료가 되는 것이다.

- "Premature closure" (accepting a diagnosis before it is fully verified)를 피해야 한다.
  위에서 제시한 criteria를 충족시키지 못하는 diagnostic hypothesis를 working diagnosis로 받아들여 치료하면 잘못될 가능성이 많으므로 조심할 것이다. Premature closure는 임상의학에서 가장 흔한 cognitive error이니 조심할 것이다.

이상으로 임상추론의 개략을 서술했지만 다시 강조하는 것은 임상추론은 하나의 술기(skill)이기 때문에 노련한 임상가가 될 때까지, 아마도 의사가 평생에 걸쳐, 반복 practice 하여 숙달되도록 하여야 할 것이다.

C O N T E N T S

Case of the Week

CASE 1 3일 전 시작된 기좌호흡으로 내원한 68세 남자

Chief Complaints

Orthopnea, started a day ago

Present Illness

20년 전 당뇨 진단 후 경구 혈당 강하제 복용 중이었고 5년 전 diabetic chronic kidney disease로 진단 받았다. 당시 오르막길을 오르면 숨이 찬 증상이 있었으며 흉부 단순 촬영에서 양쪽 폐 하부에 reticular opacity가 확인되어 간질성 폐질환으로 진단 받았고 치료 없이 경과 관찰 하였다.
15일 전 기침, 가래, 콧물 발생하였다가 일주일 후 자연히 호전되었다.
3일 전부터 가만히 있어도 숨이 차기 시작하였고 1일 전부터 누우면 호흡 곤란이 더 심해져 신장 내과 외래 방문하였다. 흉통이나 심계 항진은 없었으나 심초음파에서 multiple regional wall motion abnormalities와 함께 좌심실의 ejection fraction이 감소한 소견이 확인되어 심장내과 중환자실로 입원하였다.

Past History

diabetes mellitus (+): 20년 전 진단, vidagliptin, gliclazide 복용 중
hypertension (+): 19년 전 진단, aspirin, carvedilol, felodipine, irbesartan 복용 중
hepatitis (-)
tuberculosis (-)

Family History

hypertension (+): 큰 형, 둘째 형
diabetes mellitus (+): 둘째 형
tuberculosis (-)
malignancy (-)

Social History

occupation: 화물차 운전
smoking: 45 pack-years, current smoker
alcohol (-)

Review of Systems

General

generalized edema (-)	easy fatigability (-)
dizziness (-)	weight loss (-)

Skin

purpura (-)	erythema (-)

Head / Eyes / ENT

headache (-)	hearing disturbance (-)
dry eyes (-)	tinnitus (-)
rhinorrhea (-)	oral ulcer (-)
sore throat (-)	dry mouth (-)

Respiratory & cardiovascular ➡ see present illness

Gastrointestinal

anorexia (-)	dyspepsia (-)
nausea (-)	vomiting (-)
diarrhea (-)	abdominal pain (-)

Genitourinary

flank pain (-)	gross hematuria (-)
dysuria (-)	foamy urine (-)

Neurologic

seizure (-)	cognitive dysfunction (-)
psychosis (-)	motor- sensory change (-)

Musculoskeletal

arthralgia (-)	myalgia (-)
back pain (-)	tingling sense (-)

Physical Examination

height 157.3 cm, weight 66.0 kg, body mass index 28.8 kg/m^2

Vital Signs

BP 135/68 mmHg - HR 97 /min - RR 26 /min - BT 36.3℃

General Appearance

Acute ill looking appearance	alert
oriented to time, person, place	

Skin

skin turgor: normal	ecchymosis (-)
rash (-)	purpura (-)

Head / Eyes / ENT

visual field defect (-)	pinkish conjunctivae (+)
icteric sclerae (-)	palpable lymph nodes (-)

Chest

symmetric expansion without retraction	normal tactile fremitus
percussion: resonance	end inspiratory crackles in both lower lung fields

Heart

regular rhythm	normal heart sound without murmur

Abdomen

soft & flat abdomen	normoactive bowel sound
direct tenderness (-)	rebound tenderness (-)

Musculoskeletal

costovertebral angle tenderness (-/-)	pretibial pitting edema (++/++)

Neurology

motor weakness (-)	sensory disturbance (-)
gait disturbance (-)	neck stiffness (-)

Initial Problem List

CBC

WBC ($4\sim10\times10^3$ /mm^3)	13,000	Hb (13~17g/dL)	9.8
WBC differential count	Neutrophil 71.8% lymphocyte 15.4% monocyte 8.6%	platelet ($150\sim350\times10^3$/mm^3)	218

Chemical & Electrolyte battery

Ca (8.3~10 mg/dL) / P (2.5~4.5 mg/dL)	8.8/4.7	glucose (70~110 mg/dL)	181
protein (6~8 g/dL) albumin (3.3~5.2 g/dL)	6.1/3.2	aspartate aminotransferase (AST) (~40 IU/L)	55
		alanine aminotransferase (ALT) (~40 IU/L)	28
alkaline phosphatase (ALP) (40~120 IU/L)	64	gamma-glutamyl transpeptidase (r-GT) (11~63 IU/L)	17
total bilirubin (0.2~1.2 mg/dL)	0.7	direct bilirubin (~0.5 mg/dL)	0.1
BUN (10~26 mg/dL) / Cr (0.7~1.4 mg/dL)	52/4.6	estimated GFR (≥60 ml/min/1.7 m^2)	13
C-reactive protein (~0.6 mg/dL)	0.5	cholesterol	147
Na (135~145 mmol/L) / K (3.5~5.5 mmol/L) / Cl (98~110 mmol/L)	138/4.4/108	total CO_2 (24~31 mmol/L)	20.1
creatine kinase (CK) (50~250 IU/L)	635	CK-MB (~5 ng/mL)	47.9
troponin-I (~1.5 ng/mL)	34.0	brain natriuretic peptide (BNP) (0~100 pg/mL)	2756

Coagulation battery

prothrombin time (PT) (70~140%)	74.1	prothrombin time (INR) (0.8~1.3)	1.17
activated partial thromboplastin time (aPTT) (25~35 sec)	47.0		

Arterial blood gas analysis (room air)

pH (7.35~7.45)	7.42	pCO_2 (35~45 mmHg)	30.0
pO_2 (80~90 mmHg)	55.0	HCO_3 (23~29 mmEq/L)	20.0
Base excess	-4.3	SpO_2 (94~100%)	89.0

Chest X-ray

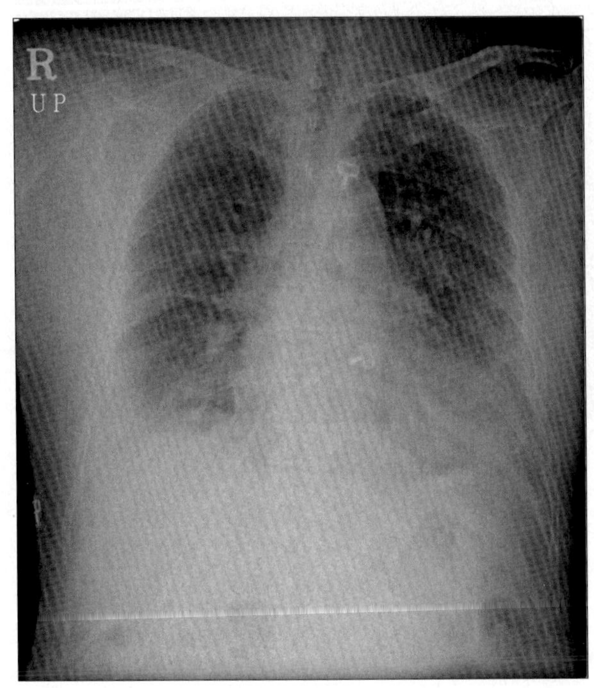

앉아서 찍은 AP view로 오른쪽으로 약간 회전되어 찍힌 사진이다. Both pleural effusion과 pulmonary edema가 있고 cardio-thoracic ratio 0.6 정도의 cardiomegaly 소견이 보인다.

EKG

Heart rate 93회 정도의 normal sinus rhythm으로, V1-3 QS pattern과 함께 V5-6의 ST depression, T wave inversion, I, aVL의 ST depression 확인된다. 전벽과 측벽의 허혈성 심질환을 의심할 수 있는 소견이다.

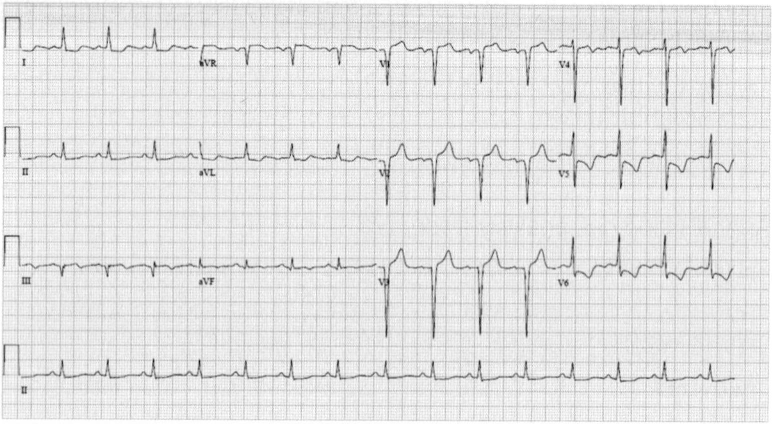

Echocardiography

좌심실의 전벽, 후벽과 심첨부 등 multiple regional wall motion abnormalities를 보여 여러 개의 혈관을 침범한 관상 동맥 질환의 가능성이 높았다. Ejection fraction은 35%로 감소되어 있었다.

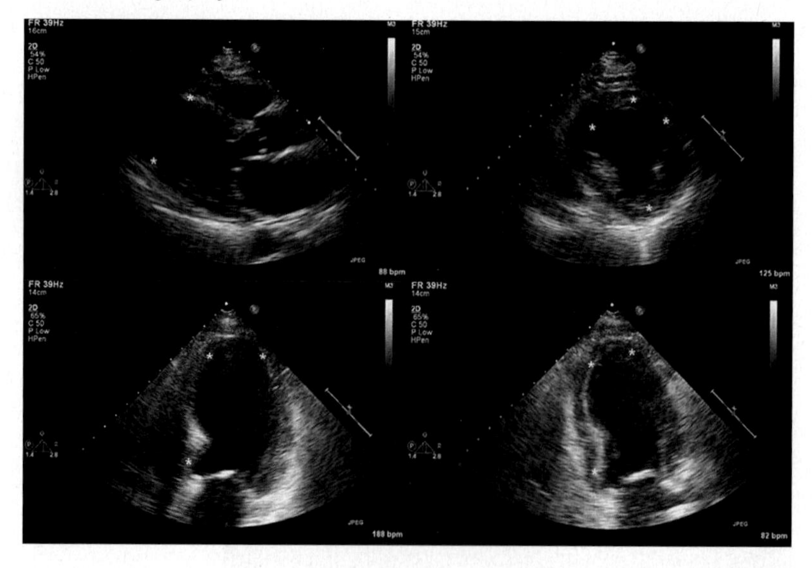

Initial Problem List

#1 Type 2 diabetes for 20 years
#2 Hypertension for 19 years, under control on medications
#3 Chronic kidney disease, stage 5, associated with #1
#4 Interstitial lung disease
#5 Dyspnea,orthopnea and pulmonary edema
#6 Multiple regional cardiac wall motion abnormality
#7 Elevated cardiac enzyme, EKG abnormality
#8 Leukocytosis
#9 Normocytic normochromic anemia

Assessment and Plan

#3 Chronic kidney disease, stage 5, associated with diabetes
#5 Dyspnea, orthopnea and pulmonary edema
#6 Multiple regional cardiac wall motion abnormality
#7 Elevated cardiac enzyme, EKG abnormality

A)	Silent myocardial infarction with pulmonary edema Acute exacerbation of interstitial lung disease
P)	Therapeutic plan 〉 - supply oxygen - volume control with furosemide - heparinization and isosorbide dinitrate infusion - consider percutaneous coronary angioplasty

#3 Chronic kidney disease, stage 5, associated with diabetes
#5 Dyspnea, orthopnea and pulmonary edema

A)	Acute exacerbation of pre-existing, milder renal failure Irreversibly advanced renal failure
P)	Therapeutic plan〉 - volume control with furosemide - consider hemodialysis

가슴 통증은 없었으나 EKG와 심초음파 이상, cardiac enzyme 상승 소견 등이 있고 당뇨 환자임을 고려하여 silent myocardial infarction에 의한 폐 부종의 가능성이 가장 높다고 생각하였다.

허혈성 심질환의 경우 perfusion 감소로 인한 ischemia가 먼저 발생하며 그 이후 regional wall motion abnormality → EKG change → chest pain 등의 순서로 진행된다. Coronary angiography는 myocardial infarction을 진단하는 목적이 아니라 치료 방향을 결정하기 위해 필요하다.

Orthopnea가 심하며 EKG 및 심초음파 소견 등을 고려할 때 interstitial lung disease의 악화에 의한 호흡 곤란의 가능성은 낮을 것으로 판단하였다.

Hospital day #2

#3 Chronic kidney disease, stage 5, associated with diabetes
#5 Dyspnea,orthopnea and pulmonary edema
#6 Multiple regional cardiac wall motion abnormality
#7 Elevated cardiac enzyme, EKG abnormality

S)	아직도 눕기만 하면 숨이 차요.
O)	Vital signs: 129/50 mmHg - 98/min - 21/min - 36.6℃ pretibial pitting edema (++/++) CK-MB 67.7 ng/mL ➡ 29.7 ng/mL Troponin-I 30.097 ng/mL ➡ 48.417 ng/mL 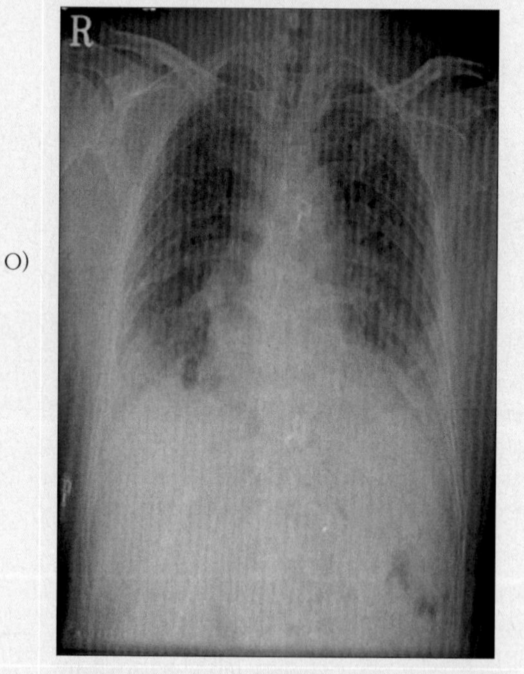
A)	Silent myocardial infarction with pulmonary edema
P)	Hemodialysis heparinization and isosorbide dinitrate infusion percutaneous coronary angioplasty

Cardiac wall hypokinesia가 있으면서 평소 diabetes에 의한 chronic kidney disease가 있던 환자여서 이뇨제를 사용하였음에도 오히려 pleural effusion이 증가하였다. 이러한 경우 혈액 투석을 통해 체액 조절을 시도할 수 있다. 만약 혈압이 불안정할 경우에는 continuous renal replacement therapy를 고려해야 한다. Heart failure 환자에서 continuous renal replacement therapy의 역할은 수술적 치료 전의 bridging treatment로 hemodynamic stress가 없으면서도 효과적인 volume control이 가능한 좋은 방법이다.

Hospital Day #4-5

#3 Chronic kidney disease, stage 5, associated with diabetes
#5 Dyspnea,orthopnea and pulmonary edema
#6 Multiple regional cardiac wall motion abnormality
#7 Elevated cardiac enzyme, EKG abnormality

S) 어제보다는 숨 찬 것이 덜 해요.

P) Vital signs: 128/73 mmHg - 104/min - 21/min - 36.5℃
pretibial pitting edema (++/++)
body weight loss: 3.6 kg
입원 4일 째에 percutaneous coronary angioplasty를 시도 하였으나 orthopnea로 인하여 환자가 눕지 못해 실패하였다. 투석으로 pulmonary edema를 좀 더 조절한 후 angiography를 시행하였다.

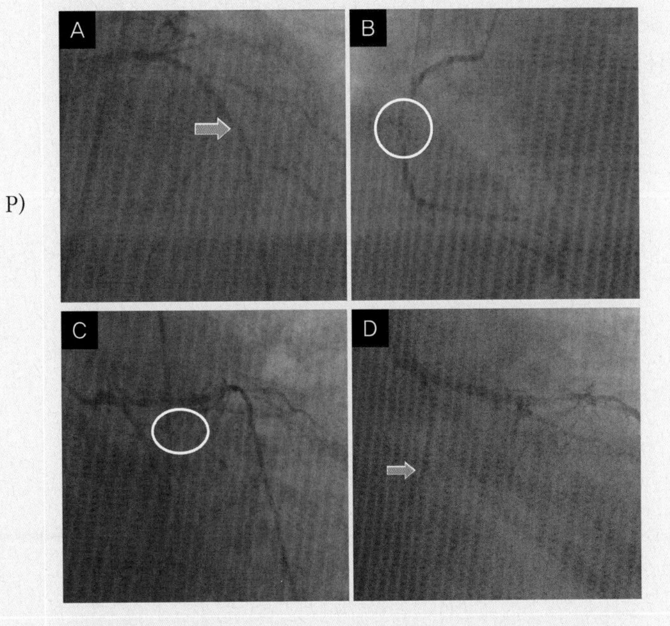

A) Silent myocardial infarction with pulmonary edema
3 vessels involved

P) Heart MR
heparinization and isosorbide dinitrate infusion
continuous hemodialysis

Angiography 결과 mLAD(A), mRCA(B), LCX branch(C)와 LCX(D)의 협착 소견이 확인되었다.

Coronary artery bypass surgery (CABG)와 같은 수술적 치료의 survival benefit은 left main coronary artery에 병변이 있거나 left ventricle dysfunction이 있는 multi-vessel disease일 경우 기대할 수 있다.

침범 혈관의 영역에 있는 심근의 viability를 확인하기 위하여 heart MRI를 시행하기로 하였다.

Updated Problem List

#1 Type 2 diabetes for 20 years

#2 Hypertension for 19 years, under control on medications

#3 Chronic kidney disease, stage 5, associated with #1

→ Irreversibly advanced renal failure vs.
Acute exacerbation of pre-existing, milder renal failure

#4 Interstitial lung disease

#5 Dyspnea, orthopnea and pulmonary edema → #6

#6 Multiple regional cardiac wall motion abnormality

→ Silent myocardial infarction, 3 vessels involved

#7 Elevated cardiac enzyme, EKG abnormality → #6

#8 Leukocytosis → #6

#9 Normocytic normochromic anemia → #3

Hospital Day #7

Hospital Day 12

#5 Dyspnea,orthopnea and pulmonary edema
#6 Multiple regional cardiac wall motion abnormality
→ Silent myocardial infarction, 3 vessels involved
#7 Elevated cardiac enzyme, EKG abnormality

S) 숨은 계속 찹니다.

O)

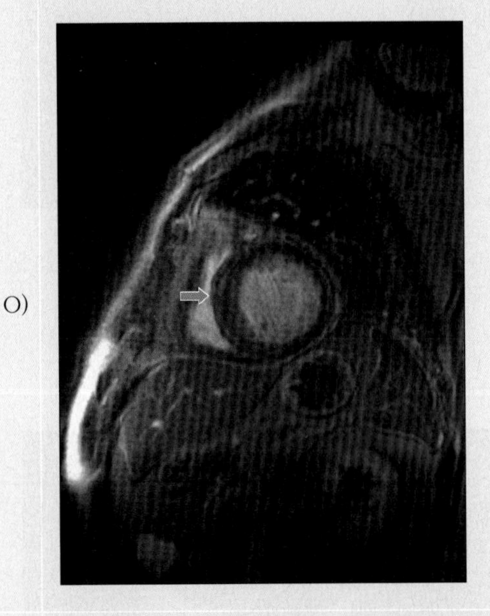

Heart MR에서 viability가 없는 조직은 delayed enhancement에서 밝게 조영 증강된다.
Delayed enhancement image에서 하얗게 조영 증강된 부분이 확인되는데(화살표), 이는 basal, inferior wall, inferolateral wall 부분으로 RCA territory에 해당한다. 25% 이하의 transmurality에서 enhancement가 확인되는데 이렇게 조영 증강되는 부분이 viability가 없는 부분이다.
("dead is bright"라고 기억해두자.)

A) Silent myocardial infarction, 3 vessels involved

P) Coronary artery bypass surgery

Hospital Day #8-14

#3 Chronic kidney disease, stage 5, associated with #1
→ Irreversibly advanced renal failure vs.
Acute exacerbation of pre-existing, milder renal failure
#5 Dyspnea,orthopnea and pulmonary edema
#6 Multiple regional cardiac wall motion abnormality
→ Silent myocardial infarction, 3 vessels involved
s/p Coronary artery bypass surgery
#7 Elevated cardiac enzyme, EKG abnormality

S) 숨은 계속 차요.

입원 8일 째에 coronary artery bypass surgery를 시행하였다. 수술 후 continuous renal replacement therapy를 지속하고 있으나 여전히 pleural effusion이 있다.

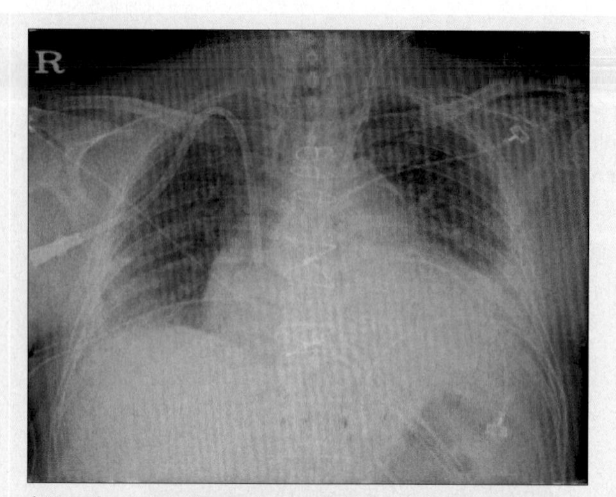

O) 〈Transthoracic echocardiography〉
Left ventricle ejection fraction: 32%, multiple regional wall motion abnormalities. Echogenic round mass in right atrium

〈Transesophageal echocardiography〉
Multiple echogenic mass attached to right atrial free wall

수술 후 7일 째에 심초음파를 시행한 결과 left ventricle dysfunction은 큰 호전 소견 보이지 않았다. Right atrium에 echogenic round mass 확인되어 경식도 심초음파를 시행하였다. 경식도 심초음파 결과 right atrium에 echogenic round mass가 관찰되었고 상대정맥 내에 투석을 위해 삽입된 도관의 끝부분이 관찰된다(화살표). Mass는 thrombus로 판단하였고 당시 열이 없어 benign thrombi 가능성이 높다고 생각하여 경과 관찰하기로 하였다.

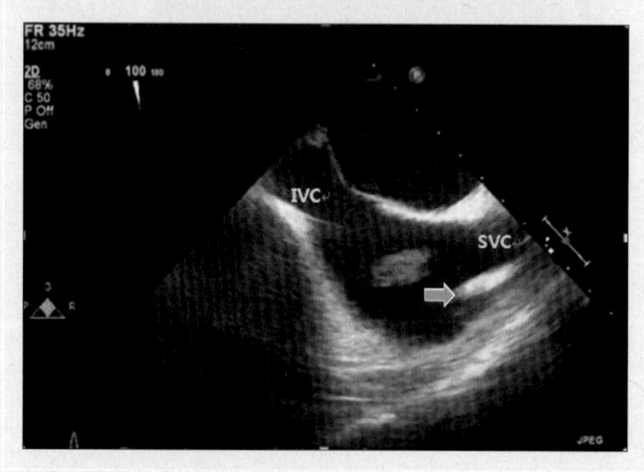

수술 후 f/u TTE 상에서 right atrium의 mobile mass 확인되었다. Infective endocarditis 흔하게 생기는 부위는 아니지만 perm cath tip이 근처에 있고, dialysis flow가 부딪힐 수 있는 위치에 있으며 Fever and bacteremia 확인되어 infective endocaridits의 가능성을 고려하였다.

A) Silent myocardial infarction, 3 vessels involved
s/p Coronary artery bypass surgery
Echogenic round mass in right atrium

P) Continue hemodialysis
Dobutamine

New problem 11 Rt. Arm pain

S)	오른쪽 팔이 아파요.
O)	Right arterial-line insertion site tenderness (+), heating sense (+) Doppler sonography: acute thrombosis at distal radial artery
A)	Right distal radial artery acute thrombosis
P)	Heparinization

Hospital Day #15-19

New problem 12 Febrile sense
New problem 13 Surgical site pus discharge

S) 열이 나요.

O)

〈Transthoracic echocardiography〉
Echogenic round mass in right atrium, possible thrombi
Right radial arterial-line insertion site: clear
Blood culture: Enterococcus faecalis
Open pus culture: *Methicillin-resistant Staphylococcus epidermidis*

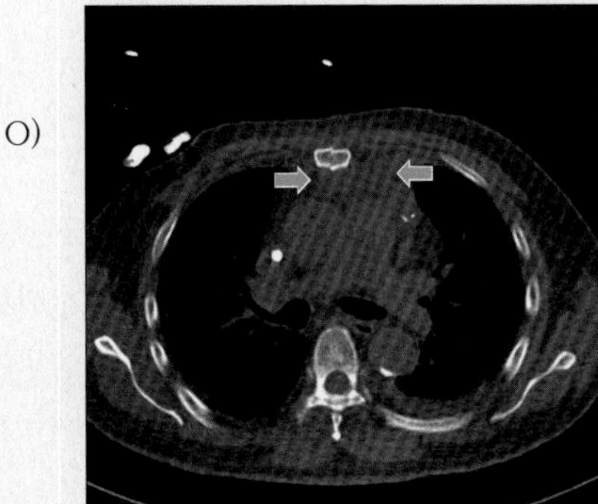

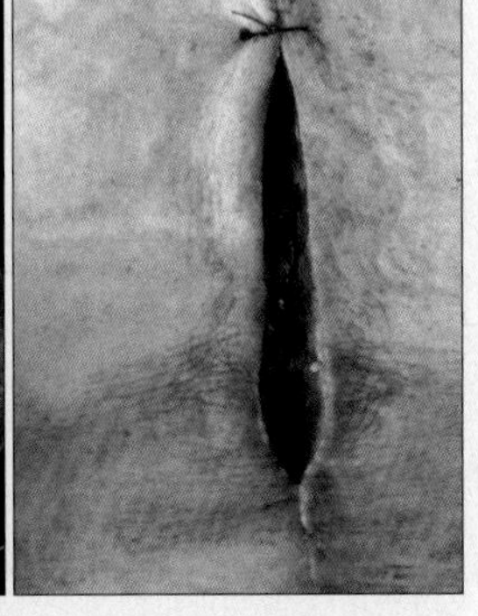

A)

Silent myocardial infarction, 3 vessels involved
s/p Coronary artery bypass surgery
Fever d/t
- Infective endocarditis
- Wound infection
- Postsurgical mediastinitis

P)

Ampicillin, gentamicin, teicoplanin
Apply vaccum to wound
Consider resection of thrombi

혈액 배양 검사에서 *Enterococcus faecalis*가 배양되었다. 수술 직후에 bacteremia가 발생한 점과 wound infection으로 인한 bacteremia로 vegetation을 형성하기에는 시기적으로 너무 빨라 infective endocarditis에 합당하지 않는 것으로 판단하였다, Portal of entry가 명확하지 않은 bacteremia와 thrombus는 별개의 문제일 가능성이 높으나 infective endocarditis를 완전히 배제하기는 어려워 ampicillin, gentamicin을 사용하기로 하였다.

흉부 CT에서 retrosternal space에 multiple loculated fluid collection이 보이며 rim enhancement, soft tissue infiltration이 보여 complicated fluid collection의 가능성을 생각할 수 있다. (화살표)

두 번째 사진에서 wound dehiscence를 확인할 수 있는데, pus가 나와 wound infection 가능성을 고려하였다. Wound culture에서 *Methicillin-resistant Staphylococcus epidermidis*가 배양되어 curettage 시행 후 vacuum을 상처 부위에 적용하고 teicoplanin을 추가하였다.

Hospital Day #21 -26

#3 Chronic kidney disease, stage 5, associated with #1
➡ Irreversibly advanced renal failure vs.
Acute exacerbation of pre-existing, milder renal failure
#6 Silent myocardial infarction, 3 vessels involved
s/p Coronary artery bypass surgery
#11 Distal radial artery acute thrombosis
#12 Echogenic round mass in right atrium
s/p Resection of thrombi
#13 Enterococci bacteremia
#14 Wound infection

S)	숨이 차서 잠을 못자겠어요.
O)	혈액 배양에서 *Enterococcus faecalis*가 지속적으로 배양되어 infective endocarditis 의심하에 수술적 치료로 thrombus를 제거하였다. Right atrium mass biopsy: fibrin thrombus, no bacteria growth
A)	Fever d/t wound infection
P)	Teicoplanin for more than 6 weeks AnticoagulationClinical Course

Clinical Course

Coronary artery bypass surgery를 시행한 후 지속적으로 호흡 곤란이 있어 continuous renal replacement therapy를 적용한 후에 체액이 조절되면서 호흡 곤란이 호전되었다. 현재 투석 지속 중이며 이후 시행한 심초음파에서 좌심실 ejection fraction 59%로 회복되었고 더 이상 echogenic mass는 확인되지 않았다.

Lesson of the case

당뇨 환자에서 심전도 이상, 전형적인 흉통이 있을 때 이외에도 심장 이상을 의심할 만한 비특이적인 증상이 있을 경우 본 증례에서와 같이 silent myocardial infarction이 발생할 가능성이 있으므로 coronary artery evaluation을 고려해야 하며, coronary artery bypass surgery 시행 여부는 myocardium의 viability를 확인한 후에 결정해야 한다.

CASE 2 우연히 발견된 간의 종괴로 내원한 57세 남자 환자

Chief Complaints

Multiple liver mass detected on CT

Present Illness

1년 4개월 전 조기 위암으로 진단받고 laparoscopic distal gastrectomy 시행 받았다. 수술 후 6개월 경과 후 시행한 abdomino pelvic CT에서 특이소견 보이지 않았다. 조기 위암의 최종 병기는 pT1aN0M0 였으며, 수술 후 1년 후 시행한 위내시경상 위암의 국소 재발이 의심되는 소견은 없었으나 같은 시기에 시행한 abdomino pelvic CT에서 간에 경계가 불분명한 다수의 종괴가 발견되었다. 위암의 재발 가능성은 매우 낮았으며 내원 6개월 전 천엽을 날로 복용한 과거력이 있어 기생충 감염증 혹은 악성 종양의 가능성 등을 고려하여 간 종괴에 대한 조직검사를 위해 본원에 내원 하였다.

Past History

operation history: laparoscopic distal gastrectomy (1년 4개월 전)
diabetes (-)
hypertension (-)
dyslipidemia (-)
tuberculosis (-)
malignancy (-)

Family History

diabetes (-)
hypertension (-)
dyslipidemia (-)
tuberculosis (-)
malignancy (-)

Social History

occupation: 무직
smoking: current, 20 pack years, current smoker
alcohol: 소주 2병 / 주 / 40년

Review of Systems

General

easy fatigability (-)	general weakness (-)

Head / Eyes / ENT

headache (-)	hearing disturbance (-)
dry eyes (-)	tinnitus (-)
rhinorrhea (-)	oral ulcer (-)
sore throat (-)	dry mouth (-)

Respiratory

dyspnea (-)	hemoptysis (-)
cough (-)	sputum (-)

Cardiovascular

chest pain (-)	palpitation (-)
orthopnea (-)	dyspnea on exertion (-)

Gastrointestinal

anorexia (-)	dyspepsia (-)
nausea (-)	vomiting (-)
diarrhea (-)	abdominal pain (-)

Genitourinary

flank pain (-)	gross hematuria (-)
genital ulcer (-)	costovertebral angle tenderness (-)

Neurologic

seizure (-)	cognitive dysfunction (-)
psychosis (-)	motor-sensory change (-)

Musculoskeletal

pretibial pitting edema (-)	tingling sense (-)
back pain (-)	muscle pain (-)

Physical Examination

height 175.2 cm, weight 76 kg, body mass index 24.8 kg/m^2

Vital Signs

BP 105/79 mmHg - HR 88 /min - RR 16 /min - BT 36.7℃

General Appearance

looking not ill	alert
oriented to time,person,place	

Skin

skin turgor: normal	ecchymosis (-)
rash (-)	purpura (-)

Head / Eyes / ENT

visual field defect (-)	pinkish conjunctiva (+)
icteric sclera (-)	palpable lymph nodes (-)

Chest

symmetric expansion without retraction	normal tactile fremitus
percussion: resonance	clear breath sounds without crackle

Heart

regular rhythm	normal heart sounds without murmur

Abdomen

soft & flat	decreased bowel sound
direct tenderness (-)	rebound tenderness (-)
palpable mass (-)	

Neurology

motor weakness (-)	sensory disturbance (-)
gait disturbance (-)	neck stiffness (-)

Initial Laboratory Data

CBC

WBC ($4 \sim 10 \times 10^3/mm^3$)	8,000	Hb (13~17g/dl)	12.4
WBC differential count	neutrophil 65.5% lymphocyte 28.0% monocyte 4.2% esoinophil 1.5%	platelet ($150 \sim 350 \times 10^3/mm^3$)	328

Chemical & Electrolyte battery

protein (6~8 g/dL)/ albumin (3.3~5.2 g/dL)	9.0/3.0	aspartate aminotransferase (AST) (~40 IU/L) /alanine aminotransferase (ALT) (~40 IU/L)	18/20
alkaline phosphatase (ALP) (40~120 IU/L)	153	total bilirubin (0.2~1.2 mg/dL)	0.5
BUN (10~26 mg/dL) /Cr (0.7~1.4 mg/dL)	12/1.03	Cholesterol (~199 mg/dL)	170
Na (135~145 mmol/L) /K (3.5~5.5 mmol/L) /Cl(98~110 mmol/L)	143/4.8/105		

Coagulation battery

prothrombin time (PT)(70~140%)	92.5%	PT (INR) (0.8~1.3)	1.05

Tumor marker

CA-72-4 (0~4 U/mL)	4.4
CA-19-9 (0~37 U/mL)	2.5

Parasite (OPD)

Toxocara Ab (serum)	positive
Clonorchis Ab (serum)	negative
Paragonimus Ab (serum)	negative

간내 감염을 일으킬 수 있는 기생충에 대해 검사하였다.

Urinalysis

specific gravity (1.005~1.03)	1.025	pH (4.5~8)	.5.0
albumin (TR)	(-)	glucose (-)	(-)
ketone (-)	(-)	bilirubin (-)	(-)
occult blood (-)	(-)	nitrite (-)	(-)

Chest X-ray

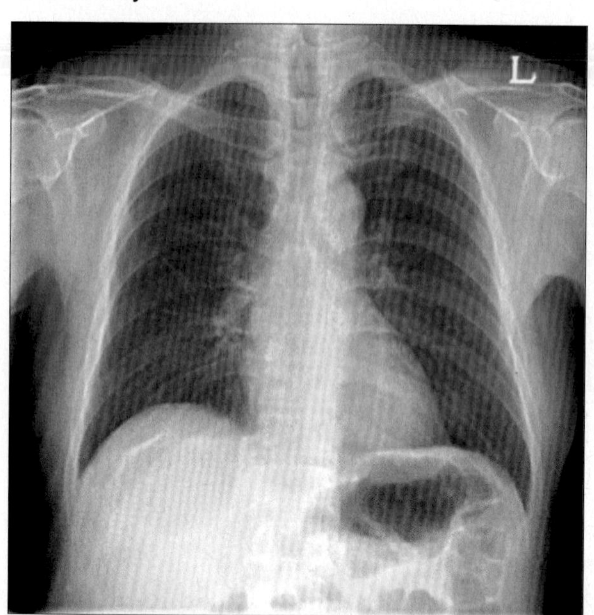

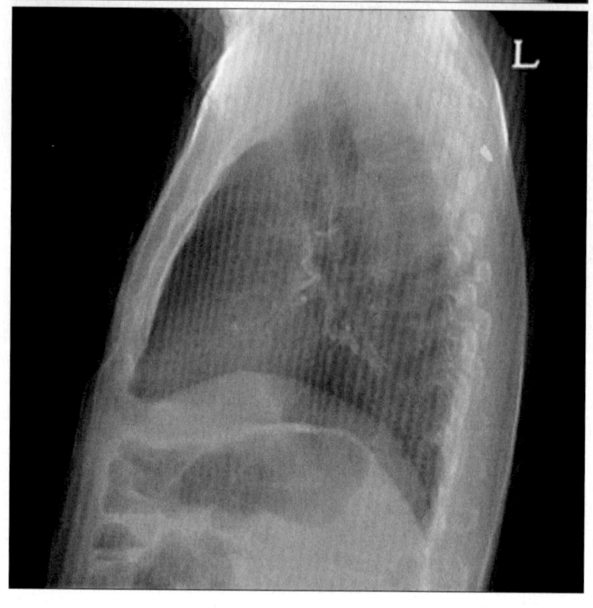

Rt. middle lung zone으로 subsegmental atelectasis가 관찰되며 그 외 유의한 소견은 없다.

Abdomino-pelvic CT with enhance

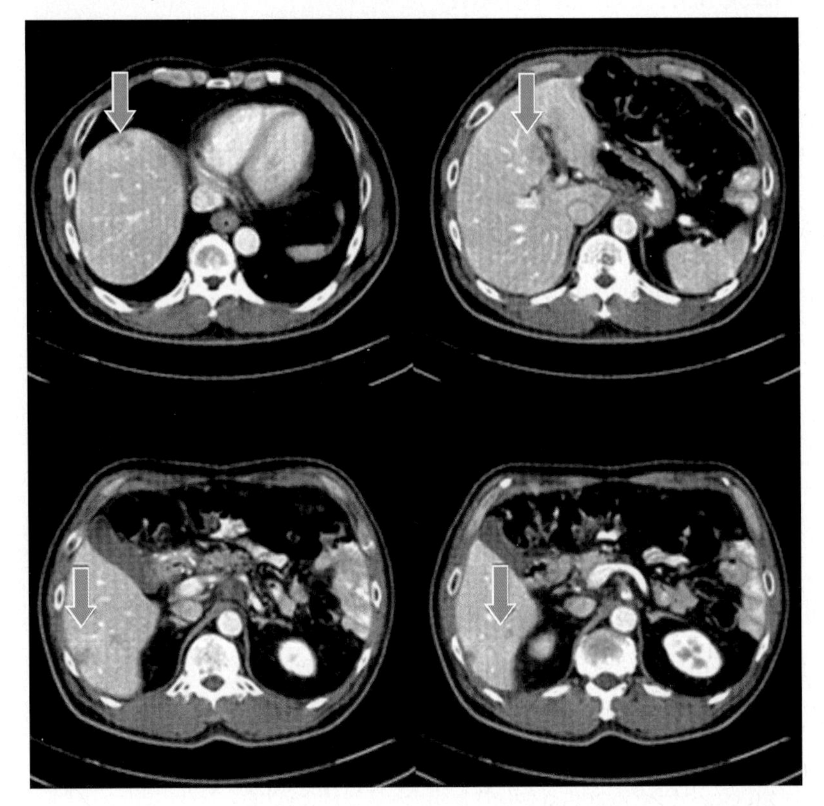

ill-defined mass (arrow) with perihepatic space and right abdominal wall invasion이 관찰된다.

Metastatic carcinoma 배제할 수 없는 소견이나 경계가 불분명하고 조영이 되는 pattern을 보아 가능성은 매우 떨어진다.
이런 경우 염증성 질환(hepatic abscess, inflammatory pseudotumor)에 대한 감별이 필요하다.

Initial Problem List

#1 EGC pT1aN0M0

#2 s/p laparoscopic distal gastrectomy (2년 3개월 전)

#3 Multiple liver mass

#4 h/o raw food ingestion (천엽)

#5 Toxocara Ab (serum) - positive serology

#6 Normochromic normocytic anemia

본 증례 환자의 경우 toxocara antibody가 양성이지만, toxocara antibody 검사는 10-30% 정도에서 기생충 감염과 관계 없이 양성을 보일 수 있다.

Assessment and Plan

#1 EGC pT1aN0M0 #2 s/p laparoscopic distal gastrectomy (2011.08.10) #3 Multiple liver mass #4 h/o raw food ingestion (천엽) #5 Toxocara Ab (serum) - positive serology #6 Normochromic normocytic anemia	
A)	Recurred gastric cancer Metastatic cancer of unknown origin Parasite infestation such as toxocariasis
P)	Diagnostic plan 〉 liver biopsy Therapeutic plan 〉 biopsy 결과 확인 후 결정

1 week later (OPD)

발열 및 복통이 없었기 때문에 pyogenic liver abscess 가능성은 매우 낮다.

기생충 질환에서 보이는 peripheral eosinophilia 소견이 없고 조직검사에서도 eosinophilic infiltration이 없으나 천엽 복용력 및 toxocara antibody 양성 소견 등을 토대로 hepatic toxocariasis에 대해 경험적으로 albendazole을 사용하기로 하였다.

Albendazole은 일반적으로 400 mg bid로 5일에서 14일까지 사용 가능하며 ocular toxocara의 경우 하루 800 mg bid로 14일까지 사용할 수 있다.

#3 Multiple liver mass #4 h/o raw food ingestion (천엽) #5 Toxocara Ab (serum) - positive	
O)	liver biopsy - organizing abscess
A)	Hepatic toxocariasis, more likely
P)	Treatment plan 〉 - albendazole (400 mg bid, 5 days) - CT follow up after 2 months later

2 months later (OPD)

#3 Multiple liver mass
#7 Mild leukocytosis, CRP elevation
#8 Weight loss 6 kg for 3 months
#9 Right upper quadrant pain

S) 1개월 전부터 우상복부 통증이 있어요. 체중이 빠져요.

O) Palpable mass (RUQ, 10 cm)
- soft
- tenderness (+)
- redness, warmth (+)

Weight loss: 6 kg/3 months

WBC	10,000/uL	ALP	159 IU/L
neutrophil	71.7%	r-GT	163 IU/L
eosinophil	1.1%	AST/ALT	21/18 IU/L
CRP	7.95 mg/dL		

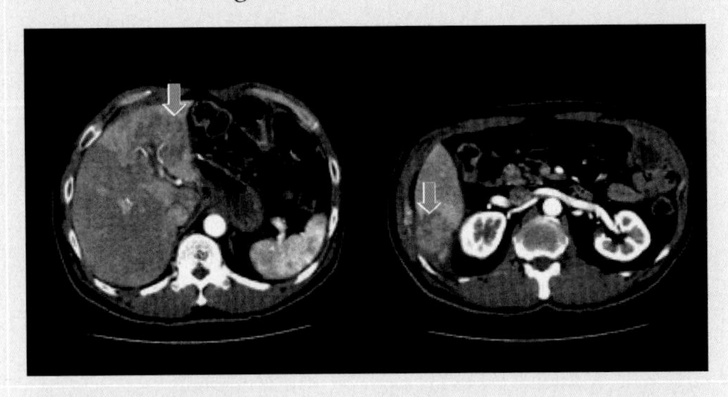

A) IgG4-related disease
Malignancy, less likely
unusual infection such as tuberculosis, actinomycosis

P) Diagnostic plan 〉
- liver biopsy (gram stain, AFB, fungus culture 포함)
- IgG4 (serum, biopsy tissue)

Therapeutic plan 〉
- Biopsy 결과 확인 후 결정

오른쪽 CT에서 종괴가 rib 사이로 infiltration하고 있는 모습이 마치 infiltrative tumor와 유사하다. 이처럼 만성적인 염증으로 인해 마치 tumor처럼 보이는 mass를 형성하는 질환을 inflammatory pseudotumor라고 총칭하는데, 조직학적으로 형질세포를 포함한 다양한 염증세포와 혈관 섬유성 조직 등으로 구성된다.

IgG4-related disease의 진단기준은 다음과 같다. 첫째, 하나 혹은 다양한 장기에 미만성 혹은 국소적으로 부기 혹은 종괴가 발생한다. 둘째, serum IgG4가 135 mg/dL 이상이다. 셋째, 조직학적 검사에서 lymphocyte와 plasmacyte의 침윤과 섬유화가 두드러지며 IgG4/IgG ratio가 40% 이상이고, high power field에서 IgG4 양성인 plasma cell이 10개 이상이다. 진단 기준 3개 모두를 만족 하는 경우 defeinite IgG4-related disease로 진단 되며, 1&3 기준을 만족할 경우 probable IgG4-related disease, 1&2 기준을 만족 할 경우 possible IgG4-related disease로 진단 한다.

Re-biopsy

본 증례의 경우 IgG4 positive cell이 진단 기준 이상으로 검출되나 IgG4/IgG ratio가 기준에 미치지 못하여 명확하게 IgG4 related disease라고 할 수는 없다. 참고로 IgG4는 다양한 염증성 질환에서 상승할 수 있다.

IgG4 related disease로 확진하기는 어려웠으나 병변이 계속 커지고 있고 간 좌엽의 주 병변이 복벽을 침범하면서 심한 통증까지 동반된 상황으로, 다른 염증성 질환을 완전히 배제하지 못한 상태에서 경험적으로 steroid를 사용하기로 하였다.

#3 Multiple liver mass
➡ IgG4 related disease
#7 Mild leukocytosis, CRP elevation ➡ #3
#8 Weight loss 6kg for 6 months ➡ #3
#9 Right upper quadrant pain ➡ #3

O)

Culture
- biopsy tissue, culture: no growth
- biopsy tissue, AFB: negative
- biopsy tissue, fungus culture: no growth

IgG/IgG4 subclass
- IgG: 2580.0 mg/dL (700-1600 mg/dL)
- IgG4: 0.92 g/L (0.06-1.21 g/L)

Liver biopsy
- polymorphous inflammatory cells with fibrosis
  favor organizing abscess with marked plasma cell infiltration
- IgG4 positive plasma cells; 50/HPF in hotstop
  IgG4/IgG ratio: 10%
- the presence of neutrophilic aggragation is unusual in IgG4 related sclerosing disease

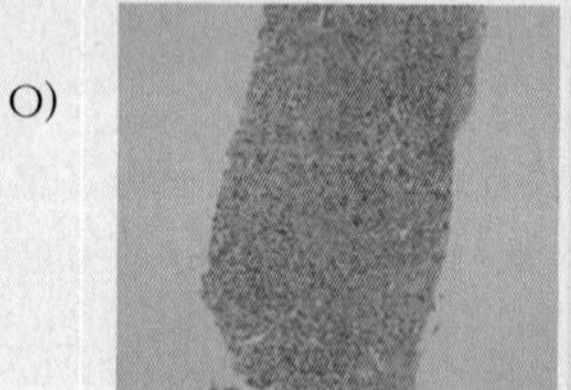
H&E, ×100

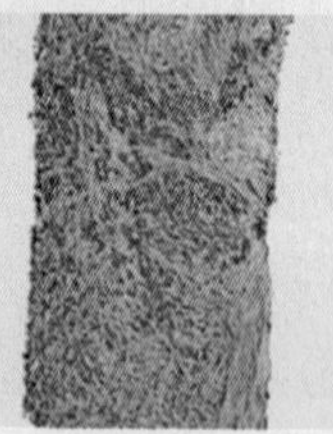
IgG stain, ×100

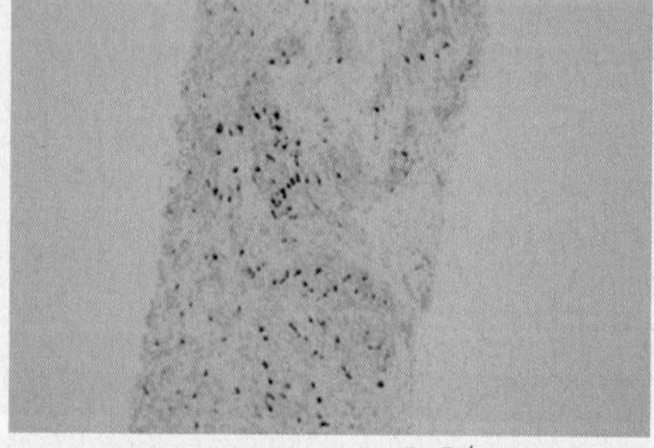
IgG4 stain, ×100

A) IgG4 related disease

P)

Therapeutic plan 〉
Prednisolone 40 mg (2-4 weeks)
CT follow up after 2 weeks later

2 weeks later (OPD)

#3 Multiple liver mass
➡ IgG4 related disease
#7 Mild leukocytosis, CRP elevation ➡ #3
#8 Weight loss 6kg for 6 months ➡ #3
#9 Right upper quadrant pain ➡ #3

S) 통증이 더 심해졌어요.

O)

WBC	17,400 /uL
Neutrophil	87.6%
Eosinophil	0.0%
CRP	7.96 mg/dL

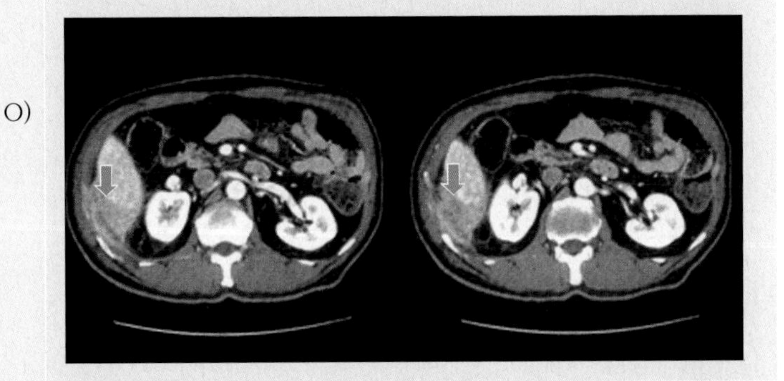

Mass가 perihepatic space와 abdominal wall로 더욱 extension 하고 있다. Actinomycosis 혹은 malignancy에서 볼 수 있는 소견이다.

A) unusual infection such as tuberculosis, actinomycosis
IgG4 related disease, less likely

P) Diagnostic plan 〉
- open biopsy

Therapeutic plan 〉
- surgical abscess drainage

Open biopsy and abscess drainage

1. Operation name: drain of abscess of liver
2. Operation finding
   - liver left lateral segment (S6)에 hard, firm mass 관찰되어 frozen biopsy를 시행 했고, chronic inflammation with abscess가 확인 됐고, tumor는 관찰되지 않았다.
   - liver S4에도 비슷한 병변 관찰되어 biopsy 시행 하였고, S6의 abscess에서 culture 시행하고 cigarette drain 2개 삽입 하였다.
3. Pathology
   - Diagnosis: actinomycotic abscess

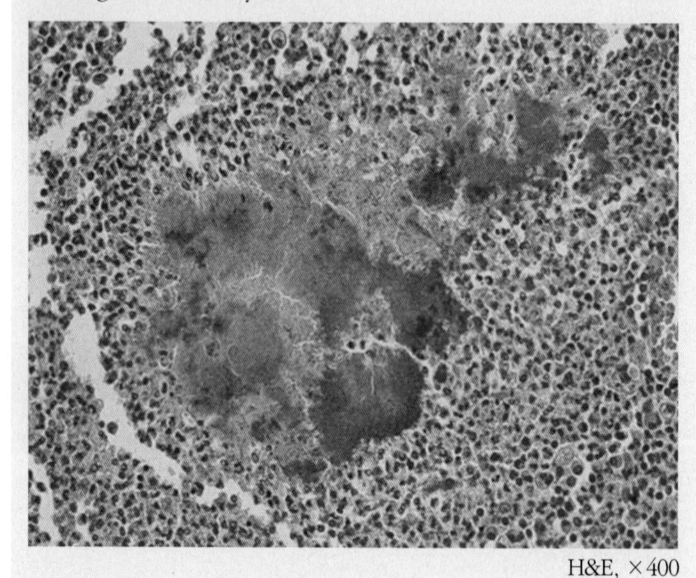

H&E, ×400

Sulfur granule
생체 내에서 세균, 칼슘, 인산, 숙주반응물질들에 의해 만들어진다. Actinomycosis의 특징적인 소견이지만 균종(mycetoma), 포도균종(botrymycosis)에서도 유사한 소견이 관찰된다.

Audience comments
Biopsy 결과를 확인 한 이후에 review 하였을 때 initial lab에서 total protein이 9.0 g/dL이며 albumin이 3.0 g/dL였다. Multiple myeloma 등의 bone marrow disorder를 배제하기 위해 serum protein electrophoresis를 시행 하거나, 혹은 chronic inflammatory condition을 고려할 수 있었을 것이다.

Updated problem list

#1 EGC pT1aN0M0

#2 s/p laparoscopic distal gastrectomy (2년 3개월 전)

#3 Multiple liver mass ➡ hepatic actinomycosi s with chest wall invasion

#4 h/o raw food ingestion (천엽)

#5 Toxocara - positive serology

#6 Normochromic normocytic anemia ➡ #3

#7 Mild leukocytosis, CRP elevation ➡ #3

#8 Weight loss 6 kg for 6 months ➡ #3

#9 Right upper quadrant pain ➡ #3

Hospital day 20 (POD 10)

#1 EGC pT1aN0M0 s/p laparoscopic distal gastrectomy #3 Multiple liver mass ➡ hepatic actinomycosi s with chest wall invasion #6 Normochromic normocytic anemia ➡ #3 #7 Mild leukocytosis, CRP elevation ➡ #3 #8 Weight loss 6 kg for 6 months ➡ #3 #9 Right upper quadrant pain ➡ #3		
	A)	isolated actinomycosis with chest wall invasion
	P)	Therapeutic plan 〉 amoxicillin/clavulanate 경구 투여를 6개월 ~ 1년 유지

최근에 복부 수술력이 있거나, 외상 환자, 종양 환자 혹은 diverticulitis, apeendicits 등의 질환으로 인해 내장이 천공된 환자의 경우 actinomycosis 감염의 위험이 증가 된다.

Acinomycetes는 구강, 위장관, 여성 생식기의 normal flora로, mucosal barrier를 스스로 통과할 수는 없으나 위험 요소들에 노출되었을 때 전신으로 침투하게 된다.

이 환자는 증상 발현 2년 전 위암으로 개복수술을 한 과거력이 있어 actinomyosis 감염 위험인자를 가지고 있다.

Lesson

Actinomycosis는 항생제 치료로 완치가 가능한 질환이지만 발병율이 높지 않고 복부 영상 검사에서 악성 종양의 형태와 유사하게 보이는 경우가 많다. 또한 core needle biopsy로는 특징적인 소견(ex. sulfur granule)이 잘 관찰되지 않아 수술 후에 진단이 되는 경우가 많다.

Actinomycosis는 주로 복부 수술 과거력이 있는 환자에게서 만성적으로 조직 사이의 경계를 넘어서는 염증 덩어리가 형성 되고 이후 악화와 호전을 반복하며 배농루(sinus tract)를 형성 하며, 항균제 단기간 치료 후 반응이 좋지 않거나 재발 하는 임상 경과를 보인다.

이러한 임상 양상을 보이는 환자에게서 actinomycosis를 의심해볼 수 있으며, 조기 진단을 통해 불필요한 수술을 피하는 것이 중요하다.

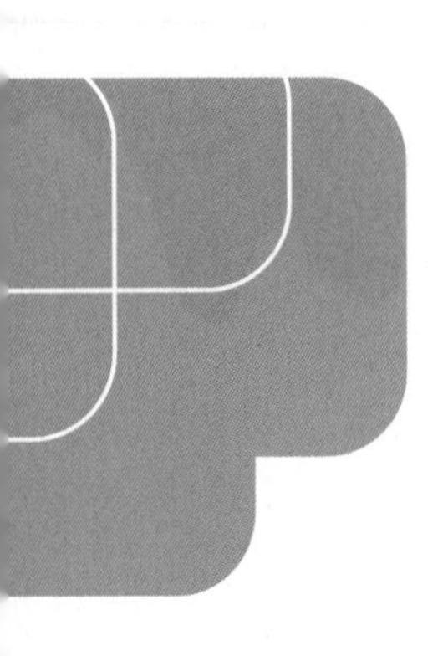

CASE 3 1일전 발생한 의식변화로 내원한 38세남자

Chief Complaints

Altered mentality, detected 1 day ago

Present Illness

4일 전 기침과 인후통으로 감기약 복용, 증상 호전 없었고, 2일 전 오한, 발열, 두통 호소하여 OO병원 응급실로 방문하였다. 혈액검사에서 염증수치 상승 및 두통 지속되어 brain CT촬영하였으나 이상 없다고 들었다. 이후부터 점점 의식이 처져서 △△병원으로 전원, Brain CT와 MRI촬영하였고, 뇌출혈 소견은 보이지 않았다. 당시 시행한 척수천자에서 세균성 뇌막염 의심 소견 (opening pressure: 25 cmH_2O, WBC: 289/μL, RBC: 23/μL, neutrophil: 87%, protein: 64 mg/dL, glucose: 63 mg/dL)으로 중환자실 치료 권유 받고 본원 전원되었다.

Past History

diabetes (-)
hypertension (-)
tuberculosis (-)
hepatitis (-)
20년 전 (중학생 때) 선천성 심질환으로 수술 (+)

Family History

diabetes (-)
hypertension (-)
tuberculosis (-)
malignancy (-)

Social History

occupation: 회사원
never smoker
alcohol (-)

Review of Systems

내원당시 의식이 stuporous하여 증상 호소는 불가능한 상태로, 가족들에 의하면 앞 기술된 내용 이외에는 특이소견이나 증상 호소는 없었다.

General

generalized edema (-)	easy fatigability (-)

Skin

purpura (-)	erythema (-)

Head / Eyes / ENT

headache (-)	dizziness (-)
hearing disturbance (-)	visual disturbance (-)
sore throat (-)	

Respiratory

dyspnea (-)	hemoptysis (-)
cough (-)	sputum (-)

Cardiovascular

chest pain (-)	palpitation (-)
orthopnea (-)	dyspnea on exertion (-)

Gastrointestinal

anorexia (-)	dyspepsia (-)
nausea (-)	vomiting (-)
abdominal pain (-)	diarrhea/constipation (-/-)

Genitourinary

flank pain (-)	gross hematuria (-)
genital ulcer (-)	

Neurologic

seizure (-)	motor-sensory change (-)
psychosis (-)	

Musculoskeletal

myalgia (-)	localized bone pain (-)

Physical Examination

height 174.0 cm, weight 85.5 kg, body mass index 28.2 kg/m^2

Vital Signs

BP 97/42 mmHg - HR 120 /min - RR 15 /min - BT 38.2℃

General Appearance

acute ill looking	stuporous metal status pain stimuli에만 반응 보이고 자발적 움직임이나 의사소통은 거의 불가능한 상태였다.

Skin& Integument

rash (-)	bruise (-)

Head / Eyes / ENT

pinkish conjunctivae	icteric sclera
no palpable cervical lymph nodes	no jugular venous distension

Chest

symmetric expansion without retraction
normal breath sound without crackles

Heart

regular rhythm	normal heart sound without murmur

응급실 초기 평가 당시 환자 체격이 obese하고, 의식이 뚜렷하지 않아 supine position밖에 취할 수 없었으며, 심박동수 120회 정도의 빈맥을 보이고 있어 심음 청취에 제한이 있는 상태로, murmur를 듣지 못하였다.

Abdomen

soft and flat abdomen	normoactive bowel sound
tenderness (-)	rebound tenderness (-)
abdominal distension (-)	shifting dullness (-)
hepatomegaly (-)	splenomegaly (-)

Musculoskeletal

costovertebral angle tenderness (-/-)	pretibial pitting edema (-/-)

Neurologic exam

mental status: stuporous	
obey command: none	
cranial nerve exam isocoria pupils light reflex +/+ vestibulo ocular reflex: intact corneal reflex: intact grossly no facial weakness	
motor system 사지 결박되어 있어 평가에 제한이 있으나 육안적으로 비대칭적인 움직임은 보이지 않음.	
sensory system 의식상태가 뚜렷하지 않아 평가 불가능함.	
Babinski sign (-)	neck stiffness (+)
deep tendon reflexes: 사지결박상태로 측정불가능	
Glasgow Coma Scale: 10/15 eye opening: to pain - 2/4 best motor response: withdraws (flexion) - 4/6 verbal response: confused, disoriented - 4/5	

Initial Laboratory Data

CBC

WBC ($4 \sim 10 \times 10^3/mm^3$)	7,200	Hb (13~17g/dl)	15.9
WBC differential count	Neutrophil 90.8% lymphocyte 4.5%	platelet ($150 \sim 350 \times 10^3/mm^3$)	54

Chemical & Electrolyte battery

Ca (8.3~10 mg/dL)	8.5	glucose (70~110 mg/dL)	200
protein (6~8 g/dL) albumin (3.3~5.2 g/dL)	5.7 2.9	aspartate aminotransferase (AST)(~40IU/L) alanine aminotransferase (ALT)(~40IU/L)	80 41
alkaline phosphatase (40~120 IU/L)	34	total bilirubin (0.2~1.2 mg/dL)	1.5
BUN(10~26 mg/dL) Cr (0.7~1.4 mg/dL)	19 0.89		
Na+ (135~145mmol/L) K+ (3.5~5.5mmol/L) Cl- (98~110mmol/L)	135 3.1 100	total CO_2 (24~31 mmol/L)	22
CK (IU/L)	1387	CK-MB(ng/mL)	22.8
Troponin-I(ng/mL)	2.831	LDH(IU/L)	440

Coagulation battery

prothrombin time (PT) (70~140%)	96.1	PT(INR)(0.8~1.3)	1.02
activated partial thromboplastin time (aPTT) (25~35sec)	33.9		

Urinalysis with microscopy

specific gravity (1.005~1.03)	1.020	pH (4.5~8)	6.0
albumin	(-)	glucose	(+)
ketone	(-)	bilirubin	(-)
occult blood	(-)	nitrite	(-)
RBC (0~2/HPF)	0	WBC (0~2/HPF)	0
squamous cell (0~2/HPF)	0	bacteria	0

Chest X-ray

20년 전 선천성 심기형 수술에 의한 것으로 생각되는 wire (arrow) 소견 외에 양 폐야에는 특이 소견 관찰되지 않음.

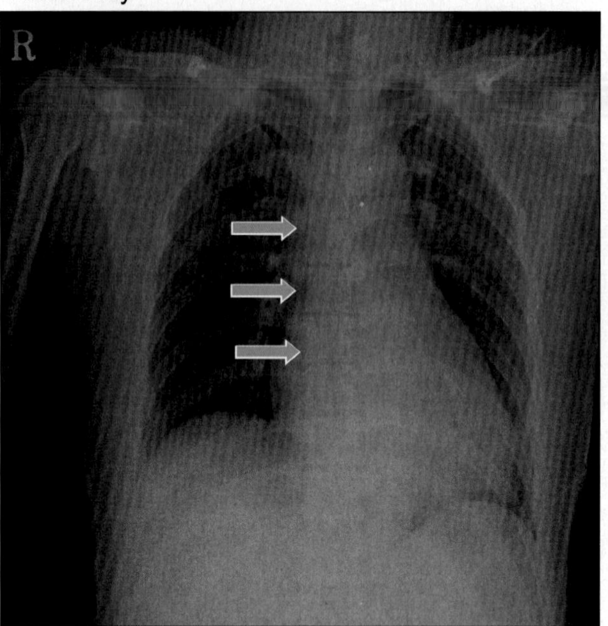

Electrocardiogram

HR 120회 전후의 tachycardia로, P와 QRS파가 1:1로 correlation 되어 sinus tachycardia로 판단 하였다. ST segment와 T wave의 이상 소견은 관찰되지 않았다.

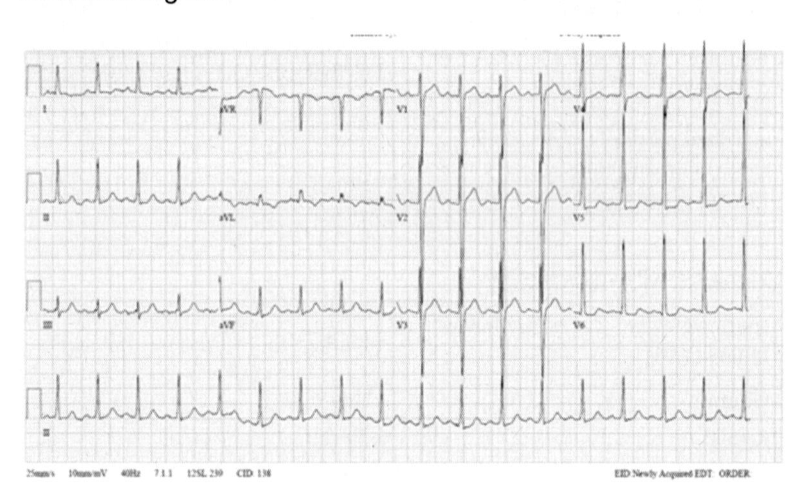

Brain CT

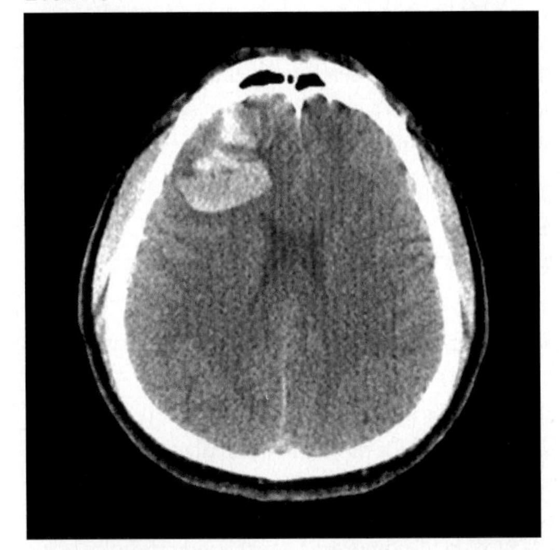

Brain CT show
Intracerebral hemorrhage (ICH) with mild perilesional hematoma and mild brain swelling in right frontal lobe with localized subarachnoid hemorrhage.(SAH)

Brain MR

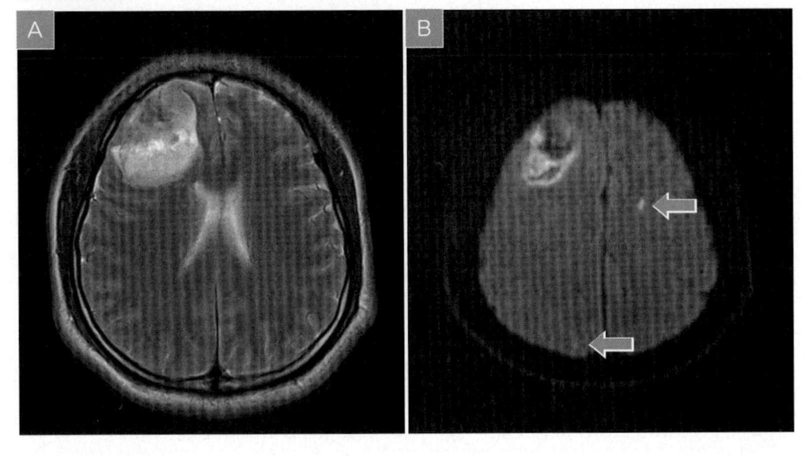

A. T2 weighted image 〉
ICH with mild perilesional edema and mild brain swelling in right frontal lobe with localized SAH

B. Diffusion weighted image 〉
Multifocal acute infarction in both frontal, right parietal area. (arrow)

Initial Problem List

#1 Acute febrile illness with stupor, pleocytic cerebrospinal fluid

#2 A large intracerebral hemorrhage with multifocal acute infarction

#3 Elevated CK, CK-MB, and troponin

#4 Thrombocytopenia

#5 H/O surgery for a certain congenital heart disease (20YA)

Assessment and Plan

Intracerebral hemorrhage가 있는 상황에서 CSF tapping을 시행할 경우 IICP로 인한 herniation risk가 있을 수 있어, 신경과 상의하여 opening pressure 높지 않고 정확한 균동정을 하는 것이 향후 치료방향을 결정하는 데 중요하기에 조심스럽게 시행하기로 함.

#1 Acute febrile illness with stupor, pleocytic cerebrospinal fluid
#2 A large intracerebral hemorrhage with multifocal acute infarction
#5 H/O surgery for a certain congenital heart disease (20YA)

A)	Infective endocarditis with bacterial meninigitis and septic embolism in CNS Tuberculous meningitis with cerebral infarction, less likely
P)	Diagnostic plan: CSF tapping 고려 (Gram stain & smear, culture, AFB smear & culture), image review Therapeutic plan: 신경과, 신경외과 협진 의뢰 for proper management intubation for airway protection & intensive care unit care empirical antibiotics: vancomycin, ceftriaxone, nafcillin ICP 상승 소견 보일 경우, decompression with medication, emergency operation

#4 Elevated CK, CK-MB, and troponin

A)	Non ST elevation myocardial infarction(NSTEMI) Stress induced cardiomyopathy ICH related, less likely
P)	Diagnostic plan : Follow up of cardiac marker, check transthoracic echocardiogram Therapeutic plan : ICH, infection 등 underlying stressful condition control

#1 Acute febrile illness with stupor, pleocytic cerebrospinal fluid
#2 A large intracerebral hemorrhage with multifocal acute infarction
#4 Thrombocytopenia

A)	Thrombocytopenia secondary change due to infection, drug hematologic disease , less likely
P)	Diagnostic Plan Peripheral blood smear check Disseminated Intravascular Coagulation (DIC) work up Drug history review Therapeutic Plan Transfusion Infection control

Hospital Day #1-3

#1 Acute febrile illness with stupor, pleocytic cerebrospinal fluid
#2 A large intracerebral hemorrhage with multifocal acute infarction
#3 Elevated CK, CK-MB, and troponin
#5 H/O surgery for a certain congenital heart disease (20YA)

S)	Sedated status (on intubation)
O)	CK-MB 18.3 ➡ 55.0, Troponin-I 2.831 ➡ 9.112로 지속 증가 CSF tapping: WBC: 1000 /uL, PMN : 81%, RBC: 120,000 /uL protein: 268.1 mg/dL, glucose: 42 mg/dL (serum glucose 168 mg/dL) Blood 및 CSF culture의 Gram stain에서 G(+) cocci 관찰됨 Transthoracic, transesophageal echocardiogram: severe aortic regurgitation과 vegetation 소견 및 이전 수술한 ventricular septal defect (VSD)의 patch closure 소견 확인 되었음
A)	Infective endocarditis with bacterial meninigitis and septic embolism in CNS caused by G(+) cocci
P)	흉부외과와 수술 치료에 대해 상의하였고, 수술의 적응증에 해당하지만, 심장 수술 시 pump 가동에 따른 대량의 heparin사용, 수술 중 출혈 등으로 인한 혈압 저하 시 brain의 ischemic injury 악화 가능성, 환자의 나이를 고려할 때 mechanical valve로의 replacement 가능성이 높으며, 이 경우 추후 long-term 항응고제 유지 등으로 인한 bleeding risk 등을 고려할 때, 현재 intracerebral hemorrhage 동반되어 출혈의 악화가능성이 매우 우려 되는 상태로, 보호자와 상의, 수술적 치료보다 우선 medical treatment 시행하면서 경과 악화 시 수술적 치료 재고려 하기로 함

Blood culture에서 그람 양성 알균이 분리되고 있고, 경흉부심초음파에서 vegetation 및 aortic regurgitation, 선천성 심질환의 수술력, 발열(>38℃), cerebral infarction and ICH 등으로 infective endocarditis로 진단 가능하다. (Modified Duke criteria)

동정된 MRSA 균주의 antibiogram: community acquired MRSA (CA-MRSA)에 합당함.

Staphylococcus aureus	2병 모두	
-Ampicillin	) 8	BLAC
-Amoxicillin/clavulanate	(=4/2	R
-Azithromycin	(=2	S
-Clindamycin	(=0.25	S
-Cliprot loxacin	(=1	S
-Daptomycin	(=1	S
-Erythromycin	(=0.5	S
-Fusidic Acid	(=2	S
-Fosfomycin	(=32	S
-Gentamicin	(=1	S
-Imipenem	(=4	R
-Levof loxacin	(=1	S
-Linezolid	(=2	S
-Mupirocin	(=4	R
-Moxif loxacin	(=0.5	S
-Oxacillin	) 2	R
-Penicillin	8	BLAC
-Rifampin	(=1	S
-Quinuperistin/Dalfopristin	(=1	S
-Trimethoprim/Sulfamethoxazole	(=2/38	S
-Tetracycline	(=4	S
-Teicoplanin	(=4	S
-Vancomycin	2	S

Hospital Day #4-5

#1 Acute febrile illness with stupor, pleocytic cerebrospinal fluid
#2 A large intracerebral hemorrhage with multifocal acute infarction
#5 H/O surgery for a certain congenital heart disease (20YA)

S) Sedated status (on intubation)

O) Blood, CSF culture의 G(+) cocci는 methicillin resistant S. aureus (MRSA)로 최종 확인됨

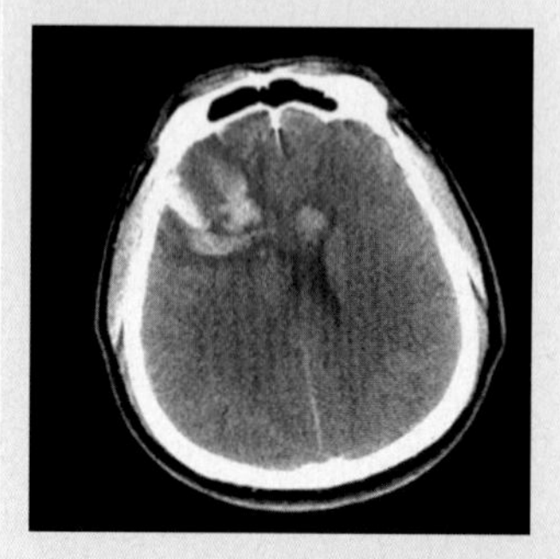

CT 추적검사하였고, 이전보다 intracerebral hemorrhage이 증가

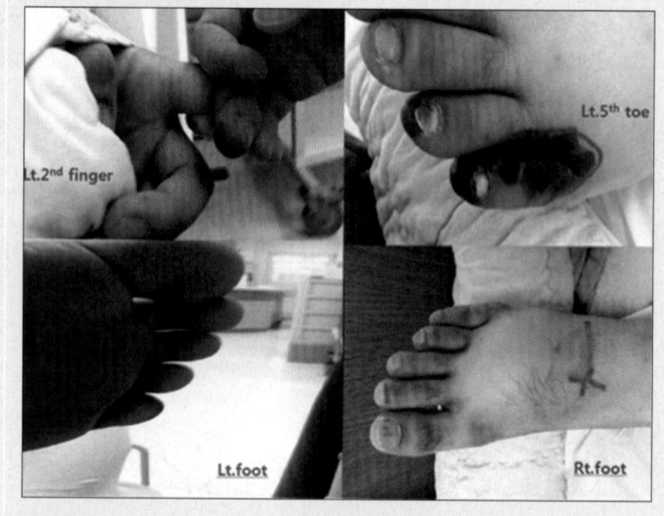

5일째 되는 시점 손가락과 발가락에서 necrotic lesion 및 색깔변화가 관찰되기 시작하였다.

A) MRSA aortic valve infective endocarditis with severe AR
MRSA meningitis as a complication of infective endocarditis
Increased intracerebral hemorrhage with septic embolism
Multiple digital necrosis due to emboli from MRSA endocarditis

P)	증가된 뇌출혈에 대해서는 peri-operation risk evaluation 및 management에 대해 신경외과 협진하였고 일단 현재 유지중인 항균제 유지하면서 image follow up하기로 함 5일째 되는 날 multiple embolic necrosis 발생하기 시작하여 성형외과 협진 의뢰하여 향후 치료방향에 대해 상의함

Updated Problem List

#1 Acute febrile illness with stupor, pleocytic cerebrospinal fluid

#2 A large intracerebral hemorrhage with multifocal acute infarction

→ MRSA aortic valve infective endocarditis with bacterial meningitis and septic embolism in CNS

#3 Elevated CK, CK-MB, and troponin

#4 Thrombocytopenia

#5 H/O surgery for a certain congenital heart disease (20YA)

#6 Multiple digital necrosis due to emboli from MRSA endocarditis (#1)

Hospital Day #6-8

#1 MRSA aortic valve infective endocarditis with bacterial meningitis and septic embolism in CNS
#6 Multiple digital necrosis due to emboli from MRSA endocarditis (#1)

S)	Sedated status (on intubation)
O)	Transthoracic echocardiogram 추적 검사: severe eccentric aortic regurgitation due to infective endocarditis, increased size of root abscess → vancomycin 투약 9일 째 Blood culture 추적 검사 시행하였고, methicillin resistant S. aureus 지속 동정됨
A)	MRSA aortic valve infective endocarditis with severe AR → medication only treatment failure Increased intracerebral hemorrhage with septic embolism Multiple digital necrosis due to emboli from MRSA endocarditis
P)	Fever지속되고, 추적 시행한 경 흉부심장 초음파에서도 vegetation 및 root abscess formation으로 악화 소견 확인됨 혈액 배양검사에서도 지속적으로 균 분리되어 medical treatment failure로 판단. 이에 흉부외과, 신경외과와 수술에 대해 재상의함 Bleeding risk 및 medical treatment failure 등 현재 상태에 대해 보호자에게 설명하였고, risk 감수하고서라도 수술 진행하는 것에 동의하여, 수술 진행하기로 함

Brain MR f/u상에서 brain abscess소견 확인되었고 drainage용이하지 않아 antibiotics 유지하면서 경과관찰하기로 하였음.

Young age로 ICH동반된 상태였기에 항응고제 치료를 하는 것이 매우 위험한 상황으로, 추후 재수술의 가능성 고려하여 homograft로 tissue valve replacement 시행하기로 함.

Prosthetic valve의 경우, 평생 항응고제 치료를 하여야 하며, 본 환자의 경우처럼 intra cerebral hemorrhage 등의 bleeding focus가 있는 경우, bleeding의 우려로 인해 항응고제 유지가 힘들 수 있다. 하지만 이처럼 tissue valve replacement를 시행하는 경우 항응고제 치료가 필요하지 않다는 장점이 있지만, 판막의 수명이 제한적이어서, 환자의 나이나 활동상황에 따라 이식 후 10-15년후부터 조직판막의 변성으로 손상이 시작될 수 있다는 단점이 있다.

이에 일반적으로는 대동맥 판막에서는 65세 이상, 승모판막에서는 70세 이상에서 조직판막이 사용되나 본환자의 경우처럼 특수한 상황이 있을 경우 장,단점을 가려 결정된다.

Homograft란, 환자의 organ을 다른 donor의 organ으로 교체하는 시술을 말하며, aortic homograft의 경우 Human cadaver, human heart transplant recipient를 받는 방법이 있다. 다른 용어로 allograft라고도 한다.

본 환자의 경우 Bentall operation을 시행하였고, 이는 일반적으로 대동맥판막의 폐쇄부전(AR)이 있으면서, 위의 상행 대동맥까지 늘어나있거나, 말판증후군 환자의 경우처럼 대동맥류 확장증이 있는 경우, 대동맥 판막을 포함한 상행 대동맥을 함께 치환하는 수술이 시행된다.

본 환자의 경우에서는 severe AR이 동반되어 있었고, aortic root의 abscess formation이 되어있는 상태였고, paravalvular Leakage가 함께 동반된 상태로 Bentall Op를 시행하게되었다.

POD #0 (Hospital Day #9)

S)	Sedated status (on intubation)
O)	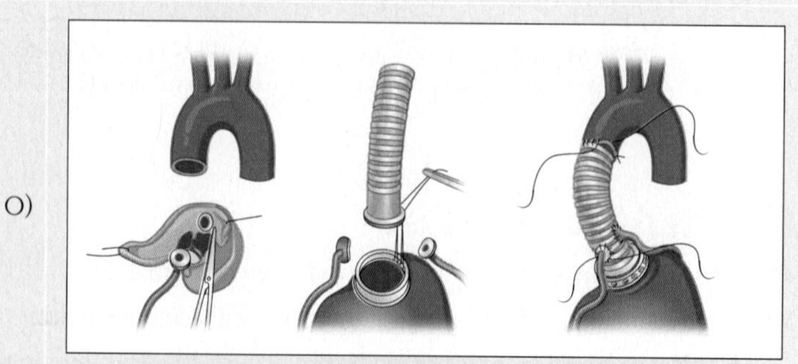 s/p Aortic root replacement with homograft (Bentall operation)
A)	MRSA aortic valve infective endocarditis with severe AR, s/p Aortic root replacement with homograft (Bentall operation) Increased intracerebral hemorrhage with septic embolism Multiple digital necrosis due to emboli from MRSA endocarditis
P)	Post-operation care Brain MR 추적검사 antibiotics유지 및 tissue culture check

POD #2-5(Hospital Day #11-14)

S)	Sedated status (on intubation)
O)	Brain MR check 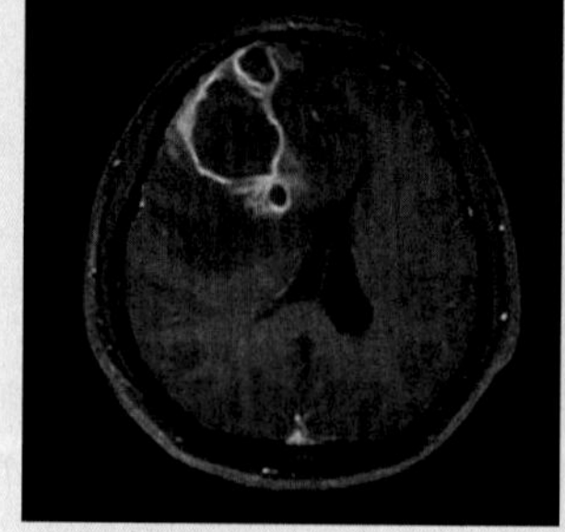 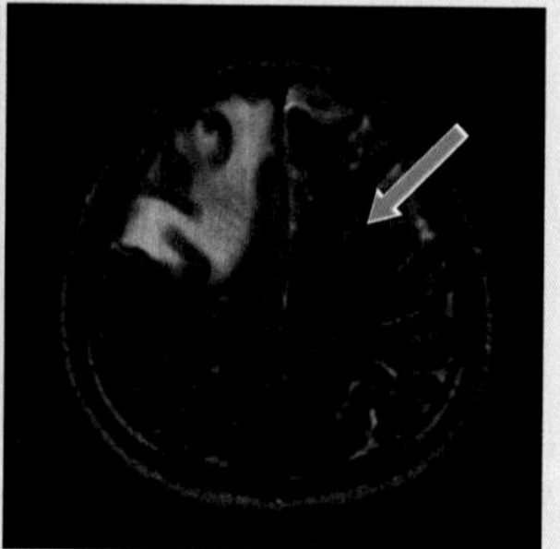 MR검사에서는 right frontal lobe의 hematoma는 resolving status로 생각되나 함께 동반된 brain abscess 소견 및 left frontal lobe의 microabscess가 새롭게 확인되었다. 또한 drainage가 용이하지 않아 항생제 유지하면서 경과 관찰하기로 하였다.

O)

Multiple embolic lesion necrotic change progression

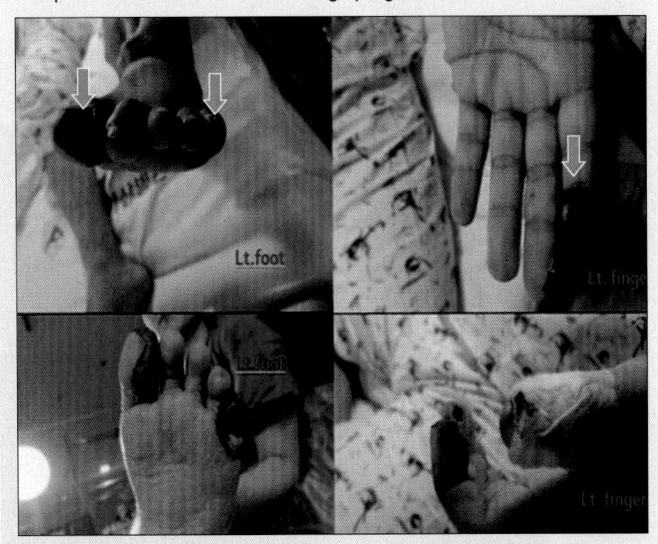

이전보다 emboli에 의한 necrosis와 color change를 동반한 병변의 범위가 증가하였다.

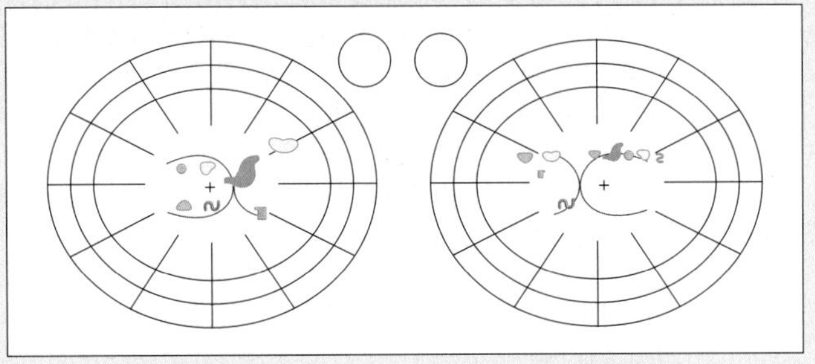

Roth spot with preretinal, retinal hemorrhage가 fundoscopy 검사에서 확인됨.

Roth spot이란, coagulated fibrin으로 구성된 white or pale center를 동반한 Retinal hemorrhage로, 이는 fundoscopy 또는 slit lamp검사를 통해 확인할 수 있다. 이는 대부분 bacterial endocarditis에 동반되는 immune complex mediated vasculitis에 의해 발생하는 것으로 알려져 있다.

A)

MRSA aortic valve infective endocarditis with severe AR, s/p Aortic root replacement with homograft (Bentall operation)
Multiple digital necrosis due to emboli from MRSA endocarditis
Septic emboli with hemorrhagic transformation combined brain abscess
Preretinal, retinal hemorrhage

P)

Antibiotics 유지, 신경외과 상의하여 image f/u시기 결정
정형외과, 안과, 감염내과 협진 의뢰하여 proper management 상의

POD #10-20(Hospital Day #19-29)

S)	머리가 아프고 눈이 잘 안보여요.
O)	수술장에서 나간 Tissue culture에서도 MRSA가 자람 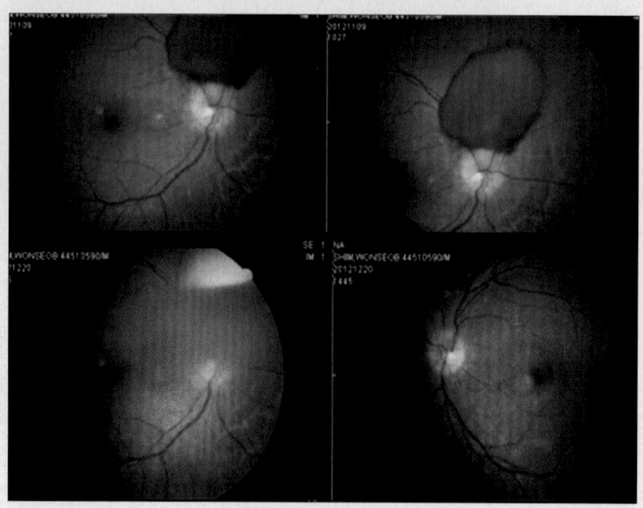 안과 협진하여 fundoscopy exam추적검사 시행하였고, 이전검사에 비해 pre retinal hemorrhage가 증가한 소견 확인되었다. Brain abscess에 대해 신경외과 협진하여 stereotactic aspiration을 시행하였고 총 15cc fluid draiange 하였다. 양상은 reddish, turbid, necrotic material mixed fluid 소견으로 WBC moderate 10-25/LPF Bacteria: no organisms seen/Gram stain/culture: no growth 소견 확인됨.
A)	MRSA aortic valve infective endocarditis with severe AR, s/p Aortic root replacement with homograft (Bentall operation) Multiple digital necrosis due to emboli from MRSA endocarditis Septic emboli with hemorrhagic transformation combined brain abscess Preretinal, retinal hemorrhage
P)	수술조직에서 MRSA동정된 상태로, 현재 사용중인 vancomycin에 rifampin추가하여 사용하기로 함 Retinal hemorrhage에 대해 bevacizumab (Avastin®) injection 하기로 함

Clinical course

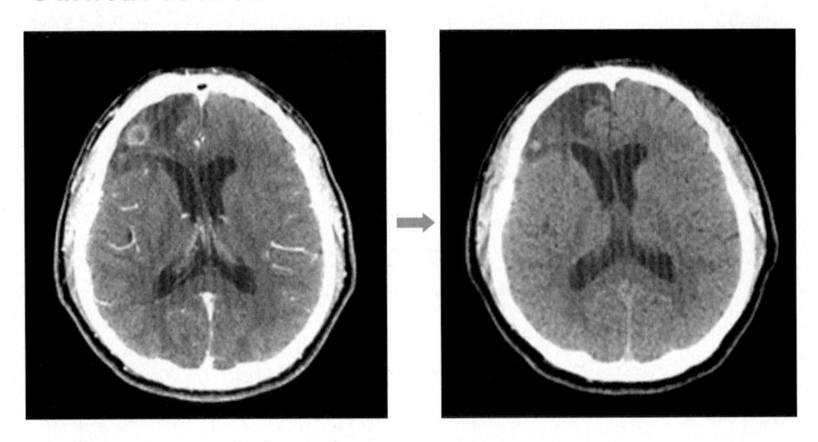

추적 검사한 brain CT에서 abscess는 거의 resolving 되었으며, 퇴원 시 시행한 blood culture에서 MRSA가 더 이상 자라지 않아 항균제는 경구용 levofloxacin, rifampin으로 변경하여 유지하다 중단하였다. 총 항균제 사용기간은 vancomycin, rifampin으로 50일, 이후 levofloxacin, rifampin으로 변경하여 2달간 더 유지하였다.

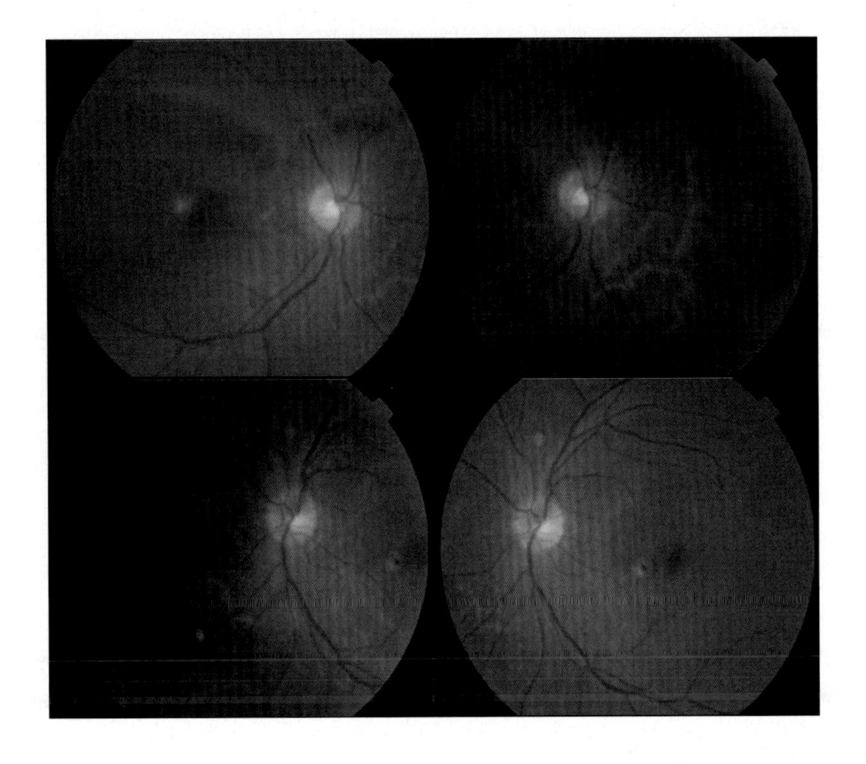

안과도 추적검사 시행하였고, 시력은 정상시력으로 회복되었고, bevacizumab (Avastin®) injection시행하였다. 이전 endocarditis에 의한 염증 흔적은 남아 있으니, 활동성 병변은 보이지 않는 상태로 정기적 추적 관찰 하기로 하였다. 추적 검사한 사진 소견은 없으나 손, 발의 emboli에 의한 변성 및 necrotic change는 amputation 등의 수술적 치료 없이 정상적으로 회복되었고, 별다른 defect나 기능장애는 남지 않았다.

심장내과에서도 경흉부 심장초음파를 통해 심장기능평가를 하였고, 치환한 판막의 기능은 정상적으로 잘 유지되었으며, LV systolic function도 정상적으로 잘 유지됨을 확인하고 정기적으로 추적관찰 하기로 하였다.

아래는 입원 당시부터 치료 경과 중 CRP의 변화추이이다.

A:
MRSA infective endocarditis가 확인되어 antibiotics사용하면서 경과관찰 하였으나 fever 지속되고 blood culture에서 지속적으로 MRSA동정되며 심장기능 악화되는 양상으로 수술을 결정한 시점

B:
수술 시행하였으나 환자 지속적으로 두통 호소하고 brain image f/u에서 abscess formation 의심소견 확인되고 수술 조직에서 MRSA 확인된 시점으로 CRP 지속적으로 상승되어 있는 상태에서 brain abscess drainage를 하기로 결정한 시점.

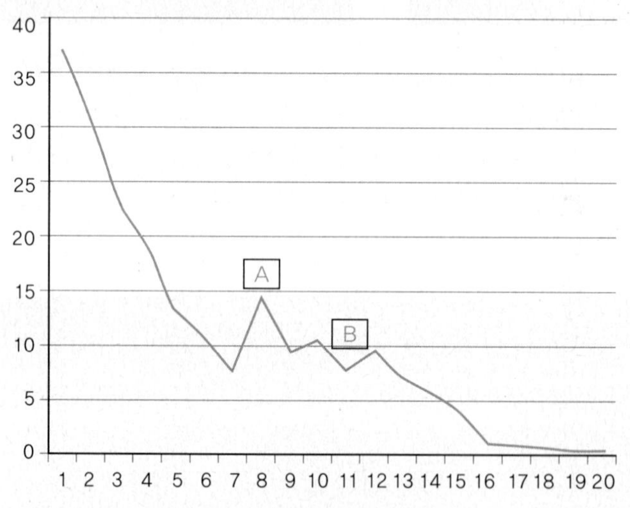

Lesson of the case

1. Infective endocarditis의 embolic manifestation으로 bacterial meningitis가 동반될 수 있다. 특히 hemorrhage를 동반한 bacterial meningitis의 경우 infective endocarditis는 의심해보아야 할 감별 진단 중 하나다.
2. Intracerebral hemorrhage가 동반된 수술이 필요한 infective endocarditis 환자에서 수술 시기 결정과 수술 시 항응고제 사용 및 valve replacement 시 valve의 종류(tissue valve vs mechanical valve)에 대한 고민이 필요하다.

CASE 4 3개월 전 시작된 얼굴 부종을 주소로 내원한 43세 여자

Chief Complaints

Facial swelling, started 3 months ago

Present Illness

10년 전 양측 가슴 보형물 삽입 수술을 받았고 5년 전 얼굴에 lifting 목적의 금침(金鍼) 시술을 받았다고 한다. 2년 전 쌍꺼풀 수술 후 4번의 재수술을 하면서 우울증 발생하여 신경 안정제를 복용하기 시작하였다. 8개월 전에는 집에서 지인에게 얼굴에 실리콘 필러 주입술을 받았고 당시 급성 부작용은 없었다고 한다.

6개월 전 앉아있는 것이 불편하여 엉덩이 보형물 삽입 수술을 받았다. 3개월 전 주변 사람들로부터 얼굴이 부었다는 말을 듣기 시작하였으며 이후 쇄골이 보이지 않을 정도로 부종이 심해지고 목 뒷부분의 부종이 확인되었다.

이에 연고지 병원에서 시행한 검사에서 갑상선 기능 저하증이 확인되어 levothyroxine sodium 50 mcg과 함께 항생제 및 진통소염제를 처방 받아 일주일 동안 복용하였다. 2개월 전부터 전신이 붓고 6 kg의 체중 증가가 있어 (43 kg → 49 kg) 타원에 입원하였다. 당시 혈압 180/100 mmHg 확인되고 부종이 있어 furosemide를 사용하였고 이후 하지 부종은 약간 감소하였으나 얼굴 부종은 호전이 없었다고 한다.

퇴원 후 경구 이뇨제를 복용하였으나 전신 부종 지속되고 특히 왼쪽 가슴의 부종과 통증이 발생하였다. 또한 얼굴을 얼음팩으로 문지르면서 얼굴에 발적이 생기고 왼쪽 볼에 통증을 동반한 멍어리가 악화되었다고 한다. 왼쪽이 더 심한 가슴 부종에 대해서는 연고지 병원에서 보형물 삽입 이후 발생한 염증 반응으로 판단하여 보형물을 제거 하였으나 수술 당시 염증 반응은 심하지 않았다고 들었다고 한다.

얼굴의 병변에 대해서는 연고지 피부과 의원에서 흡인을 하였으나 흡인 시 농은 배액되지 않았고 시술 후 열감, 발적, 통증이 악화되었다고 한다. 이후로

목과 귀 주변으로 가려움 동반한 발진 생겨 연고지 병원에서 약물 처방 받아 2주 동안 복용 하였으나 호전 없어 한의원에서 침을 맞고 한약을 복용하기 시작하였다. 하지만 전신, 얼굴의 부종 및 발적이 지속되어 한 달 전 신장 내과 외래 방문 후 알레르기 내과 협진 의뢰되어 입원하였다.

Past History

diabetes (-)

hypertension (-)

tuberculosis (+): 20년 전, pulmonary tuberculosis로 치료 후 완치 판정

hepatitis (-)

depression (+): 2년 전, trazodone, paroxetine, flunitrazepam

Family History

아버지 - 후두암으로 사망

Social History

occupation: 회계사

smoking (-)

alcohol (-)

Review of Systems

General

general weakness (+)	fatigue (+)
dizziness (-)	weight loss (-)

Skin

purpura (-)	easy bruisability (+)

Head / Eyes / ENT

headache (-)	hearing disturbance (-)
dry eyes (-)	tinnitus (-)
rhinorrhea (-)	oral ulcer (-)
sore throat (-)	dry mouth (-)

Respiratory

dyspnea (-)	hemoptysis (-)
cough (-)	sputum (-)

Cardiovascular

chest pain (-)	palpitation (-)
orthopnea (-)	dyspnea on exertion (-)

Gastrointestinal

anorexia (-)	dyspepsia (-)
nausea (-)	vomiting (-)
diarrhea (-)	abdominal pain (-)

Genitourinary

flank pain (-)	gross hematuria (-)
dysuria (-)	foamy urine (-)

Neurologic

seizure (-)	cognitive dysfunction (-)
psychosis (-)	motor- sensory change (-)

Musculoskeletal

arthralgia (-)	myalgia (-)
back pain (-)	muscle weakness (+)

Physical Examination

height 163.5 cm, weight 47.2 kg, body mass index 17.7 kg/m^2

Vital Signs

BP 136/97 mmHg - HR 77 /min - RR 16 /min - BT 36.5℃

General Appearance

not so ill-looking	alert
oriented to time, person, place	thin young woman with puffy face

Skin

facial swelling with erythema, tenderness. 2cm sized tender fluctuating mass on left buccal area	maculopapular rash on neck, periauricular area, both cheeks
buffalo hump (+)	supraclavicular fat pads (+)
bruise (-)	

Head / Eyes / ENT

visual field defect (-)	pinkish conjunctivae (+)
icteric sclerae (-)	palpable lymph nodes (-)

Chest

symmetric expansion without retraction	normal tactile fremitus
percussion: resonance	clear breath sound without crackle

Heart

regular rhythm	normal heart sound without murmur

Abdomen

soft & flat abdomen	normoactive bowel sound
direct tenderness (-)	rebound tenderness (-)

Musculoskeletal

costovertebral angle tenderness (-/-)	pretibial pitting edema (-/-)

Neurology

motor weakness (-)	sensory disturbance (-)
gait disturbance (-)	neck stiffness (-)

Initial Laboratory Data

CBC

WBC ($4{\sim}10 \times 10^3/mm^3$)	9.5×10^3	Hb (13~17g/dl)	13.3
WBC differential count	neutrophil 54.2% lymphocyte 38.8% eosinophil 0.5%	platelet ($150{\sim}350 \times 10^3/mm^3$)	208×10^3

Chemical & Electrolyte battery

Ca (8.3~10 mg/dL) P (2.5~4.5 mg/dL)	9.1/3.7	glucose (70~110 mg/dL)	90
protein (6~8 g/dL)/ albumin (3.3~5.2 g/dL)	7.0/4.2	aspartate aminotransferase (AST) (~40 IU/L) alanine aminotransferase (ALT) (~40 IU/L)	22/18
alkaline phosphatase (ALP) (40~120 IU/L)	51	gamma-glutamyl transpeptidase (r-GT) (11~63 IU/L)	10
total bilirubin (0.2~1.2 mg/dL)	0.5	direct bilirubin (~0.5 mg/dL)	0.2
BUN (10~26 mg/dL) Cr (0.7~1.4 mg/dL)	13/0.54	estimated GFR (≥ 60 ml/min/1.7 m^2)	≥ 60
C-reactive protein (~0.6 mg/dL)	0.1	cholesterol	212
Na (135~145 mmol/L) K (3.5~5.5 mmol/L) Cl (98~110 mmol/L)	140/4.4/103	total CO_2 (24~31 mmol/L)	24.0

Coagulation battery

prothrombin time (PT) (70~140%)	119.9	prothrombin time (INR) (0.8~1.3)	0.88
activated partial thromboplastin time (aPTT) (25~35 sec)	27.4		

Viral marker

HBs-Ag (-)	Hbs-Ab (+)
HCV Ab (-)	HIV Ag & Ab (-)
Syphilis: nonreactive	

Urinalysis with microscopy

specific gravity (1.005~1.03)	1.010	pH (1.5 8)	0.0
albumin (trace)	(-)	glucose (-)	(-)
ketone (-)	(-)	bilirubin (-)	(-)
occult blood (-)	(-)	nitrite (-)	(-)
RBC (0~2/HPF)	0	WBC (0~2/HPF)	0
squamous cell (0~2/HPF)	0	bacteria	0

Spot urine albumin creatinine ratio

alb/Cr ratio, Urine (< 30 mg/g)	3.9

Chest X-ray

| 정상 chest X-ray 이다.

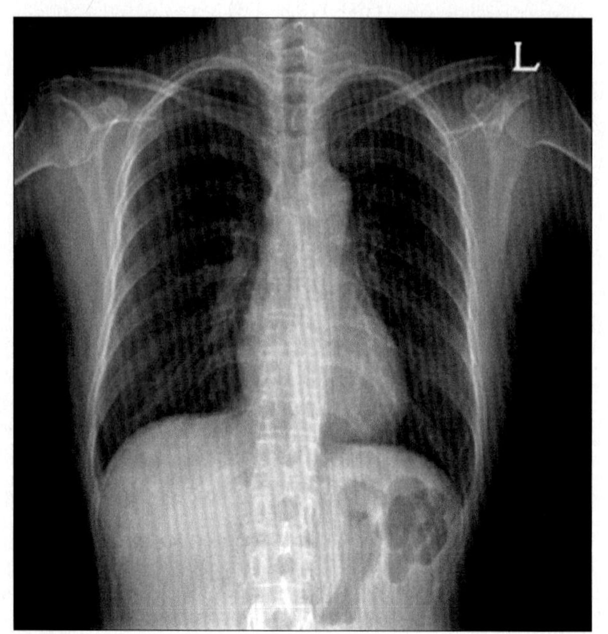

Initial Problem List

#1 Facial swelling with erythema and tenderness
#2 Left cheek tender fluctuating mass
#3 Maculopapular rash on neck, periauricular area and both cheeks
#4 Buffalo hump, supraclavicular fat pads and easily bruising
#5 Generalized edema
#6 General weakness
#7 History of repeated plastic surgery
#8 Depression

Assessment and Plan

#1 Facial swelling with erythema and tenderness #2 Left cheek tender fluctuating mass #3 Maculopapular rash on neck, periauricular area and both cheeks #7 History of repeated plastic surgery	
A)	Delayed-type hypersensitivity due to foreign body Cellulitis with localized abscess formation Angioedema, less likely Autoimmune disorder like SLE, less likely
P)	Diagnostic Plan 〉 Neck CT Consider tissue aspiration & culture Check complement, ANA titer Review previous medication Therapeutic Plan 〉 Consider empirical antibiotics, 1st generation cephalosporin Stop another medication

정황상 주입 받은 물질이 non-medical material로 생각되었다(흔히 공업용 실리콘 오일, 기타 oily material). 실리콘을 포함하여 여러 종류의 필러 삽입 시술 후 delayed- type hypersensitivity 는 보통 1개월에서부터 17개월 정도까지 발생하며 1년이 지난 후에도 발생하는 보고들이 있다.

따라서 사용된 foreign body에 의한 감염 또는 삽입된 물질에 의한 감염 또는 delayed-type hypersensitivity의 가능성이 있다고 생각하였다. 또한 eyelid swelling을 동반한 facial swelling으로 angioedema의 가능성도 고려하였다.

#4 Buffalo hump, supraclavicular fat pads and easily bruising #5 Generalized edema #6 General weakness #8 Depression	
A)	Cushing's syndrome Pseudo-Cushing's syndrome Hypothyroidism
P)	24hr urine cortisol Midnight cortisol Check thyroid function test

Depression으로 약물 복용 중으로 H-P-A axis와 관계 없이 나타나는 pseudo-Cushing's syndrome의 가능성도 고려하였다.

Hospital day #2

#1 Facial swelling with erythema and tenderness
#2 Left cheek tender fluctuating mass
#3 Maculopapular rash on neck, periauricular area and both cheeks
#7 History of repeated plastic surgery

S) 얼굴의 붓기는 이전에 비해 좋아졌어요.

O)
T3 111 (98-180 ng/dL)
Thyroid stimulating hormone 3.3 (0.4-5.0 μU/mL)
Free T4 1.4 (0.8-1.9 ng/dL)
C3 92.1 (88-201 mg/dL)
C4 19.5 (16-47 mg/dL)
CH50 53.5 (23-46 U/ml)
ANA titer (serum) < 1:40

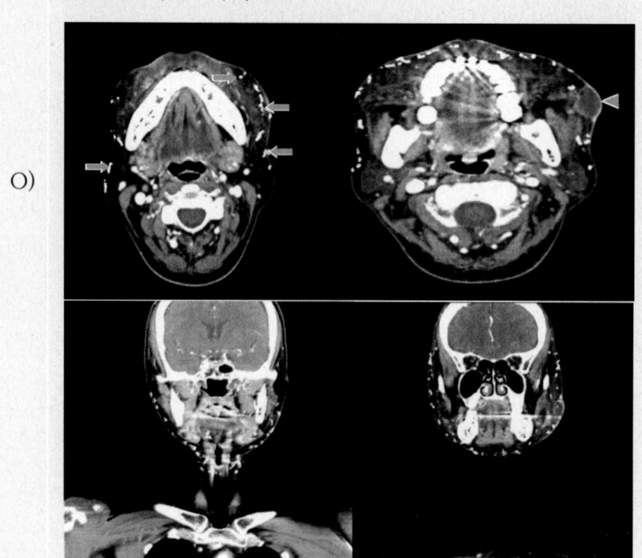

Neck CT 결과 얼굴과 목의 피부와 피하 지방에 다수의 foreign body material이 삽입되어 있는 것을 확인할 수 있었다(화살표). 또한 both cheek & buccal area에 severe bilateral nodular fat infiltration이 있고 전반적으로 attenuation이 증가되어 있어 foreign body material과 관련된 fat necrosis 등의 가능성이 있겠다.

Cellulitis의 가능성도 배제할 수 없겠고 left cheek에는 약 2cm 가량 크기의 피하에 skin contour를 bulging 시키는 병변이 있는데(화살표 머리) 병변의 내부는 조영 증강이 되지 않고 주변만 약간 ill-defined enhancement를 보여 fat necrosis와 복합된 염증의 가능성이 높을 것으로 판단하였다.

A)
Delayed-type hypersensitivity due to foreign body
Cellulitis with localized abscess formation

필러에 의해 delayed-type hypersensitivity가 발생한 이전의 케이스 보고에서 fibrinogen, rheumatoid factor, angiotensin converting enzyme 등이 상승되어 있었다는 내용이 있어 검사를 시행하기로 하였다.

P)
Fibrinogen, rheumatoid factor, angiotensin converting enzyme
Check biopsy and culture results
Empirical antibiotics (1st generation cephalosporin)

#4 Buffalo hump, supraclavicular fat pads and easily bruising
#5 Generalized edema
#6 General weakness
#8 Depression

S) 몸무게가 조금 빠졌어요. 두 달 전에는 다리에 힘이 없어서 걷다가 넘어진 적도 많았어요. 스테로이드 약은 쓴 적 없어요.

O) 24hr urine cortisol: 2.7 (20-90 ug/day)
(24hours urine volume 920 ml, 24hrs urine creatinine 0.6 g/day)
Midnight cortisol: 1.4 (5-25 ug/dl)

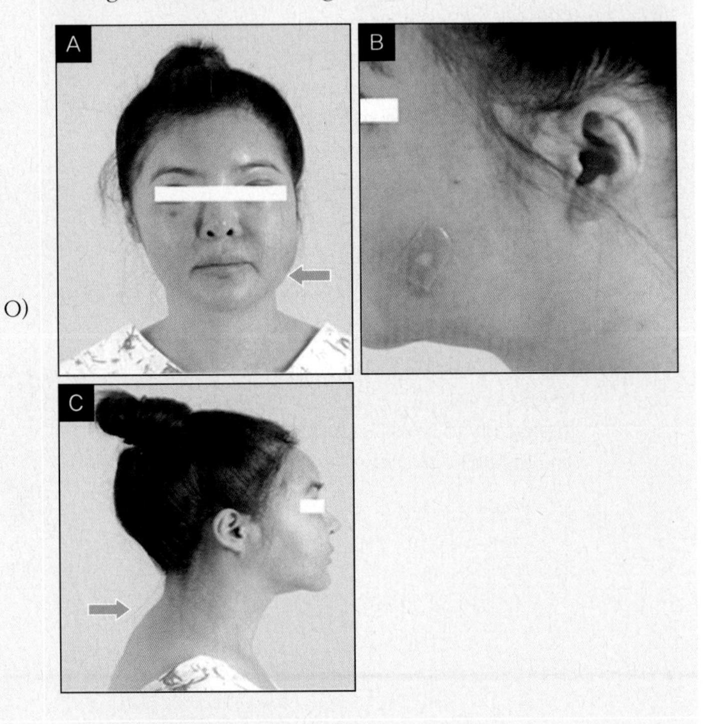

A) Secondary adrenal insufficiency

P) Rapid ACTH stimulation test

왼쪽이 더 심한 facial swelling을 확인할 수 있으며(A, 화살표) left cheek의 skin punch biopsy를 시행한 부분에서 지속적으로 pus가 배액되었고(B) buffalo hump가 관찰된다(C).

Cushingoid feature가 관찰되나 cortisol level은 감소되어 있었다. General weakness, amenorrhea 등을 고려하여 외인성 약물에 의한 secondary adrenal insufficiency의 가능성을 고려하였다.

Hospital Day #3

#1 Facial swelling with erythema and tenderness
#2 Left cheek tender fluctuating mass
#3 Maculopapular rash on neck, periauricular area and both cheeks
#7 History of repeated plastic surgery

S)	얼굴의 붉은 느낌은 조금 줄어들었어요.
O)	Fibrinogen 207 (200-400 mg/dl) Reumatoid factor 〈 10.6 IU/mL Angiotensin converting enzyme 19.9 (3.0 - 47.0 U/L) Open pus culture: no growth Open pus AFB stain: negative Biopsy tissue culture: no growth Biopsy tissue AFB stain: negative 〈Incisional biopsy (left cheek)〉 Chronic active inflammation
A)	Delayed-type hypersensitivity due to foreign body Cellulitis with localized abscess formation
P)	Repeat pus culture Skin punch biopsy on left cheek & right chin Empirical antibiotics (1st generation cephalosporin) NSAID If refractory to NSAID, consider corticosteroid Anti-histamine to control symptoms

배양된 균이 균 없어 left cheek mass에서 조직 검사를 하였고 delayed-type hypersensitivity에서 NSAID 사용 후에 호전된 보고가 있어 매일 NSAID 1200 mg을 사용하기 시작하였다.

(Alijotas-Reig et al. Delayed immune-mediated adverse effects related to hyaluronic acid and acrylic hydrogel dermal fillers: clinical findings, long-term follow-up and review of the literature. J Eur Acad Dermatol venereol 2008;22:150-161)

Hospital Day #4

#4 Buffalo hump, supraclavicular fat pads and easily bruising
#5 Generalized edema
#6 General weakness
#8 Depression
New problem 9 Hair loss & axillary hair loss & amenorrhea

S)	요즘 머리가 너무 많이 빠지고 겨드랑이 털도 거의 안 나요. 최근에는 생리도 안 해요 주사 맞은 곳에 자꾸 멍이 들고 다리에도 멍이 들어요.
O)	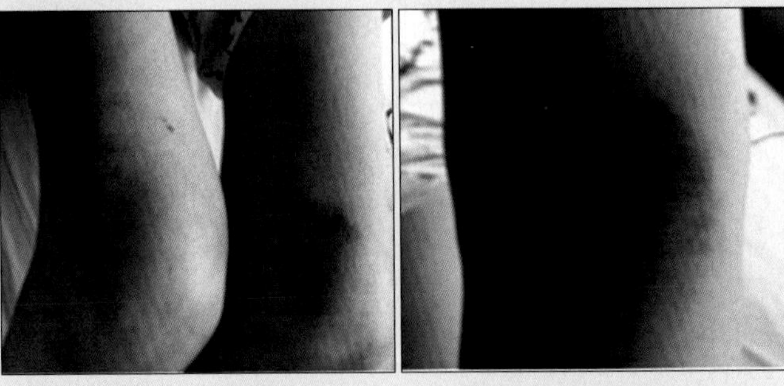 axillary and pubic hair (-) 〈Rapid ACTH stimulation test〉 ACTH 4.8 (0-60 pg/mL) cortisol 0 min 1.0 ug/dl aldosterone 0 min 4.1 ug/dl cortisol 30 min 6.8 ug/dl aldosterone 30 min 21.7 ug/dl cortisol 60 min 12.0 ug/dl aldosterone 60 min 31.9 ug/dl
A)	Secondary adrenal insufficiency
P)	Consider steroid replacement

Rapid ACTH stimulation test 결과 30분, 60분 후 cortisol 측정치가 18 μg/dL 이하로 adrenal insufficiency 가능성 있으며 ACTH level이 정상이며 aldosterone 증가치 역시 5 이상으로 secondary adrenal insufficiency로 판단하였다.

Hospital Day #5

피부 시험은 알레르기 질환의 원인 물질인 allergen을 찾기 위한 가장 기본적인 진단 방법으로 즉시형 피부 시험과 지연형 피부 시험으로 나눌 수 있다. 즉시형 피부 시험은 특이 allergen에 대한 IgE 항체의 존재를 확인하는 가장 간편하고 효과적인 검사이며 지연형 피부 시험은 원인이 되는 allergen에 대한 제 4형 지연 과민 반응을 보는 검사이다.

실리콘에 의한 지연형 과민 반응을 확인하기 위해 intradermal 및 patch test를 시행하기로 하였다.

#1 Facial swelling with erythema and tenderness
#2 Left cheek tender fluctuating mass
#3 Maculopapular rash on neck, periauricular area and both cheeks
#7 History of repeated plastic surgery

O)
open pus culture: no growth,
open pus AFB stain: negative
facial swelling (+) facial redness (-)
left cheek area tenderness (-)
left cheek biopsy site discharge (+)

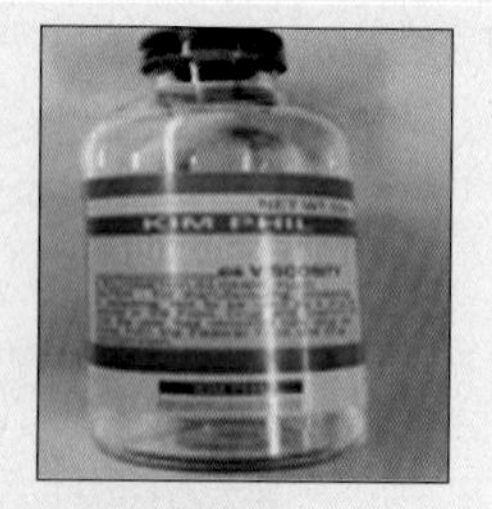

A)
Delayed-type hypersensitivity due to foreign body
Cellulitis with localized abscess formation

P)
Skin patch test & intradermal skin test using silicone
Empirical antibiotics (1st generation cephalosporin)
NSAID
Consider corticosteroid

Hospital Day #7

Skin patch test 시행하고 48시간, 72시간 후 결과를 확인하였을 때 redness, swelling, itching sense 등은 없었다. Intradermal test에서도 histamine 7/7 mm와 비교하였을 때 silicone 1/1 mm로 모두 음성으로 확인되었다. 하지만 위음성 가능성을 배제할 수 없고 임상적으로 silicone에 의한 지연형 과민 반응의 가능성이 높아 이에 대한 치료를 진행하였다.

#1 Facial swelling with erythema and tenderness
#2 Left cheek tender fluctuating mass
#3 Maculopapular rash on neck, periauricular area and both cheeks
#7 History of repeated plastic surgery

S) 얼굴은 많이 좋아지고 있어요.

O)

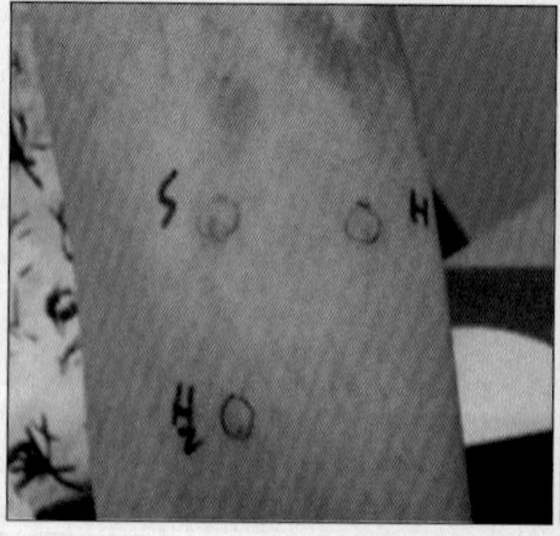

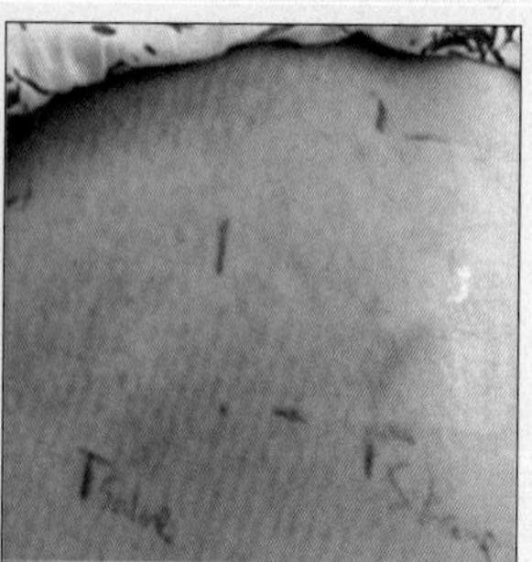

〈Left cheek & right chin punch biopsy〉
left cheek: deep dermal abscess with histiocytic collection
right chin: marked histiocytic infiltration, consistent with foreign body reaction to lipophilic materials
biopsy tissue culture: negative, AFB stain: negative

A)	Delayed-type hypersensitivity due to foreign body Cellulitis with localized abscess formation
P)	Empirical antibiotics (1st generation cephalosporin) NSAID

Hospital Day #8

#4 Buffalo hump, supraclavicular fat pads and easily bruising
#5 Generalized edema
#6 General weakness
#8 Depression
#9 Hair loss & axillary hair loss & amenorrhea

S)	피부에 좋다는 연고나 크림을 많이 발랐어요.
O)	베노플러스 연고 (glycol salicylate 20 mg) 비판텐 연고 (dexpantenol 50 mg) 데타손 연고 0.25% (desoxymethasone 2.5 mg) : 6개월 동안 3개월 전까지, 총 2 tubes 사용 베타손 연고 (clobetasone butyrate 500 μg) : 총 1 tube 사용 레스톤 크림 (gentamicin sulfate 1 mg) 에스로반 연고 (mupirocin 20 mg) 박트로반 연고 (mupirocin 20 mg) 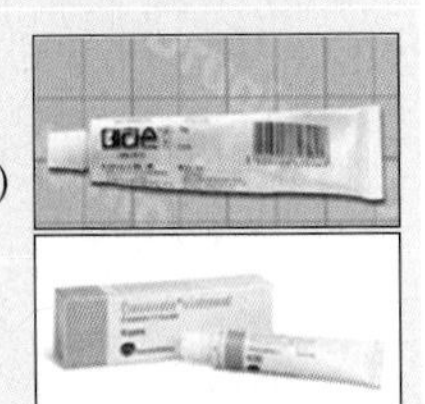
A)	Secondary adrenal insufficiency due to topical steroid oint
P)	Steroid replacement

Clinical Course

얼굴 부종으로 내원한 환자로 foreign body에 의한 hypersensitivity, cellulitis가 확인되었고, topical steroid oint에 의한 iatrogenic Cushing's syndrome과 secondary adrenal insufficiency로 진단되었다. 외래에서 hydrocortisone 10 mg 복용을 시작하였고 수 주 후 left cheek biopsy, pus culture에서 *Nontuberculous mycobacterium*이 분리 되었으나 환자가 더 이상 병원에 오지 않아 치료하지 못하였다.

Lesson of the case

내과 의사가 흔히 처방하는 로션이나 연고에 의해서도 Cushing's syndrome이 발생할 수 있으므로 주의가 필요하다.

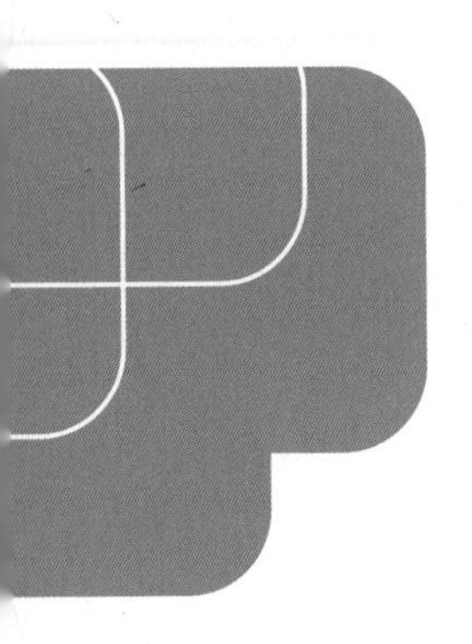

CASE 5 3개월 전 시작된 복통으로 내원한 53세 남자

1st Admission

Chief Complaint

Abdominal pain, started 3 months ago

Present Illness

3개월 전부터 좌상복부 복통이 발생하였다. 간헐적으로 쑤시는 양상이었고 식사 여부와 관련 없이 발생하였으며 좌측 옆구리로 방사되었다. 2개월 동안 67 kg에서 64 kg으로 3 kg의 체중 감소가 있었다. 당시 연고지 내과 의원에서 위 내시경과 대장 내시경을 하였으나 대장 용종 외에 특이 소견은 없었다. 이후 좌상복부 불편감이 지속 되었으나 경과 관찰 하던 중, 5일 전부터 통증이 악화되어 연고지 병원 방문하였다. 복부 전산화 단층 촬영 결과 pancreas tail에 4 cm 크기의 종괴가 확인되어 소화기 내과 외래 방문 후 입원하였다.

Past History

hypertension (-)
diabetes (-)
hepatitis (-)
tuberculosis (-)

Family History

hypertension (+): 형
diabetes (-)
hepatitis (-)
tuberculosis (-)
malignancy (+): 어머니, thyroid cancer

Social History

smoking: 13 pack-years, current smoker
alcohol: 소주 2 병, 1-2회/주

Review of Systems

General

general weakness (-)	

Skin

purpura (-)	erythema (-)

Head / Eyes / ENT

headache (-)	hearing disturbance (-)
dry eyes(-)	tinnitus(-)
rhinorrhea(-)	oral ulcer (-)
sore throat (-)	dry mouth(-)

Respiratory

cough (-)	sputum (-)
hemoptysis (-)	dyspnea (-)

Cardiovascular

chest pain (-)	orthopnea (-)
Palpitation (-)	dyspnea on exertion (-)

Gastrointestinal ➡ see Present Illness

Genitourinary

flank pain (-)	gross hematuria (-)
genital ulcer(-)	costovertebral angle tenderness (-)

Neurologic

seizure(-)	cognitive dysfunction(-)
psychosis(-)	motor-sensory change(-)

Musculoskeletal

pretibial pitting edema(-)	tingling sense(-)
back pain(-)	muscle pain(-)

Physical Examination

height 170 cm, weight 64.9 kg, body mass index 22.3 kg/m^2

Vital Signs

BP 120/70 mmHg - HR 71 /min - RR 17 /min - BT 36.5℃

General Appearance

looking not ill	alert
oriented to time, person, place	

Skin

skin turgor: normal	ecchymosis (-)
rash (-)	purpura (-)

Head / Eyes / ENT

visual field defect (-)	pinkish conjunctivae (+)
icteric sclerae (-)	palpable lymph nodes (-)

Chest

symmetric expansion without retraction	normal tactile fremitus
percussion: resonance	clear breath sound without crackle

Heart

regular rhythm	normal heart sounds without murmur

Abdomen

normal abdominal contour	normoactive bowel sound
soft and flat abdomen	tenderness (-)
rebound tenderness (-)	palpable abdominal mass (-)
hepatomegaly (-)	splenomegaly (-)

Neurology

motor weakness (-)	sensory disturbance(-)
gait disturbance(-)	neck stiffness(-)

Initial Laboratory Data

CBC

WBC (4~10 × 10³/mm³)	5,400	Hb (13~17g/dl)	14.3
WBC differential count	neutrophil 68.7% lymphocyte 24.6% monocyte 5.4%	platelet (150~350 × 10³/mm³)	191

Chemical & Electrolyte battery

Ca (8.3~10mg/dL) P (2.5~4.5mg/dL)	9.6 3.1	glucose (70~110 mg/dL)	97
protein (6~8 g/dL)/ albumin (3.3~5.2 g/dL)	6.5 4.2	aspartate aminotransferase (AST) (~40 IU/L) alanine aminotransferase (ALT) (~40 IU/L)	18 12
alkaline phosphatase (ALP) (40~120 IU/L)	84	gamma-glutamyl transpeptidase (r-GT) (11~63 IU/L)	13
total bilirubin (0.2~1.2 mg/dL)	0.7	direct bilirubin (~0.5 mg/dL)	0.1
BUN (10~26 mg/dL) Cr (0.7~1.4 mg/dL)	10 0.8	estimated GFR (≥ 60 ml/min/1.7m²)	≥ 60
C-reactive protein (~0.6 mg/dL)	0.26		
Na (135~145 mmol/L) K (3.5~5.5 mmol/L) Cl (98~110 mmol/L)	140 4.5 106	total CO_2 (24~31 mmol/L)	28.2

Coagulation battery

prothrombin time (PT) (70~140%)	108.0	PT(INR) (0.8~1.3)	0.97
activated partial thromboplastin time (aPTT) (25~35sec)	31.1		

Chest X-ray

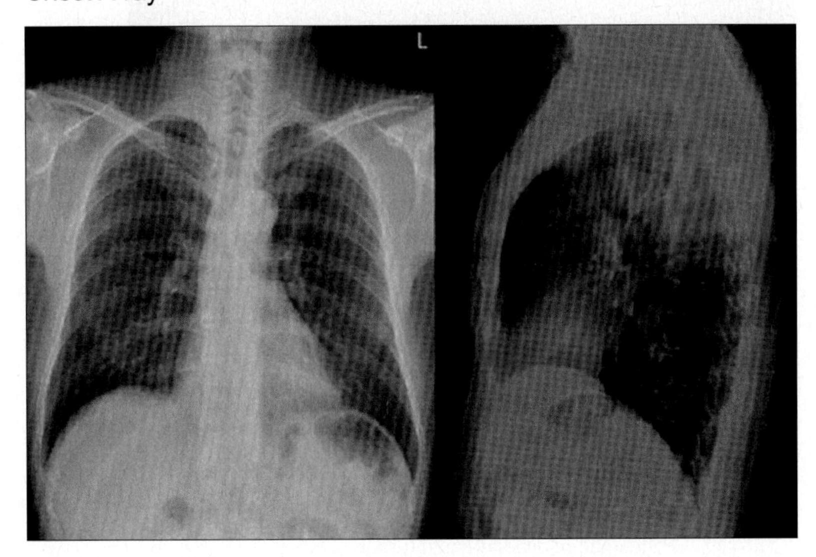

| 정상 chest X-ray 이다.

EKG

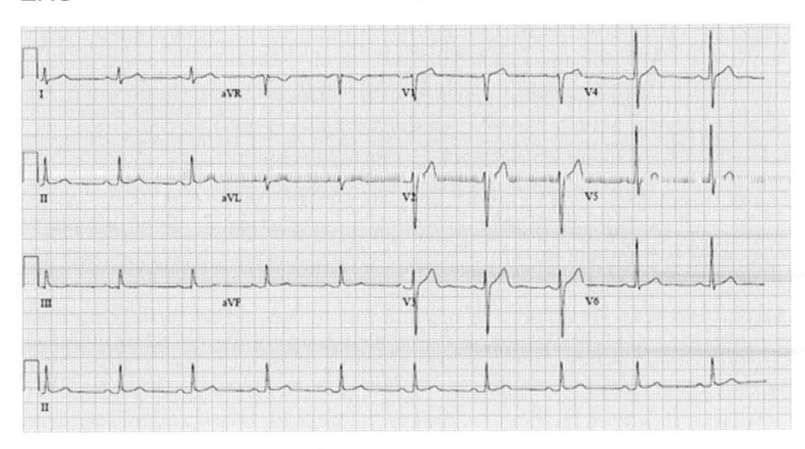

| Heart rate 60회의 normal sinus rhythm이다.

Pancreas tail에 약 4 cm 그기의 비교적 경계가 좋은 low attenuating mass가 있다. (화살표)

Outside abdominal CT

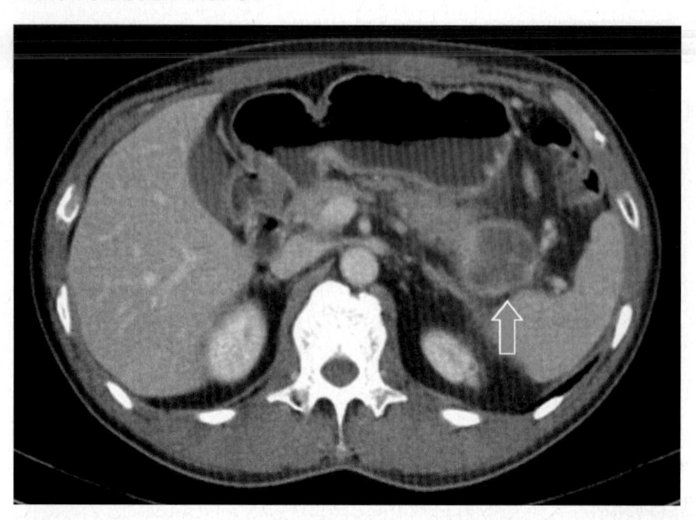

Initial Problem List

#1 LUQ pain radiating to the left flank and back area

#2 Mass in tail of pancreas

Assessment and Plan

췌장암을 가장 먼저 고려해야 하나, 경계가 명확하여 solid pseudopapillary tumor나 neuroendocrine tumor도 고려해볼 수 있다.

Pancreas dynamic CT를 다시 찍는 이유는 non-contrast phase, arterial phase, parenchymal phase, portal venous phase로 이루어진 multi-phase imaging을 통해 종괴의 성격을 좀 더 명확히 알 수 있기 때문이다. 췌장암은 late arterial phase에서 췌장 실질과 adenocarcinoma의 조영 증강의 정도의 차이가 가장 크다. 또한 superior mesenteric artery, celiac axis, splenic vein, portal vein 등의 중요 장기와의 구별이 용이하다.

#1 LUQ pain radiating to the left flank and back area #2 Mass in tail of pancreas	
A)	Pancreatic tail cancer Pancreatic neuroendocrine tumor Solid pseudopapillary tumor
P)	Diagnostic plan 〉 CT, dynamic pancreas MR, cholangio + pancreas with enhance Contrast enhanced endoscopic ultrasonography (EUS) EUS-guided fine needle aspiration biopsy Tumor markers (for follow up, not for diagnosis) Therapeutic plan 〉 Pain control

Hospital Day #2

#1 LUQ pain radiating to the left flank and back area
#2 Mass in tail of pancreas

S) 배는 계속 쑤시듯이 아픕니다.

BP 121/ 87 mmHg - HR 66 /min - RR 17 /min - BT 36.3℃
CEA 45.5 ng/mL, CA 19-9 103 U/mL

O)

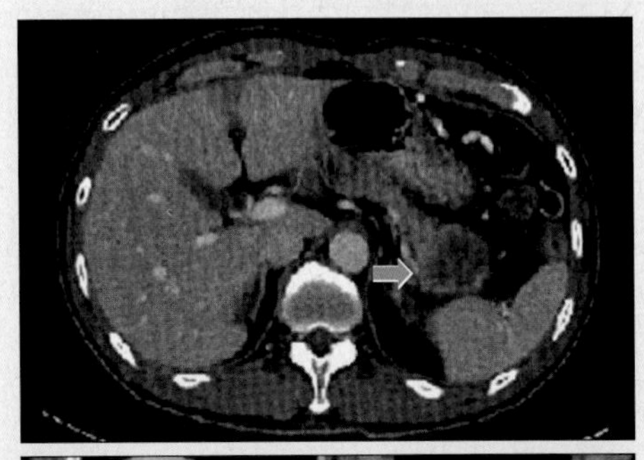

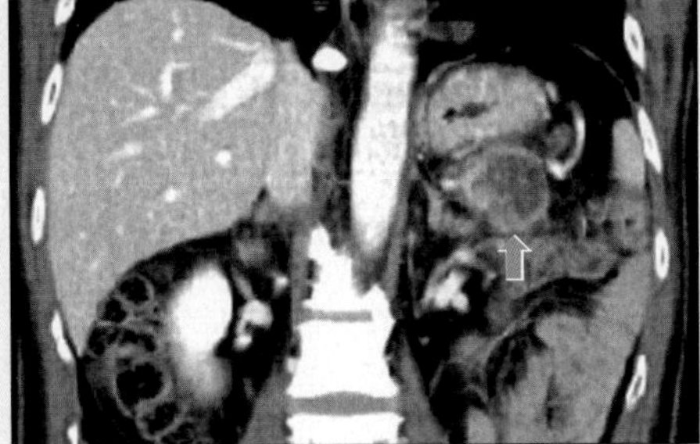

[MRCP]

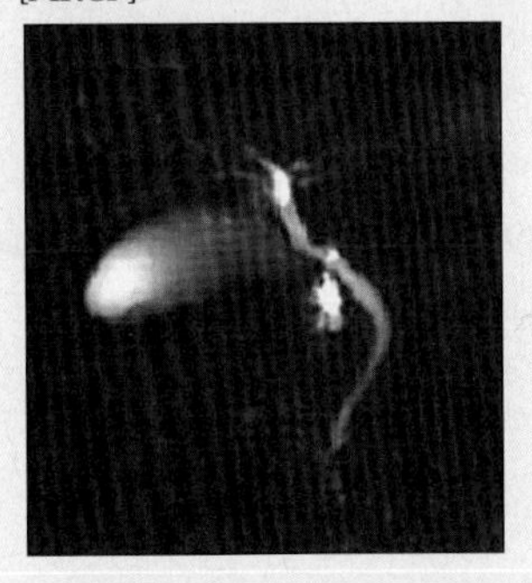

A)
Pancreatic tail cancer, most likely
Pancreatic neuroendocrine tumor
Solid pseudopapillary tumor

P)
Contrast enhanced endoscopic ultrasonography (EUS)
EUS-guidedfine needle aspiration biopsy
Pain control

Magnetic resonance cholangiopancreatography (MRCP)는 hepatobiliary tree를 보다 정확하게 볼 수 있으며, extra-pancreatic lesion의 여부를 보는데도 용이하다. CT와 MR이 반드시 둘 다 필요하지는 않지만, 상호 보완적이어서 도움이 되는 경우가 있다.

Endoscopic ultrasonography (EUS)는 주변 혈관이나 장기 침범 여부를 확인하는데 있어 CT에 비해 민감도가 높다.

Pancreas tail에 4.1cm 크기의 종괴가 관찰되며, 주변 조직으로의 침윤과 splenic vein invasion이 확인된다. 종괴가 stomach wall에 닿아있기는 하지만 명확한 invasion은 보이지 않는다.

MRCP에서 pancreas ductal dilatation은 보이지 않는다. 병변이 tail에 위치하기 때문인 것으로 보인다.

Hospital Day #3

#1 LUQ pain radiating to the left flank and back area #2 Mass in tail of pancreas	
S)	통증은 좀 나아졌어요.
O)	[Contrast enhanced EUS] 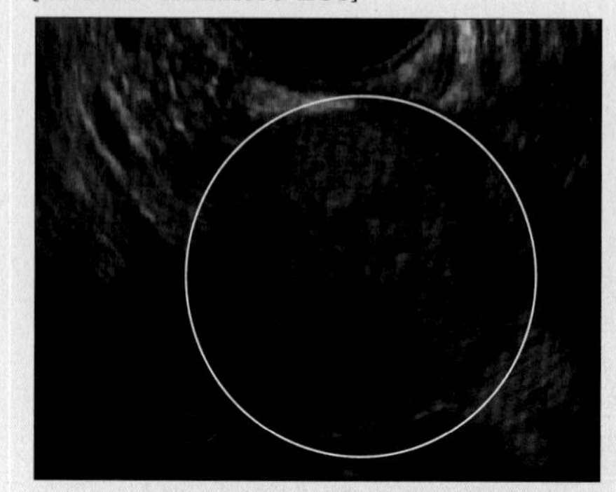
A)	Pancreatic tail cancer, most likely Pancreatic neuroendocrine tumor, less likely Solid pseudopapillary tumor, less likely
P)	Check biopsy result

EUS에서 heterogeneous mass가 관찰되며 stomach wall의 serosal invasion이 의심되었다.

Contrast enhanced EUS는 microbubble을 발생시키는 조영제를 사용하는 EUS로, 초음파 영상에서 조영제가 oscillation 되어 조영이 증강되어 보이는 원리를 이용한 것이다. Neuroendocrine tumor의 경우 조영 증강이 잘 되는 특성이 있어 이를 감별하는데 가장 도움이 된다.

본 환자에서는 조영 증강이 되지 않아 췌장암의 가능성이 가장 높을 것으로 판단하였다.

Hospital Day #5

#1 LUQ pain radiating to the left flank and back area #2 Mass in tail of pancreas	
S)	괜찮아요.
O)	Fine needle aspiration biopsy: mostly blood
A)	Pancreatic tail cancer, most likely Pancreatic neuroendocrine tumor, less likely Solid pseudopapillary tumor, less likely
P)	Repeat EUS-guided fine needle aspirationre-biopsy

193명의 환자를 대상으로 한 서울 아산병원 자료를 보면, EUS-guided fine needle aspiration biopsy의 민감도는 81.7%, 특이도는 89.5%였다. 음성예측도는 46.3%로 매우 낮다는 문제점이 있어 여러 차례의 검사가 필요할 수 있다.

Hospital Day #7

#1 LUQ pain radiating to the left flank and back area #2 Mass in tail of pancreas		
	S)	통증은심하지않아요.
	O)	Fine needle aspiration biopsy: adenocarcinoma [PET CT] 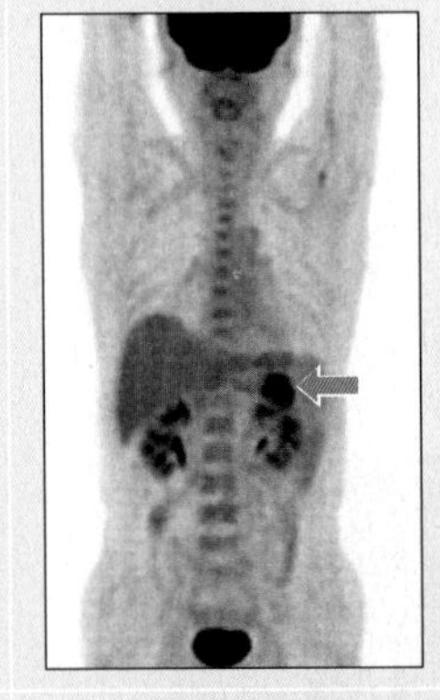
	A)	Probably locally advanced pancreatic cancer
	P)	Neoadjuvant combined chemotherapy and radiation therapy ➡ gemcitabine/erlotinib + stereotactic body radiation therapy Consider delayed operation

PET-CT는 원격 전이 여부를 확인하는데 도움이 되나 반드시 필요한 것은 아니다. PET-CT 결과 pancreas tail에 hypermetabolic mass(화살표)이 관찰되며 원격 전이를 의심할만한 소견은 보이지 않는다.

National comprehensive cancer network (NCCN) guideline에 따르면, locally advanced cancer 에서 good performance를 보이는 환자는 gemcitabine-based combination therapy 또는 gemcitabine + erlotinib, FOLFIRINOX, capecitabine followed by consolidation chemoradiation 등의 option이 있다.

Erlotinib은 EGFR inhibitor로 median survival과 overall survival에서 gemcitabine 단독 요법에 비해 복합 요법 사용 시 약간의 이득이 있다.
(Median overall survival 6.24 vs. 5.91 months, 1-year survival rates 23% vs. 17%)
〈Ref.: Moore MJ et al. Erlotinib plus Gemcitabine compared With Gemcitabine alone in patients with advanced pancreatic cancer: A phase III trial of the National Cancer Institute of Canada clinical trials group. J Clin Oncol 25:1960-1966. © 2007 by American Society of Clinical Oncology〉

〈Comment from audience〉
Combined chemotherapy and radiation therapy를 하는 경우, radiation therapy에 앞서 chemotherapy를 하는 경우가 많다는 종양 내과의 의견이 있었다. 이는 radiation therapy 중에 25%에서 systemic failure가 올 수 있기 때문이라고 한다.

Updated Problem List

#1 LUQ pain radiating to the left flank and back area ➡ #2

#2 Mass in tail of pancreas

➡ probably locally advanced pancreatic cancer

이 환자에서는 stereotactic body radiation therapy를 시행하기로 하였는데, conventional radiotherapy와 비교 하였을 때 fiducial marker를 병변 주변에 삽입하여 호흡에 따라 병변의 위치가 변화해도 위치를 추적하여 병변에 정확히 고용량의 방사선을 조사할 수 있어 치료 기간이 짧다는 장점이 있다.

Clinical course

Gemcitabine/erlotinib을 사용하면서 도중에 fiducial marker를 삽입하고 stereotactic body radiation therapy를 5회에 걸쳐 시행하였다. 이후 2주기의 항암 치료를 더 진행한 이후에 CT를 시행하였다. 결과 posterior stomach wall, left adrenal gland invasion 소견이 보여 수술은 포기하고 항암 치료를 지속하기로 하였다.

OPD progress note

#2 Mass in tail of pancreas ➡ advanced pancreatic cancer
s/p Gemcitabine/erlotinib cycle 1
s/p Stereotactic body radiation therapy on Gemcitabine/erlotinib cycle 2-4

O) [Abdomen CT]

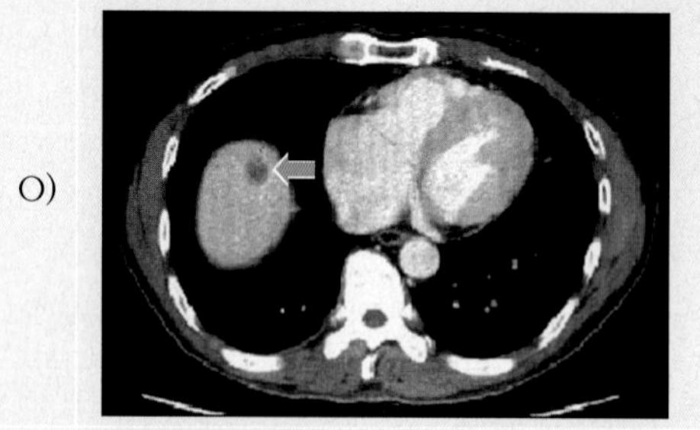

총 4주기의 항암 치료와 방사선 치료를 마친 후 CT를 찍었고 liver metastasis가 확인되었다. (화살표)

A) Pancreatic cancer with distant metastasis

P) Radiofrequency ablation

Clinical course

간으로의 원격 전이가 확인되어 radiofrequency ablation을 시행하였으나 3주 후 추적 관찰을 위해 시행한 CT에서 간에 다발성 전이가 확인되었다. 더 이상의 치료는 의미가 없을 것으로 판단하여 보존적 치료만 시행하였다. 두 달 후 숨이 차서 타원에 입원하였고 chest CT에서 lymphangitic lung metastasis가 확인 되었으며 이로부터 한 달 후 사망하였다. 이는 췌장암 진단 후 10개월이 지난 시점이었다.

Lesson of the case

본 증례는 췌장암의 진단 과정과 치료 방법 및 췌장암의 경과, 불량한 예후를 보여주는 것으로서 systemic chemotherapy와 stereotactic body radiation therapy, radiofrequency ablation 등의 local therapy를 동시에 시행하였음에도 췌장암 진단 10개월 후에 사망한 증례이다.

지난 20년 동안 수술 기법의 발전과 새로운 항암 화학 약제의 발달에도 불구하고 췌장암의 생존율 향상은 거의 없는 실정이다.

CASE 6 2주 전 시작된 호흡곤란으로 내원한 69세 여자

Chief Complaints

Dyspnea on exertion, started 2 weeks ago

Present Illness

고혈압과 당뇨병 과거력 있는 분으로, 6년 전 3 vessel disease로 coronary artery bypass graft 받았고, 이후 특별한 문제 없이 지냈다.
4개월 전부터 간헐적으로 운동 시 호흡곤란이 있었고, 3개월 전 외부병원에서 ventricular premature contraction 확인되어 amiodarone 200 mg qd 복용 시작하였다.
2주 전, 어지럽고 숨이 많이 차서 OO병원 방문하였다. OO병원 내원 1일째 시행한 EKG에서 junctional rhythm with atrial premature contractions, heart rate 20 /min 확인되어 amiodarone 중단하고 temporary pacemaker 삽입하였다. 당시 coronary angiography에서 큰 이상 없다고 들었다.
이후 heart rate 40-50 /min 회복되어 temporary pacemaker 제거하였고, OO병원 재원 8일째 Holter monitoring에서 junctional bradycardia, Torsade de Pointes 확인되었다. 흉통은 없으나 가벼운 일상 생활에서도 기운 없고 숨이 차는 증상 지속되어 내원하였다.

Past History

3 vessel disease s/p Coronary Artery Bypass (7년 전)
Lt. vertebral artery stenosis & Rt. vertebral artery occlusion
(MR angiography, 7년 전)
dyslipidemia (+, 7년 전)
hypertension (+, 8년 전)
diabetes mellitus (+, 15년 전)

Lt. vertebral artery stenosis & Rt. vertebral artery occlusion은 동반 증상이 없어서 경과 관찰하고 있었다.

tuberculosis (-)
hepatitis (-)

Current medication :
amlodipine 5 mg qd
aspirin 100 mg qd
clopidogrel 75 mg qd
atorvastatin 20 mg qd
valsartan 80 mg qd
furosemide 20 mg qd
sitagliptin 100 mg qd
metformin XR 500 mg qd
rabeprazole 20 mg qd
feroba 256 mg qd

Family History

어머니: cerebral infarction
coronay artery disease (-)
arrhythmia (-)
hypertension (-)
diabetes (-)
tuberculosis (-)
hepatitis (-)

Social History

occupation: 무직
never smoker
alcohol (+) social, 소주 1 잔/주

Review of Systems

General

Weight loss (-)	Weight gain (-)
Fever (-)	Chills (-)

Skin

Rash (-)	Ecchymosis (-)
Ecchymosis (-)	Petechia (-)

Head / Eyes / ENT

Headache (-)	Sore throat (-)
Hoarseness (-)	Hearing disturbance (-)
Epistaxis (-)	Neck mass (-)

Respiratory

Cough (-)	Sputum (-)
Hemoptysis (-)	

Cardiovascular

Orthopnea (-)	Palpitation (-)
Paroxysmal nocturnal dyspnea (-)	

Gastrointestinal

Anorexia (+)	Nausea (-)
Vomiting (-)	Constipation (-)
Diarrhea (-)	Abdominal pain (-)
Melena (-)	Hematochezia (-)
Hematemesis (-)	Heart burn (-)
Dysphagia (-)	Dyspepsia (-)

Genitourinary

Dysuria (-)	Gross hematuria (-)
Oliguria (-)	Frequency (-)
Polyuria (-)	Nocturia (-)

Neurologic

Seizure (-)	Muscle weakness (-)
Motor neuropathy (-)	Sensory neuropathy (-)

Musculoskeletal

Arhtralgia (-)	Back pain (-)
Myalgia (-)	

Physical Examination

Height 150 cm, Weight 48.5 kg
Body mass index (BMI) 21.6 kg/m^2

Vital Signs

BP 155/77 mmHg - HR 45 /min - RR 20 /min - BT 37.0 ℃

General Appearance

Appearance: acutely ill-looking	Mental status : alert
Disorientation (-)	

Skin

Skin turgor: normal	Ecchymosis (-)
Bruise (-)	Purpura (-)

Head / Eyes / ENT

Whitish sclerae	Pinkish conjunctivae
Palpable lymph nodes (-)	Jugular vein engorgement (-)
Pharyngeal injection (-)	Thyroid enlargement (-)

Chest

Chest contour : normal	Symmetric expansion without retraction
Clear breathing sound	Crackles (-)
Wheezing (-)	Tenderness (-)

Heart

Irregular heart beats	Murmur (-)
Thrill (-)	Abnormal heart sound : S3 (-) S4 (-)

Abdomen

Soft and flat	Hepatomegaly (-)
Normoactive bowel sound	Abdominal palpable mass (-)
Tenderness / Rebound tenderness (-/-)	

Musculoskeletal

No deformites
Pretibial pitting edema (-/-)
Costovertebral angle tenderness (-/-)

Initial Laboratory Data

CBC

WBC ($4 \sim 10 \times 10^3/mm^3$)	7,600	Hb (13~17g/dl)	11.7
platelet ($150 \sim 350 \times 10^3/mm^3$)	331		

Chemical & Electrolyte battery

Ca (8.3~10 mg/dL) P (2.5~4.5 mg/dL)	9.2/23.7	glucose (70~110 mg/dL)	204
protein (6~8 g/dL)/ albumin (3.3~5.2 g/dL)	7.4/3.7	aspartate aminotransferase (AST) (~40 IU/L) alanine aminotransferase (ALT) (~40 IU/L)	22/15
alkaline phosphatase (ALP) (40~120 IU/L)	89	gamma-glutamyl transpeptidase (r-GT) (11~63 IU/L)	47
total bilirubin (0.2~1.2 mg/dL)	0.2	direct bilirubin (~0.5 mg/dL)	
BUN (10~26 mg/dL) Cr (0.7~1.4 mg/dL)	13/0.91	estimated GFR ($\geq$ 60 ml/min/1.7 m^2)	$\geq$ 60
C-reactive protein (~0.6 mg/dL)	0.1	cholesterol	151
Na (135~145 mmol/L) K (3.5~5.5 mmol/L) Cl (98~110 mmol/L)	136 4.7 99	total CO_2 (24~31 mmol/L)	19.6

Coagulation battery

prothrombin time (PT) (70~140%)	89.8	PT (INR) (0.8~1.3)	1.03
activated partial thromboplastin time (aPTT) (25~35 sec)	26.6		

Urinalysis

specific gravity (1.005~1.03)	1.005	pH (4.5~8)	7.0
albumin	(-)	glucose	(-)
ketone	(-)	bilirubin	(-)
occult blood	(-)	nitrite	(-)
urobilinogen	(-)	WBC	(+)

Initial ABGA under room air

pH	7.540	pCO_2	26.0 mmHg
pO_2	71.0 mmHg	Base excess	0.9 mmHg
Bicarbonate	22.0 mmHg	O_2 Saturation	96 %

△△병원 EKG (3개월 전)

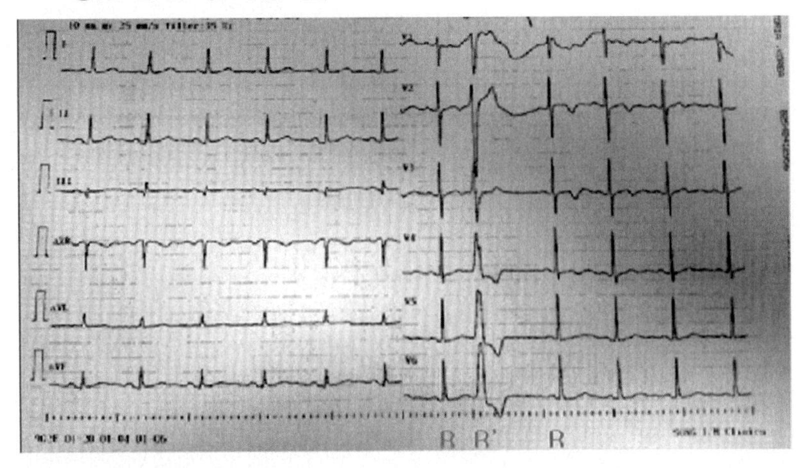

Wide QRS를 보이는 VPC가 확인된다. 또한 VPC 후에 extrasystole의 prematurity를 보상하는 긴 pause가 나와 RR' 과 R' R의 간격의 합이 2R과 같아지는 compensatory pause가 보인다. (R-R' + R' -R = 2 RR)

OO병원 입원 당시 EKG

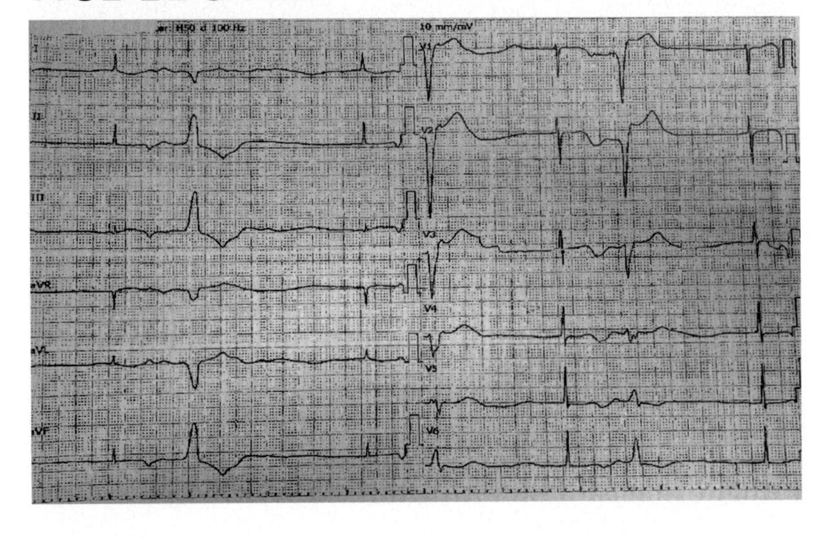

HR 45회/분의 junctional bradycardia가 보이고, QTc 531 ms으로 QT prolongation 되어 있다. (abnormal QTc interval은 남자의 경우 〉 450 ms, 여자의 경우 〉 470 ms 이다.)

OO병원 입원 9일째 Holter

HR 150회/분의 wide QRS 들이 baseline을 중심으로 크기가 변하면서 회전하는 양상의 torsades de pointes이 보인다.

HR 30회/분 정도의 P wave가 없는 junctional bradycarida가 보인다.

Torsades de pointes을 다시 확인할 수 있다.

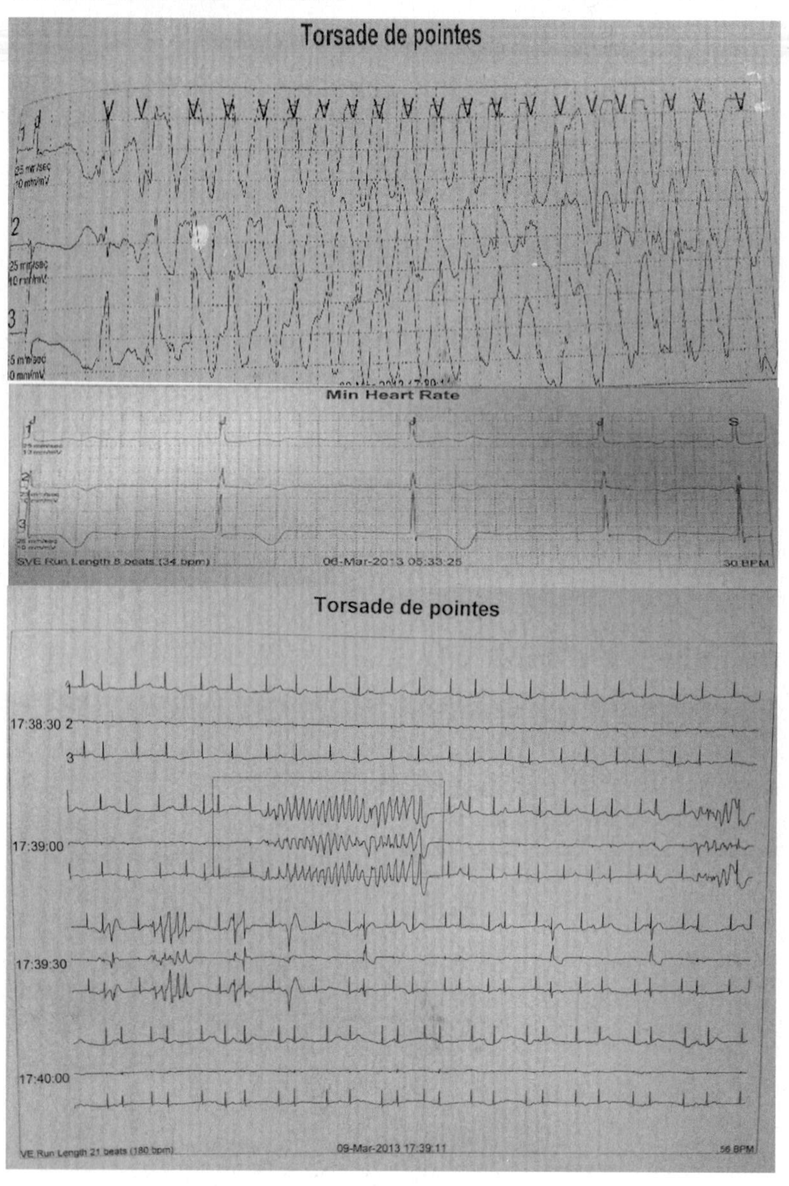

Initial EKG (HD #1)

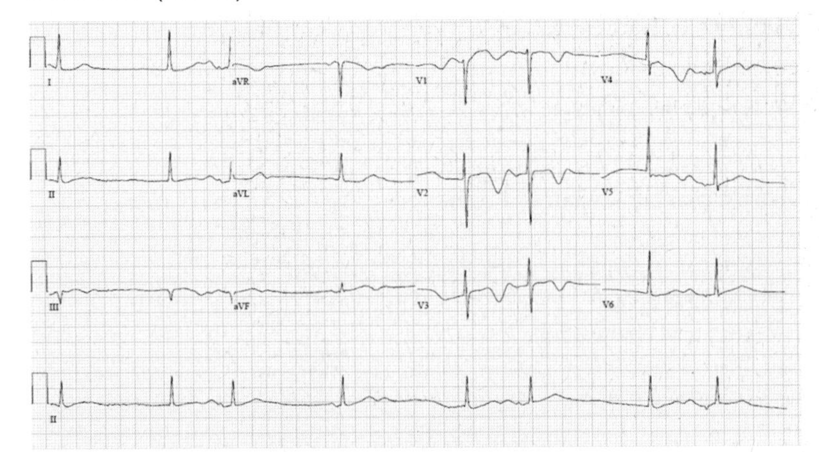

Junctional bradycardia with atrial premature contractions 이다.
QTc 522 ms로 prolonged QT가 있다.

Initial Chest X-ray (HD #1)

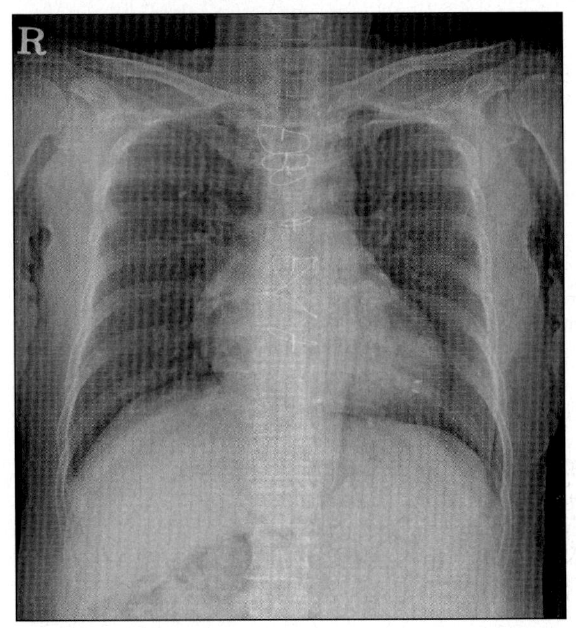

CT ratio는 0.57으로 mild cardiomegaly가 있다.

Initial Problem List

#1 Type II DM on medication (15 YA)

#2 HTN on medication (8 YA)

#3 3VD s/p CABG (7 YA)

#4 History of amiodarone medication (for 3 months)

#5 Dizziness & exertional dyspnea
#6 Junctional bradycardia
#7 QT prolongation
#8 Torsade de Pointes

Assessment and Plan

3VD으로 CABG 받고 7년 동안 증상 없이 지내고 있었다. 지금까지 arrhythmia 과거력이 없었고, Amiodarone이라는 bradycardia를 유발할 수 있는 유발 인자가 있었기 때문에, amiodarone induced arrhythmia로 assess 하였다.

부정맥의 유발 원인으로 생각되는 amiodarone을 중단하고, EKG감시하면서 신중하게 기다려 보기로 하였다. 그리고 심장의 구조적 문제가 있는지 확인하기 위해서 심초음파 등의 검사를 하기로 하였다. 마지막으로 Torsade de Pointes에 대해서 magnesium을 투여하기로 하였다.

Isoproterenol은 non-selective adrenergic agonist로 sinus rate을 늘리고, QT interval을 줄일 수 있어 bradycardia나 heart block 치료에 사용 된다.

#4 History of amiodarone medication (for 3 months)
#5 Dizziness & DOE
#6 Junctional bradycardia
#7 QT prolongation
#8 Torsade de Pointes

A)	Amiodarone induced arrhythmia, more likely - Junctional bradycardia - Torsade de Pointe d/t QT prolongation Sick sinus syndrome, less likely
P)	Diagnostic plan 〉 Discontinuation of amiodarone Holter monitoring, Telemetry monitoring, 2D-Echocardiography Therapeutic plan 〉 Discontinuation of Amiodarone Magnesium sulfate 10 % 20 ml IV qd Watchful waiting with EKG monitoring 지속적으로 HR 느리고 증상이 있을 때에는, isoproterenol 투여 또는 temporary pacemaker insertion 고려

Hospital Day #1

#4 History of amiodarone medication (for 3 months)
#5 Dizziness & DOE
#6 Junctional bradycardia
#7 QT prolongation
#8 Torsade de Pointes

S)	가만히 있으면 괜찮지만, 조금만 움직이면 어지럽고 숨차요.
O)	BP 148/76 mmHg HR 39 /min RR 20 /min BT 37.0℃ EKG ; junctional bradycardia
A)	Amiodarone induced junctional bradycardia
P)	IV isoproterenol 1mcg/min 투여 시작 Magnesium sulfate 10 % 20 ml IV qd 지속적으로 HR 느릴 때에는 temporary pacemaker insertion 시행

Hospital Day #2

#4 History of amiodarone medication (for 3 months)
#5 Dizziness & DOE
#6 Junctional bradycardia
#7 QT prolongation
#8 Torsade de Pointes

Isoproterenol 투여하였지만 HR 40회/분 정도의 bradycardia 지속되고, 환자가 지속적으로 증상 호소하여 temporary pacemaker 삽입하였다.

S) 인공 심박동기 넣고, 어지러운 것은 나아졌어요.

O) BP 131/74 mmHg HR 75 /min RR 20 /min BT 37.0 ℃
EKG : Electronic ventricular pacemaker rhythm

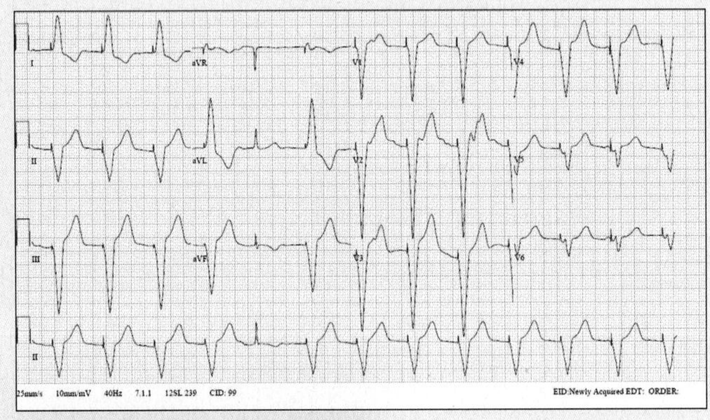

EKG에서 분당 70회의 pacing을 확인할 수 있다.

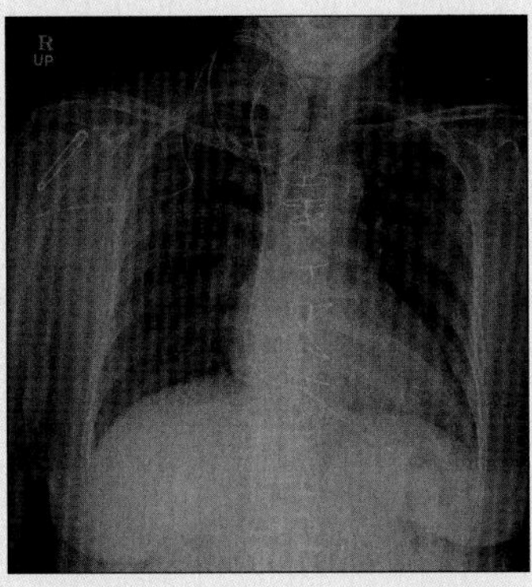

Chest X-ray에서 jugular vein을 통해서 들어간 temporary pacemaker의 tip이 Rt. ventricle에 적절하게 위치하고 있는 것을 확인할 수 있다.

A) Amiodarone induced junctional bradycardia
s/p temporary pacemaker insertion

P) Magnesium sulfate 10 % 20 ml IV qd
Close monitoring at ICU
Pacing 안정적으로 유지되면, 일반 병동 전동
Amiodarone 효과가 없어질 때까지 경과 관찰

Hospital Day #7

#4 History of amiodarone medication (for 3 months)
#5 Dizziness & DOE
#6 Junctional bradycardia
#7 QT prolongation
#8 Torsade de Pointes

S) 박동기 속도를 낮춰도 어지럽지 않네요.

O) BP 112/64 mmHg HR 40 /min RR 18 /min BT 36.6 ℃
K 4.5 mmol/L Mg 2.13 mg/dL
EKG : junctional bradycardia

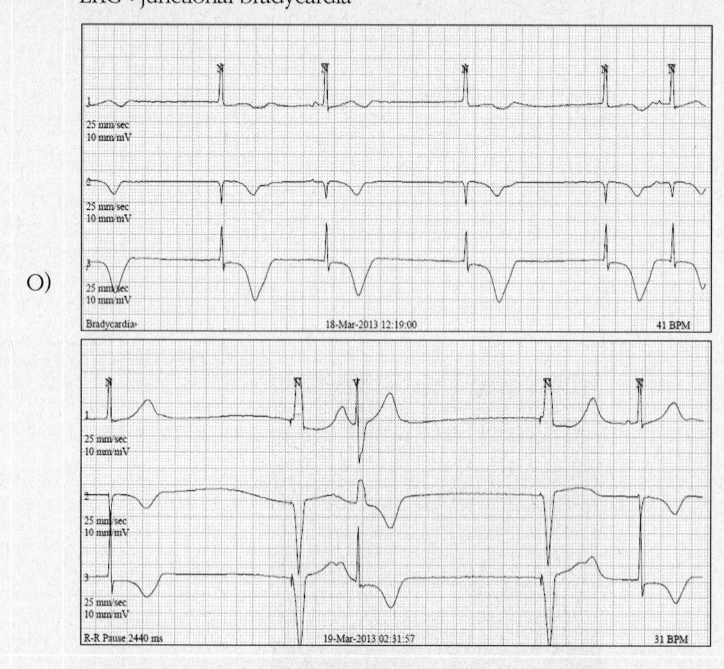

A) Amiodarone induced junctional bradycardia
s/p temporary pacemaker insertion

P) Magnesium sulfate 10% 20 ml IV qd
Amiodarone 효과가 없어질 때까지 경과 관찰
Pacing rate 75 /min ➡ 30 /min으로 조절한 상태로 경과 관찰 하고, 증상 호전되면 temporary pacemaker는 제거 고려
Holter monitoring 시행

Temporary pacemaker의 경우 정해놓은 횟수 이상으로 환자의 심장이 박동하게 되면 작동하지 않고 대기모드로 들어간다. 환자의 증상이 호전되어 본인의 심박동수 및 증상 변화를 확인하기 위해, temporary pacemaker의 pacing rate를 분당 75회에서 30회로 조정하였다.

Paing rate을 30으로 줄인 뒤의 ECG에서 분당 40회의 junctional bradycardia와 분당 30회의 pacing rhythm이 반복 되는 것을 확인할 수 있다.

Hospital Day #11

#4 History of amiodarone medication (for 3 months)
#5 Dizziness & DOE
#6 Junctional bradycardia
#7 QT prolongation
#8 Torsade de Pointes

S)	박동기 제거하고 특별한 문제 없어요. 맥이 느려도 어지럽지 않네요.
O)	BP 152/72 mmHg HR 45 /min RR 18 /min BT 36.6 ℃ K 4.5 mmol/L Mg 2.15 mg/dL EKG: junctional bradycardia
A)	Amiodarone induced junctional bradycardia
P)	Magnesium sulfate 10% 20 ml IV qd Amiodarone 효과가 없어질 때까지 경과 관찰 만약 지속적으로 HR 느리면, permanent pacemaker insertion 고려

Temporary pacemaker 제거하였다.
Amiodarone 효과가 없어질 때까지 조금 더 경과 관찰하기로 하였다.

Hospital Day #19

#1 Type II DM on medication (15 YA)
#2 HTN on medication (8 YA)
#3 3VD s/p CABG (7 YA)
#4 History of amiodarone medication (for 3 months)
#6 Junctional bradycardia ➡ #9
#7 QT prolongation
#8 Torsade de Pointes
#9 Sustained junctional bradycardia after amiodarone discontinuation

S)	한 달째 기다렸는데, 맥은 여전히 느리네요. 어지럽거나 숨찬 증상은 없었어요.
O)	BP 141/54 mmHg HR 45 /min RR 18 /min BT 36.9 ℃ EKG : junctional bradycardia
A)	Sick sinus syndrome, more likely Amiodarone induced junctional bradycardia, less likely
P)	Magnesium sulfate 10 % 20 ml IV qd 이미 충분한 시간 동안 기다렸지만 지속적으로 HR 느려, Permanent pacemaker insertion 고려

Amiodarone을 중단한지 한 달 이상 지났지만, 여전히 HR 45회 정도의 junctional bradycardia 지속되고 있었다.

이제는amiodarone induced junctional bradycardia 보다는 sick sinus syndrome 가능성이 더 높을 것으로 판단하였다.

Pacemaker generator의 두 개의 lead 가 각각 RA와 RV에 적절하게 위치해 있나.

Hospital Day #23

#1 Type II DM on medication (15 YA)
#2 HTN on medication (8 YA)
#3 3VD s/p CABG (7 YA)
#4 History of amiodarone medication (for 3 months)
#6 Junctional bradycardia ➡ #9
#7 QT prolongation
#8 Torsade de Pointes
#9 Sustained junctional bradycardia after amiodarone discontinuation
  ➡ sick sinus syndrome
#10 Status permanent pacemaker (DDDR)

S) 결국은 인공 심박동기 넣기로 했어요.

O) BP 125/63 mmHg HR 70 /min RR 18 /min BT 36.1 ℃

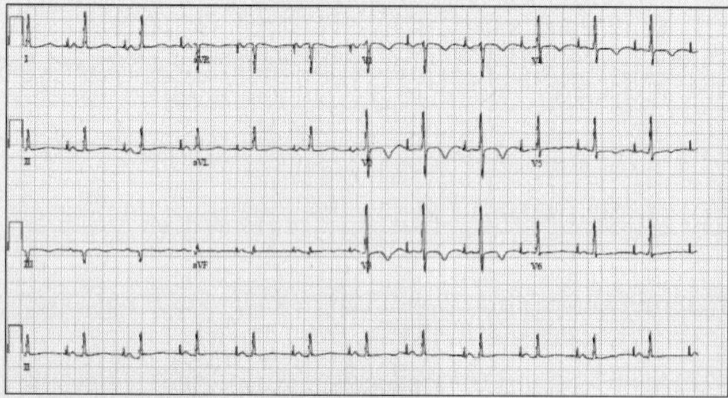

Permanent pacemaker insertion 이후의 EKG 이다. 분당 70회의 pacing을 확인할 수 있다.

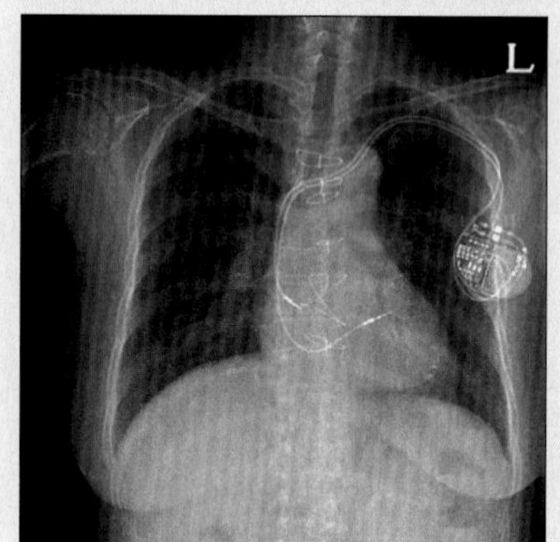

A) Sick sinus syndrome, more likely
s/p permanent pacemaker(DDDR) insertion
Amiodarone induced junctional bradycardia, less likely

P) Regular pacemaker check

Hospital Day #24

#1 Type II DM on medication (15 YA)
#2 HTN on medication (8 YA)
#3 3VD s/p CABG (7 YA)
#4 History of amiodarone medication (for 3 months)
#6 Junctional bradycardia ➡ #9
#7 QT prolongation
#8 Torsade de Pointes
#9 Sustained junctional bradycardia after amiodarone discontinuation
➡ sick sinus syndrome
#10 Status permanent pacemaker (DDDR)

S)	특별히 불편한 점은 없어요.
O)	BP 135/60 mmHg HR 70 /min RR 18 /min BT 36.1 ℃ EKG : Electronic ventricular pacemaker rhythm
A)	Sick sinus syndrome, more likely s/p permanent pacemaker(DDDR) insertion Amiodarone induced junctional bradycardia, less likely
P)	Regular pacemaker check Discharge

외래에서 경과 관찰하기로 하고 퇴원하였다.

Lesson of the case

Amiodarone은 bradycardia와 QTc prologation을 유발할 수 있는 약제이고, QTc prolongation과 관련해서 torsade de pointes를 유발할 수도 있다. Amiodarone 외에도 cisapride, haloperidol, erythromycin 등 약물이 QTc를 prolongation 시킨다.

본 증례의 환자는 amiodarone을 충분한 기간 중단하였음에도 불구하고 junctional bradycardia 지속되어 최종적으로는 sick sinus syndrome으로 진단하였다. 이와 같이 부정맥을 진단하는 과정에서 부정맥의 원인에 대해 상황에 맞게 논리적으로 접근하는 것이 필요 하다.

CASE 7 무릎 수술 후 발생한 의식 저하를 주소로 내원한 80세 여자

Chief Complaints

Altered mentality, started 9 hours ago

Present Illness

고혈압 외에는 특별한 기저 질환 없던 환자로, 약 5년 전 무릎 통증으로 동네 의원에서 퇴행성 관절염 진단 받아, 소염진통제 복용 하면서 경과 관찰하며 지냈다.

최근 무릎 통증 심해져 수술 위해 정형외과 병원 방문하여 왼쪽 무릎의 인공 관절 치환술 시행 받았다. 수술은 내원 17시간 전 (오전 9시경)에 시작하였고, 척수 마취 하에 2시간에 걸쳐 진행 되었고, 수술 당시 출혈량은 많지 않았다고 하였다. 수술 직후에 의식 수준은 약간 졸린 수준이었으나, 부르면 대답은 잘 하였다고 한다.

수술 직후 통증으로 경막외 통증 조절 기구를 통하여 통증 조절 하였으며, 한 차례 수술 부위 통증으로 진통제 정맥 주사하였다. 오후 5시경부터 눈을 뜨고 있지 못하고 자꾸 자려고 하는 양상 보였다고 하며, 소변량도 감소하였다. 오후 10시경에는 환자 의식 수준 더욱 저하되어 부를 때에만 잠깐 눈을 뜨는 정도였고, 떠주는 물을 겨우 받아 마시는 정도였다고 하며, 당시 측정한 산소포화도 57%로 확인되어, 중환자실 이동 후에 산소 투여 시작하였다.

오후 11시 반 경에는 불러도 반응 없고, 통증 자극에 대해서 눈을 잠깐 떴다 감는 수준으로 의식 저하 되었으며, 산소 포화도 78% 정도로 여전히 낮은 상태였고, 흉부 방사선 촬영하였을 때, 폐 부종 소견 보여 furosemide (Lasix®) 10 mg 투약 하였고, 투약 직후 소변량은 없었다.

저혈압으로 dopamine정맥 주입 하면서 본원 응급실로 전원 되었고, 응급실 내원 당시 혈압 65/39 mmHg 및 산소 포화도 83%로 기관 삽관 시행하였으며, 시행 후 맥박 촉지 되지 않아, 심폐소생술 1 cycle시행 및, epinephrine 1 mg 투약 후에 자발 순환 회복된 상태로, acute care unit에 입실하였다.

보호자로부터 청취한 병력 상 fever, chill, dyspnea 등은 없었다고 한다.

Past History

diabetes (-)

hypertension (+)

tuberculosis (-)

hepatitis (-)

Family History

diabetes (-)

hypertension (+): 남동생

tuberculosis (-)

hepatitis (-)

hepatocellular carcinoma (+): 오빠

Social History

occupation: 농업

never smoker

alcohol (-)

Review of Systems

(informer: daughter)

General

general weakness (+)	easy fatigability (-)
dizziness (-)	febrile sense (-)
chills (-)	

Skin

purpura (-)	erythema (-)

Head / Eyes / ENT

headache (-)	dizziness (-)
hearing disturbance (-)	visual disturbance (-)
sore throat (-)	

Respiratory

cough (-)	hemoptysis (-)
sputum (-)	wheezing (-)

Cardiovascular

chest pain (-)	palpitation (-)
orthopnea (-)	dyspnea on exertion (-)

Gastrointestinal

anorexia (-)	dyspepsia (-)
nausea (-)	vomiting (-)
abdominal pain (-)	diarrhea/constipation (-/-)

Genitourinary

flank pain (-)	gross hematuria (-)
genital ulcer (-)	

Neurologic

seizure (-)	motor-sensory change (-)
psychosis (-)	

Musculoskeletal

myalgia (-)	localized bone pain (-)

Physical Examination

height 155 cm, weight 60.0 kg, body mass index 25.0 kg/m^2

Vital Signs

BP 65/39 mmHg - HR 98/min - RR 30/min - BT 35.0℃

General Appearance

looking acutely ill	stuporous mentality

Skin& Integument

skin turgor: increased	rash (-)
purpura (-)	ecchymosis (-)

Head / Eyes / ENT

pinkish conjunctivae	icteric sclera
no palpable cervical lymph nodes	no jugular venous distension

Chest

labored breathing with tachypnea
coarse breathing sound with crackle
wheezing (-)

Heart

regular rhythm	normal heart sound without murmur

Abdomen

soft and flat abdomen	normoactive bowel sound
tenderness (-)	rebound tenderness (-)
abdominal distension (-)	shifting dullness (-)
hepatomegaly (-)	splenomegaly (-)

Musculoskeletal

costovertebral angle tenderness (-/-)	pretibial pitting edema (-/-)

Neurologic examination

mental status : stuporous	
cranial nerve examination : not identified due to poor cooperation but grossly intact	motor system upper: 4/4 lower: 4/5
normal posture	no resting tremors
reflexes : masseter (+/+) biceps (+/+) triceps (+/+) knee (+/+) ankle jerk (+/+) plantar (+/+)	sensory : not identified due to poor cooperation
cerebellar testing : nystagmus (-/-) Intention tremor(+/+)	
Glascow coma scale: 8/15 eye opening: to voice - 3/4 best motor response: abnormal flexion (decorticate reponse) - 3/6 verbal response: incomprehensible sound - 2/5	

Surgical site examination

bleeding (-)	erythema (-)
swelling (-)	discharge(-)

Initial Laboratory Data

CBC

WBC ($4\sim10 \times 10^3/mm^3$)	17,600	Hb (13~17 g/dL)	15.0
WBC differential count	neutrophil 85.0%	platelet ($150\sim350 \times 10^3/mm^3$)	128,000

Chemical & Electrolyte battery

Ca (8.3~10 mg/dL)	7.5	glucose (70~110 mg/dL)	170
protein (6~8 g/dL)/ albumin (3.3~5.2 g/dL)	5.7 2.7	aspartate aminotransferase (AST) (~40 IU/L) alanine aminotransferase (ALT) (~40 IU/L)	24 13
alkaline phosphatase (ALP) (40~120 IU/L)	46	total bilirubin (0.2~1.2 mg/dL)	1.2
BUN (10~26 mg/dL) Cr (0.7~1.4 mg/dL)	32 2.00		
Na+ (135~145mmol/L) K+ (3.5~5.5mmol/L) Cl- (98~110mmol/L)	140 4.6 108	total CO_2 (24~31 mmol/L)	14.1
C-reactive protein (~0.6 mg/dL)	6.62	procalcitonin (ng/mL)	10.84

Cardiac marker

CK (50~250 IU/L)	143	CK-MB (0~5 ng/mL)	3.6
troponin-I (ng/mL)	0.224	BNP (pg/mL)	117

Coagulation battery

prothrombin time (PT) (70~140%)	111.0%	PT(INR)(0.8~1.3)	0.93
activated partial thromboplastin time (aPTT) (25~35sec)	25.8	fibrinogen (200~400 mg/dL)	299
FDP (~5.0 ug/mL)	198.0	Antithrombin III (80-120 %)	45
D-dimer (ug/ml FEU)	114.20		

Arterial blood gas analysis

pH (7.35 ~ 7.45)	7.250	pO_2 (83~108 mmHg)	69.0
pCO_2 (35~45 mmHg)	28.0	FiO_2	80%
bicarbonate (23~29 mmEq/L)	12.0	lactic acid (mmol/L)	5.8

Urinalysis with microscopy

specific gravity (1.005~1.03)	1.015	pH (4.5~8)	5.0
albumin	TR	glucose	(-)
ketone	(-)	bilirubin	(-)
occult blood	(+)	nitrite	(-)
RBC (0~2/HPF)	0	WBC (0~2/HPF)	0
squamous cell (0~2/HPF)	0	bacteria	0

Chest X-ray

Chest AP 사진이며, pulmonary congestion과 cardiomegaly가 뚜렷하게 보이며, 그 외 abnormality는 관찰되지 않았다.

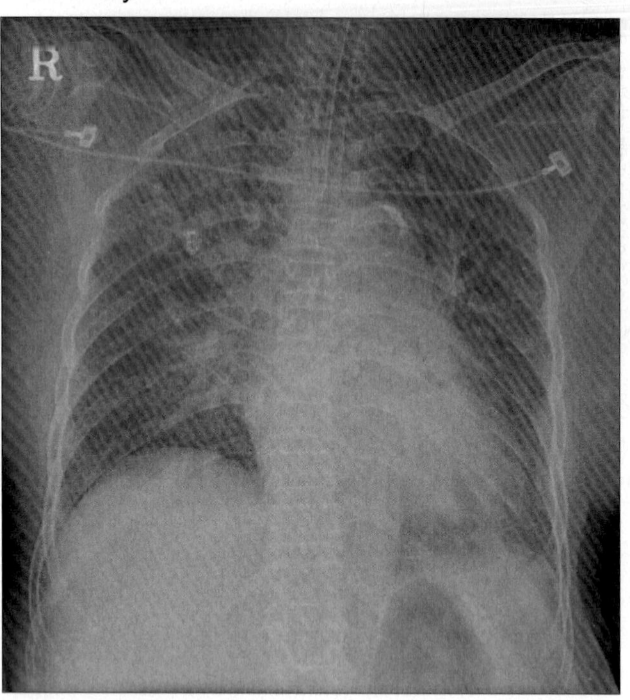

Electrocardiogram

Lead II, aVF에 ST depression 관찰되며, P wave와 QRS wave에 이상 소견 없었다.

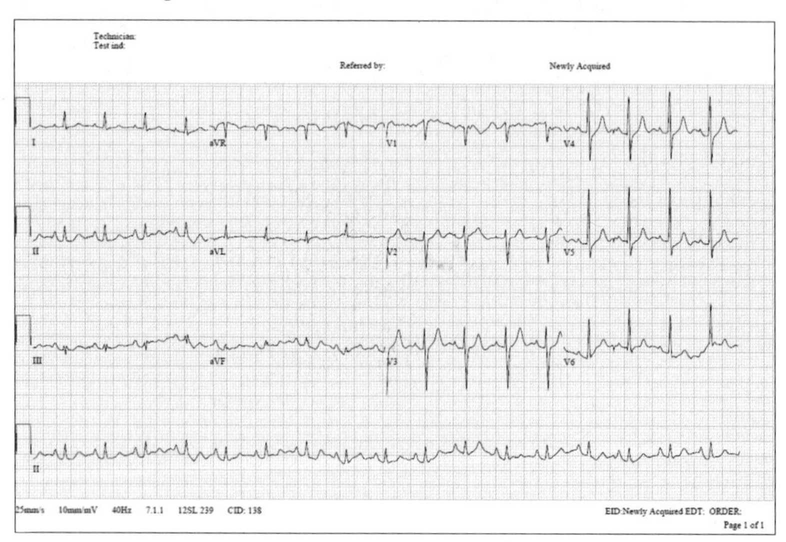

Initial Problem List

#1 Severe osteoarthritis s/p total knee replacement arthroplasty (TKRA), Lt.

#2 Altered mentality

#3 Acute kidney injury

#4 Hypotension

#5 Hypoxemia

#6 Pulmonary edema on chest X-ray

#7 Increased D-dimer

#8 Leukocytosis with increased C-reactive protein

#9 Metabolic acidosis

Assessment and Plan

#1 Severe osteoarthritis s/p knee replacement arthroplasty (TKRA), Lt.
#2 Altered mentality
#3 Acute kidney injury
#4 Hypotension
#5 Hypoxemia
#6 Pulmonary edema on chest X-ray
#7 Increased D-dimer
#8 Leukocytosis with increased C-reactive protein
#9 Metabolic acidosis

A)	Septic shock Pulmonary thromboembolism Cardiogenic shock Hypovolemic shock Adrenal crisis
P)	Diagnostic plan: Check wound status Blood sputum, urine and pus culture Echocardiogram, embolism CT, lower extremities Doppler ultrasound, abdominopelvic CT Therapeutic plan: Shock management Empirical antibiotics: Meropenem + Vancomycin

Surgical site infection의 경우 일반적으로 inoculum time이 필요하나, 본 case의 경우 수술 당일 발생한 혈압저하로 embolism 가능성을 먼저 생각할 수 있다. 하지만, leukocytosis 및 CRP, procalcitonin의 증가가 저명하여 septic shock의 가능성도 고려해 볼 수 있겠다.
또한, 고령의 환자로 cardiogenic shock의 가능성도 생각해 볼 수 있으며, 5년간의 관절염 병력이 있었던 환자로, steroid 복용 가능성을 염두에 두고, adrenal crisis가능성에 대해서 steroid투약 하기로 하였다
수술 시 출혈량 많지 않았고, surgical site exam에서도 active bleeding은 관찰되지 않는 상태로, hidden bleeding focus evaluation 위해 abdominopelvic CT도 시행하기로 하였다.
Metabolic acidosis의 경우 high anion gap acidosis로 보이며, shock으로 인한 perfusion 감소에 따른 lactic acidosis와 AKI에 의한 normal AG acidosis가 combine된 것으로 보인다.

Hospital Day #1-2

#1 Severe osteoarthritis s/p knee replacement arthroplasty (TKRA), Lt.
#2 Altered mentality
#3 Acute kidney injury
#4 Hypotension
#5 Hypoxemia
#6 Pulmonary edema on chest X-ray
#7 Increased D-dimer
#8 Leukocytosis with increased C-reactive protein
#9 Metabolic acidosis

S) Intubated state

O) Vasopressor로 norepinephrine 및 vasopressin, epinephrine까지 infusion 하였으나, BP는 75/43정도 밖에 유지되지 않는 상태로 지속되었고, 이후 continuous renal replacement therapy (CVVHD) 시행하면서 BP 143/100까지 회복됨.

〈시간에 따른 pH와 lactic acid level 변화 〉

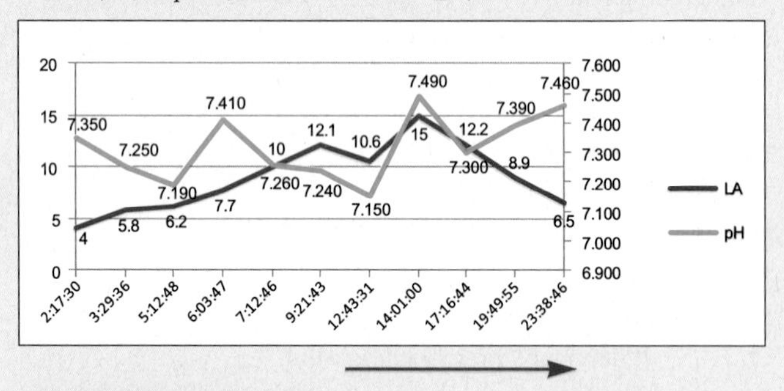

〈OS consult reply〉
: wound에는 문제가 없으며 infection의 증거가 없음.

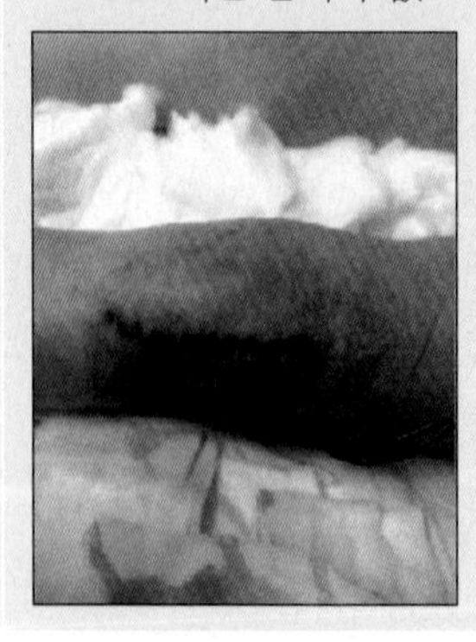

혈압 불안정한 상태로 norepinephrine 및 vasopressin, epinephrine과 같은vasopressor를 투약 하였고, inotropics로 dobutamine infusion하였다. 소변량 감소하면서 metabolic acidosis기 진행하여, bicarbonate 투약하였으나, 호전 없었고 이후(빨간색 화살표) continuous veno-venous hemodialysis (CVVHD) 시행하였고, acidosis가 교정되고 혈압도 안정화 되어, vasopressor 감량하였다.

〈2D+Doppler portable echocardiography〉
LV function과 size, wall motion 모두 정상으로 보여 cardiogenic shock의 가능성은 낮아보였음
다만, RV 가 상당히 dilatation 되어 있고, TR Vmax 2.9 m/s이며,
RV dysfunction 동반된 상태로 RV pressure overloading이 예상되는 상태로,
이런 경우 pulmonary thromboembolism 등의 감별이 필요하겠음
TR외에는 다른 valve의 gross morphology 이상 없으며, pleural effusion은 동반되지 않은 상태로, IVC plethora 관찰됨

A)	Pulmonary thromboembolism Septic shock
P)	Diagnostic plan embolism CT, lower extremities Doppler ultrasound, abdomino-pelvic CT Check culture results Therapeutic plan consider emergent embolectomy heparinization vasopressor & inotropics tapering empirical antibiotics: Meropenem + vancomycin continuous veno-venous hemodialysis

Shock의 원인 감별을 위해서 가능하다면 echocardiography의 확인이 필요하다. 수술 이후에 발생하는 shock의 경우 모든 가능성을 고려하여야 한다.
본 환자의 경우 echocardiography에서 RV dilatation 소견이 저명하여 acute pulmonary embolism 가능성이 있으나, echocardiographic finding만으로는 확진이 어려워, embolism CT 등의 추가 검사를 진행하기로 하였다. 하지만, vital sign이 unstable 하여 CT 촬영을 진행하지 못하였다. Embolism이 확인되고, vital sign이 unstable한 상황이라면 embolectomy와 같은 응급 수술의 indication에 해당되며, IVC filter나 heparin 등이 도움이 될 수 있다.

Hospital Day #3-4

#1 Severe osteoarthritis s/p knee replacement arthroplasty (TKRA), Lt.
#2 Altered mentality
#3 Acute kidney injury
#4 Hypotension
#5 Hypoxemia
#6 Pulmonary edema on chest X-ray
#7 Increased D-dimer
#8 Leukocytosis with increased C-reactive protein
#9 Metabolic acidosis, resolved
New #10 Anemia
New #11 Thrombocytopenia

S)	Intubated state

Chronic thromboembolic pulmonary hypertension에서는 perfusion CT가 pulmonary embolism CT보다 좋다.
Pulmonary embolism CT는 sensivity는 90% 이상이며, lower extremities Doppler ultrasound에서 negative라 하면 CT angiography는 굳이 추천되지 않는다. 본 환자의 경우, CT에서 pulmonary embolism이 확인되지 않았고, lower extremities Doppler ultrasound에서 deep vein thrombosis의 소견이 보이지 않아 pulmonary thromboembolism의 가능성은 낮을 것으로 보았다. Shock 환자에서 pulmonary thrombo embolism이 의심될 때에는, echocardiography를 시행하여 pulmonary hypertension, RV dyfunction 등의 소견을 확인하여야 한다.

Vital sign은 안정화되었으며, 산소 요구량도 감소하는 추세임

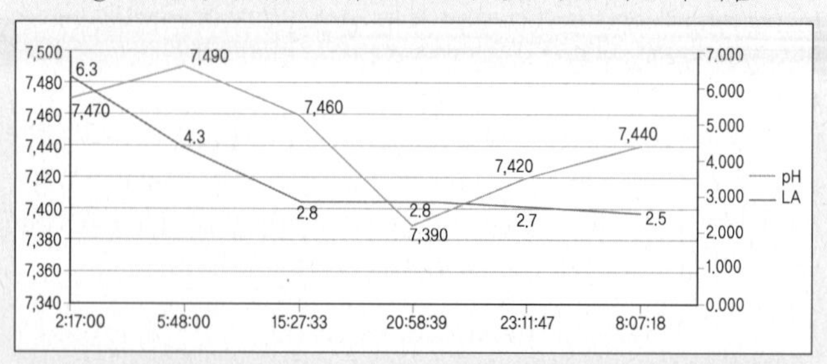

Embolism CT

O)

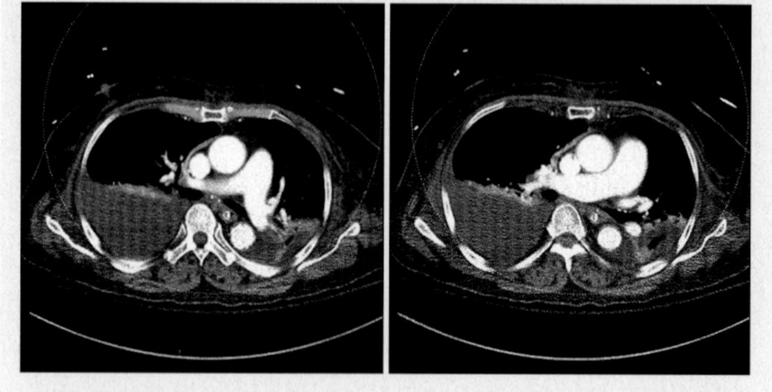

lower extremities Doppler ultrasound: no deep vein thrombosis
Hb 8.6 g/dl (← 15.0 g/dl)
WBC 16,800 /uL
PLT 20,000 /uL (← 128,000 /ul)
CK-MB 17.2 ng/ml Tn-I 0.595 ng/ml
CRP 18.68 mg/dL
PT 103.2% aPTT 39.0sec
Blood culture: No growth, 2 days
Sputum culture: No growth
Urine culture: No growth

> Pulmonary embolism CT에서 thromboembolism은 관찰되지 않으며, bilateral pleural effusion과 이로 인한 passive atelectasis가 확인되었다.

A)

Septic shock
Cardiogenic shock
Anemia, thrombocytopenia
→ Disseminated intravascular coagulopathy

> Postoperative condition에서는 inflammatory anemia가 발생할 수도 있고, hypovolemic, dilutional, 생성 저하에 따른 anemia 다 가능한 상태이다.

> Thrombocytopenia가 발견되면 항생제 등의 약제 가능성을 우선적으로 고려해보아야 한다.

P)

Diagnostic plan
- Anemia work-up (lab analysis, blood smear)
- Re-do blood culture

Therapeutic plan
- Keep current antibiotics (consider antibiotics de-escalation)
- Vasopressor & inotropic tapering
- Continuous veno-venous hemodialysis

Hospital Day #5-6

#1 Severe osteoarthritis s/p knee replacement arthroplasty (TKRA), Lt.
#2 Altered mentality
#3 Acute kidney injury
#4 Hypotension
#5 Hypoxemia
#6 Pulmonary edema on chest X-ray
#7 Increased D-dimer
#8 Leukocytosis with increased C-reactive protein
#9 Metabolic acidosis, resolved
#10 Anemia
#11 Thrombocytopenia

S) 수술은 허리 마취로 진행하였습니다.

BP 141/67 mmHg - HR 101 /min - RR 24 /min - BT 36.5°C
P/Ex - purpura on extremities (점점 진행하는 양상)
Blood culture: No growth, 5 days

Hb 8.7g/dl, Platelet 28,000 /ul
PT 111.1%, aPTT 34.9%
CK-MB 8.1 ng/ml, Tn-I 0.349 ng/ml
CK 2526 IU/l, LD 1083 IU/l
CRP 9.68 mg/dl

CSF analysis
WBC 1/ul, RBC 5 /ul,
protein 15.2 mg/dl, glucose 78 mg/dl

O)

Anemia work-up

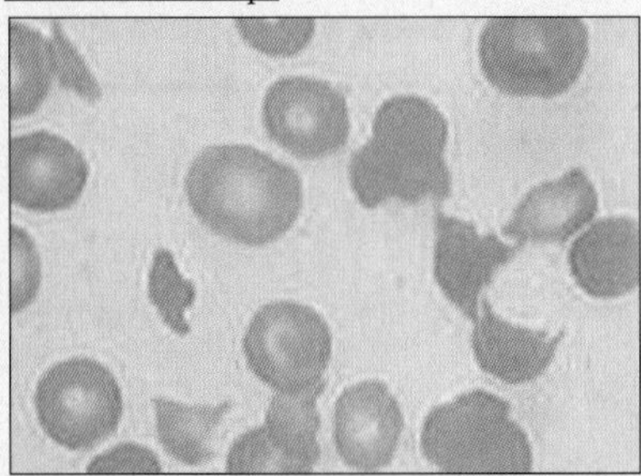

PB smear: fragmented RBC (2-3/HPF)
iron 44 ug/dl, TIBC 154 ug/dl, ferritin 436.4 ng/ml
haptoglobin 7.9 mg/dl, plasma Hb 10.2 mg/dl
Coomb's test, direct / indirect (-/-)

Severe thrombocytopenia 및 anemia가 있으나, PT/aPTT는 정상이었다. PB smear에서 fragmented RBC가 확인되었고, azotemia, altered mentality 등의 소견을 종합해 볼 때, HUS/TTP를 강력히 의심되었다.

Clinical and laboratory manifestations of TTP-HUS

1. microangiopathic hemolytic anemia
2. thrombocytopenia
3. renal failure
4. neurologic abnormalities
5. fever

위의 5가지를 모두 표현하는 경우는 드물기 때문에, Galbusera 등에 의한 revised diagnosis criteria에서는 MAHA와 thrombocytopenia를 최소 요구 조건으로 설정하였다.

수술 후에 발생한 event이므로, 다시 한 번 수술 방법에 대해서 review 하였고, spinal anesthesia 시행하였던 환자로, CSF tapping 시행하기로 하였다.

A)	Thrombotic thrombocytopenic purpura Cardiogenic shock, most likely Septic shock, less likely
P)	Diagnostic plan Lactate dehydrogenase, platelet level f/u Therapeutic plan De-escalate antibitotics (meropenem ➡ Ceftazidime, Teicoplanin) Stop inotropics & Vasopressor Continuous veno-venous hemodilaysis ➡ conventional hemodialysis Plasmapheresis

Acute TTP following orthopedic surgery

이전 연구에서 vascular surgery, coronary artery bypass grafting, orthopedic surgery, transurethral resection of the prostate, abdominal surgery 이후에 TTP가 발생한 case들이 보고되었다. Postop TTP는 endothelial damage와 이에 따른 large von Willebrand factor의 생성, 기존에 vWF-cleavaging enzyme의 양이 적은 환자에서 vWF multimer의 accumulation에 의해 발생하는 것으로 알려져 있다.

Orthopedic surgery 후에 발생한 TTP는 2002년 처음으로 기술되었다.

〈J Clin Apher. 2002;17(3):133-4〉

〈Arch Orthop Trauma Surg. 2006 Jul;126(5):335-8〉

Updated Problem List

#1 Severe osteoarthritis s/p knee replacement arthroplasty (TKRA), Lt.

#2 Altered mentality

⇨ #2. Thrombotic thrombocytopenic purpura

#3 Acute kidney injury ➞ #2

#4 Hypotension

⇨ due to #9 associated #2

#5 Hypoxemia ➞ #4

#6 Pulmonary edema on chest X-ray ➞ #4

#7 Increased D-dimer ➞ #2

#8 Leukocytosis with increased C-reactive protein

#9 Metabolic acidosis

⇨ associated with #4

#10 Anemia ➞ #2

#11. Thrombocytopenia ➞ #2

Hospital Day #7 -

#1 Severe osteoarthritis s/p knee replacement arthroplasty (TKRA), Lt.
#2 Thrombotic thrombocytopenic purpura
#4 Cardiogenic shock d/t TTP

S) Obey command(+)

BP 141/66 mmHg - HR 96 /min - RR 22/min - BT 36.3˚C

O)

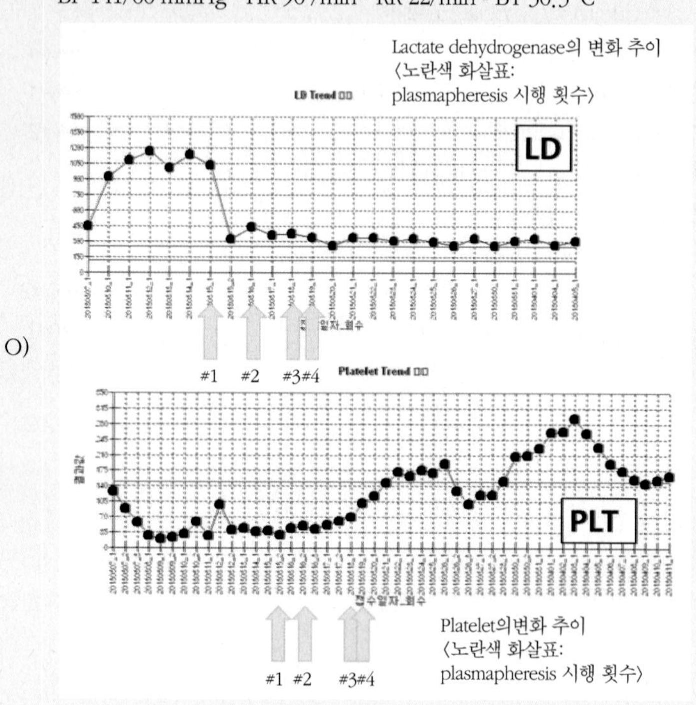

A) Postoperative thrombotic thrombocytopenic purpura s/p TKRA
Cardiogenic shock d/t TTP or combined another etiology

P) Transfer to general ward

TTP의 치료는 plasmaphresis를 빠르게 시행하는 것이 매우 중요하다. Platelet count와 lactate dehydrogenase (LD) level이 TTP정도에 민감하게 반응하는 것으로 알려져 있다.

시간에 따른 LD와 platelet 수치의 변화로, plasmaphresis 후에 두 수치가 호전되는 것을 관찰할 수 있다.

Platelet 이 추후에 감소를 보였던 것은 약제에 의한 것으로 판단하였고, 이후 follow up하면서 호전되었다.

Lesson of the case

드물지만 무릎 수술 이후에 Thrombotic thrombocytopenic pupura (TTP)가 발생한 case가 보고 되고 있다. 수술 후 원인 모를 발열과 의식저하 및 azotemia 환자에서 PT, aPTT가 정상이면서 혈소판 감소 소견이 보일 때, TTP를 꼭 염두에 두어야겠다.

CASE 8 30일 전 시작된 물설사로 내원한 72세 여자

Chief Complaints

Watery diarrhea, started 30 days ago

Present Illness

30일 전부터 식후에 복부 전체가 쥐어 짜듯이 아픈 복통이 있었고, 금식에 의해 호전되지 않는 물 같은 설사가 하루에 5-6회 있었으며 한번 변을 볼 때 나오는 양은 많지 않았다.
10일 전 OO병원에 내원하여 시행한 위내시경에서 특이 소견 없었으며, 대장내시경에서 회장 말단에 치유기 궤양병변이 관찰되어 조직검사를 시행하였고, 궤양과 함께 급성 및 만성 염증 소견이었다. 갑상선 기능 검사 정상이었고 stool WBC 및 대변 배양검사도 음성이었다. 당시 시행한 복부 전산화 단층 촬영에서도 소장 및 대장의 벽이 약간 두꺼워진 것 외에 특이 소견은 보이지 않았다.
이후 loperamide를 투여 하면서 대증적 치료 하였으나 물 같은 설사와 복통이 지속되어 본원에 내원하였다.
내원 당시 동반 증상으로는 30일간 5 kg의 체중 감소와 전신쇠약, 식욕부진, 메스꺼움이 있었다. 특이 음식물 섭취하지 않았으며 여행력은 없었다.

Past History

squamous cell carcinoma of cervix:
  total abdominal hysterectomy with bilateral salpingo-oophorectomy
  시행 받음. (12년 전)
diabetes (-)
hypertension (-)
tuberculosis (-)
hepatitis (-)

Family History

diabetes (-)
hypertension (-)
tuberculosis (-)
hepatitis (-)
malignancy (-)

Social History

occupation: 주부
smoking: never smoker
alcohol (-)

Review of Systems

General

generalized edema (-)	easy fatigability (+)
dizziness (-)	

Skin

purpura (-)	erythema (-)

Head / Eyes / ENT

headache (-)	hearing disturbance (-)
dry eyes (-)	tinnitus (-)
rhinorrhea (-)	oral ulcer (-)
sore throat (-)	dry mouth (-)

Respiratory

cough (-)	sputum (-)
dyspnea (-)	wheezing (-)

Cardiovascular

chest pain (-)	palpitation (-)
orthopnea (-)	Raynaud's phenomenon (-)

Gastrointestinal ➡ see present illness

Genitourinary

flank pain (-)	gross hematuria (-)

Neurologic

seizure (-)	cognitive dysfunction (-)
psychosis (-)	motor-sensory change (-)

Musculoskeletal

arthralgia (-)	tingling sense (-)
back pain (-)	myalgia (-)

Physical Examination

height 158.3 cm, weight 43 kg, body mass index 17.2 kg/m^2

Vital Signs

BP 100/60 mmHg - HR 89 /min - RR 18 /min - BT 36.4℃

General Appearance

chronically ill	alert
oriented to time, place, and person	

Skin

skin turgor: normal	ecchymosis (-)
rash (-)	purpura (-)

Head / Eyes / ENT

visual field defect (-)	pinkish conjunctivae
anicteric sclera	palpable lymph nodes (-)

Chest

symmetric expansion without retraction	normal tactile fremitus
percussion: resonance	crackles on whole lung field

Heart

regular rhythm	normal heart sounds without murmur

Abdomen

soft & flat abdomen	hyperactive bowel sound
tenderness (-)	rebound tenderness (-)

Musculoskeletal

motor weakness (-)	sensory disturbance (-)
gait disturbance (-)	neck stiffness (-)

Initial Laboratory Data

○○병원에서 시행한 혈액검사에서 WBC differential cout의 eosinophil이 7.7%로 높게 나와 첫 내원 시 eosinohpil count 검사를 하였다

CBC

WBC ($4 \sim 10 \times 10^3/mm^3$)	10,100	Hb (13~17g/dl)	12.0
WBC differential count	neutrophil 48.4% lymphocyte 31.0% eosinophil 7.0%	platelet ($150 \sim 350 \times 10^3/mm^3$)	300
Eosinophil count ($50 \sim 500/ mm^3$)	700		

Chemical & Electrolyte battery

Ca (8.3~10 mg/dL)	8.9	glucose (70~110 mg/dL)	95
protein (6~8 g/dL) / albumin (3.3~5.2 g/dL)	7.1/3.2	aspartate aminotransferase (AST) (~40 IU/L) / alanine aminotransferase (ALT) (~40 IU/L)	22/ 13
alkaline phosphatase (ALP) (40~120 IU/L)	87	gamma-glutamyl transpeptidase (r-GT) (11~63 IU/L)	12
total bilirubin (0.2~1.2 mg/dL)	0.8	direct bilirubin (~0.5 mg/dL)	0.2
BUN (10~26 mg/dL) / Cr (0.7~1.4 mg/dL)	11/0.7	estimated GFR (≥ 60 ml/min/1.7 m^2)	88
C-reactive protein (~0.6 mg/dL)	1.75	cholesterol	136
Na (135~145 mmol/L) / K (3.5~5.5 mmol/L) / Cl (98~110 mmol/L)	137/3.2/104	total CO_2 (24~31 mmol/L)	22.7

Coagulation battery

prothrombin time (PT) (70~140%)	76.1	PT (INR) (0.8~1.3)	1.16
activated partial thromboplastin time (aPTT) (25~35 sec)	30.4		

Urinalysis with microscopy

specific gravity (1.005~1.03)	1.009	pH (4.5~8)	6.0
albumin (TR)	(-)	glucose (-)	(-)
ketone (-)	(-)	bilirubin (-)	(-)
occult blood (-)	(-)	nitrite (-)	(-)
RBC (0~2/HPF)	0	WBC (0~2/HPF)	0
squamous cell (0~2/HPF)	0		

EKG

EKG는 정상이다.

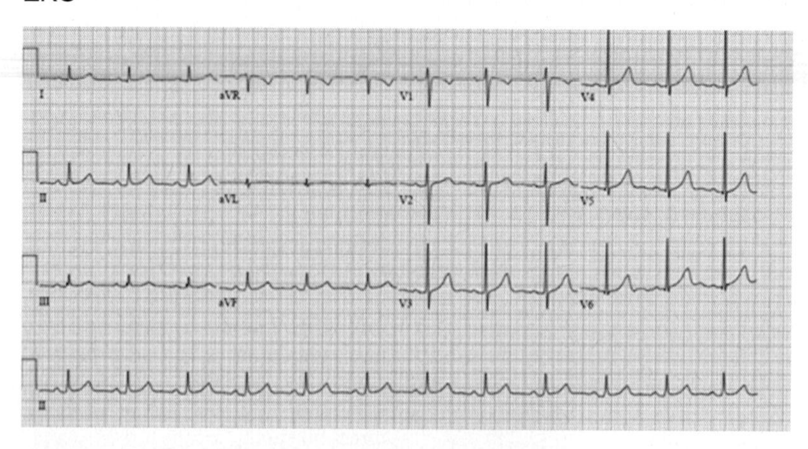

○○병원에서 시행한 대장 내시경 소견이며 회장 말단에 치유기 궤양 병변이 관찰된다

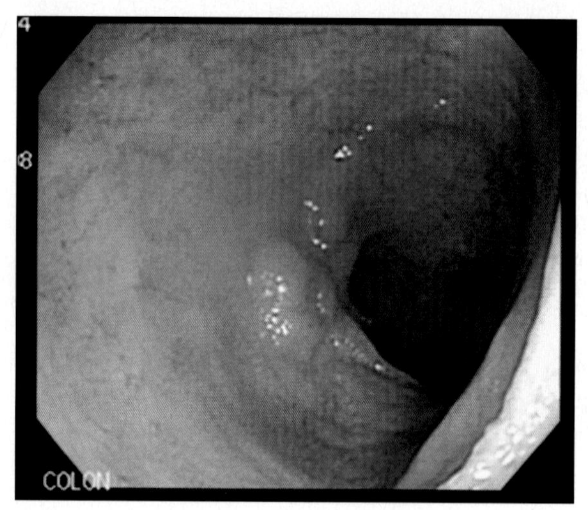

Initial Problem List

#1 Chronic diarrhea

#2 Weight loss

#3 Terminal ileal ulcer on colonoscopy

#4 Peripheral eosinophilia

#5 s/p total abdominal hysterectomy with bilateral salpingo oophorectomy d/t squamous cell carcinoma of cervix

Chronic diarrhea의 정의: 4주 이상 지속되는 설사

[Harrison's principles of internal medicine, 18th edition]

Assessment and Plan

#1 Chronic diarrhea #2 Weight loss #3 Terminal ileal ulcer on colonoscopy #4 Peripheral eosinophilia	
A)	Inflammatory diarrhea Microscopic colitis such as lymphocytic colitis or collagenous colitis Eosinophilic gastroenteritis Inflammatory bowel disease such as Crohn's disease
P)	Diagnostic plan 〉 Colonoscopy and biopsy Therapeutic plan 〉 Hydration, electrolyte correction

금식 후에도 증상이 호전되지 않아 osmotic diarrhea보다는 inflammatory 또는 secretory diarrhea의 가능성이 높을 것이며, 배변 양이 많지 않고 복통이 동반되었으며 stool WBC가 negative이기는 하나 serum WBC/CRP/ESR 상승하였던 점과 terminal ileum에 ulcer가 있었던 점을 고려하여 inflammatory diarrhea의 가능성이 가장 높을 것으로 판단하였다

Inflammatory diarrhea 중 bacterial 또는 parasite와 같은 infectious 원인은 ○○병원에서 시행한 stool 검사에서 모두 음성으로 나와 배제를 하였고, lymphocytic colitis, collagenous colitis와 같은 microscopic colitis와 eosinophilic colitis, 그리고 Crohn's disease과 같은 inflammatory bowel disease를 고려하였다.

OPD 2 weeks later

H&E, x400의 병리 사진이며, 1개의 field에서 eosinohpil이 40개 이상 관찰되었다.

Eosinophilic gastroenteritis: 아직 명확한 진단 기준이 없는 disease category로 현재 사용되는 진단 기준은
1) 소화기 증상이 있고
2) 조직 검사상 predominant eosinophilic infiltration이 있으며(진단을 내리기 위한 eosinophil count는 정해져 있지 않음)
3) eosinophilia를 일으킬 수 있는 다른 모든 질환이 배제되어야 한다[Gut. 1990; 31(1): 54-58.].

이에 eosinophilic enteritis로 진단을 하고 budesonide 투약을 시작하였다

Budesonide는 주로 Crohn's disease에서 연구가 된 steroid 제제로서 장에 작용 후 간에서 first pass metabolism되는 rate가 높아 다른 steroid제제 보다 systemic side effect가 적다. 다른 steroid와 potency를 직접적으로 비교한 논문은 없지만 moderate to severe Crohn's disease에서 prednisolone과 budesonide의 efficacy와 side effect를 비교한 연구가 있으며 prednisolone 40 mg 2주, 30 mg 2주, 25 mg 2주, 이후 매주 5 mg 감량하여 총 11주 사용한 군과 budesonide 9 mg 8주, 6 mg 2주 사용한 군의 efficacy 및 side effect를 비교 한 결과 efficacy는 prednisolone에서 더욱 높았으나 side effect는 budesonide에서 더 적었다.

#1 Chronic diarrhea
#2 Weight loss
#3 Terminal ileal ulcer on colonoscopy
#4 Peripheral eosinophilia

S) 설사는 이전이랑 비슷해요.

Colonoscopic finding:
말단 회장부에 irregular two ulceration 관찰되어 biopsy를 시행함
Ileocecal valve 입구에 hyperemic mucosal change보이는 부위에서 biopsy를 하였고, 각 대장 분절, 정상 점막에서 random biopsy를 시행 함

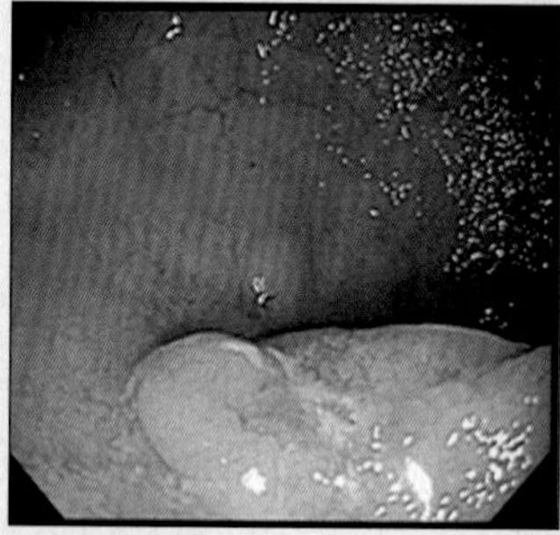
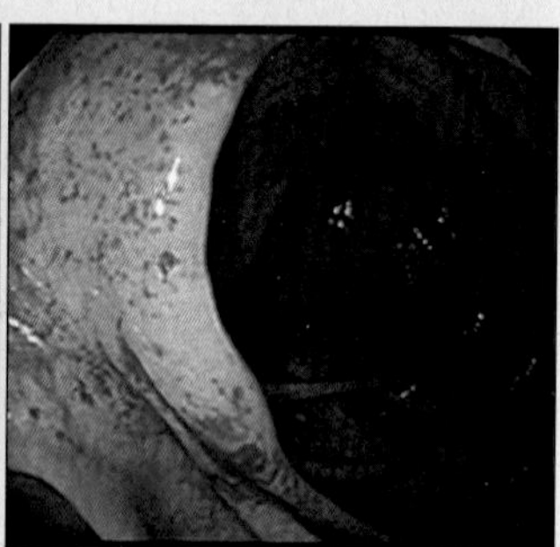

O) Biopsy result:
Terminal ileum에서chronic ileitis with eosinophilic infiltration이 관찰 되며 other segmental biopsy에서 chronic colitis소견 관찰 됨

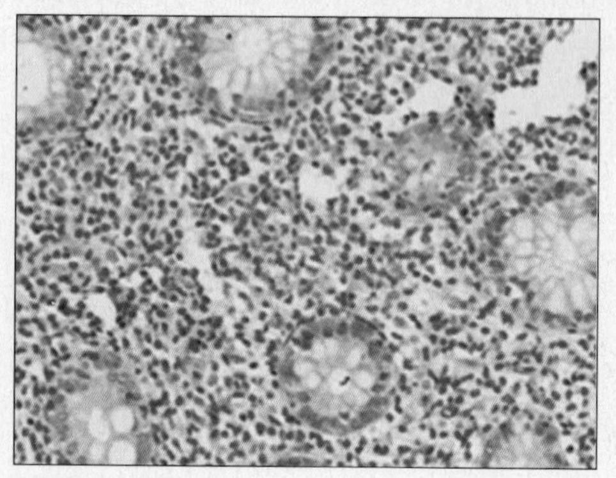

H&E, ×400

A) Eosinophilic enteritis

P) Budesonide 9 mg 투약

OPD 4 weeks later

#1 Eosinophilic enteritis

S) 설사는 이제 안하고 2일에 한번 정도 정상 변을 봐요.
2주 동안 43 kg에서 45 kg으로 체중이 증가 함.

O) CBC
WBC 7900 /mm^3 Hb 11.0 g/dL
Eosinophil 0.0 % Platelet 293 K/mm^3
Eosinophil count 0/mm^3

A) Eosinophilic enteritis, being improved after budesonide usage

P) Budesonide 6 mg으로 감량

Budesonide 치료에 반응이 있었고 서서히 용량을 감량하기로 하였다.

Steroid tapering

OPD	Budesonide	
2주 뒤	9 mg	
4주 뒤	6 mg	
7주 뒤	3 mg	
10주 뒤	9 mg	← 설사 재발
13주 뒤	6 mg	
16주 뒤	Discontinue	

Budesonide를 2-3주 간격으로 감량하였으며 3 mg까지 감량하였다가 외래 방문 10주 째 설사가 재발하여 9 mg으로 다시 증량하였다. 이후 3주 간격으로 감량하였으며 16주 째 중단하였다.

OPD 24 weeks later

#1 Eosinophilic enteritis

S) 설사는 계속 없고 식사도 잘해요.

O) Colonoscopic finding:
Normal
Random biopsy at appendiceal orifice and rectum
Biopsy result:
Appendiceal orifice → Chronic colitis
Rectum → No diagnostic abnormalities

A) Eosinophilic enteritis → resolved

P) 주기적으로 외래에서 경과 관찰

Colonosopy를 시행하고 다시 외래에 방문하였으며 coloscopic finding 및 biopys상 특이 소견이 없으며 증상도 호전되어 eosinophilic enteritis가 치료된 것으로 판단하고 주기적으로 외래에서 경과 관찰하기로 하였다.

Updated problem list

#1 Chronic diarrhea ➡ eosinophilic enteritis

#2 Weight loss ➡ see #1

#3 Terminal ileal ulcer on colonoscopy ➡ see #1

#4 Peripheral eosinophilia ➡ see #1

#5 s/p total abdominal hysterectomy with bilateral salpingo oophorectomy d/t squamous cell carcinoma of cervix

OPD 38 weeks later

마지막 외래로부터 14주 뒤인 외래 방문 38주 째 2개월 전부터 외상의 과거력 없이 아래쪽 허리가 아파 타원에서 시행한 검사상 뼈 전이가 의심된다고 하여 추가 검사를 위해 내원하였다. Metastasis of unknown origin으로 assess하였고 rt pubic bone, lt sacrum bone, L4 fracture에 대하여는 pathologic fracture 및 benign fracture의 가능성을 모두 고려하여 추가 검사를 시행하기로 하였다

S)	2개월 전부터 특별히 어디 부딪힌 적 없이 아래쪽 허리가 아파서 외부 병원에 입원하여 CT를 찍었는데 병적 골절이 의심된다고 하여서 PET를 찍었고 뼈 전이가 의심된다고 해서 왔어요.
O)	외부 Pelvis CT: Rt pubic bone, Lt. sacral bone, L4 pathologic fracture 외부 PET: Multiple skeletal metastasis
A)	Metastsis of unknown origin (MUO) Rt pubic bone, Lt. sacrum bone, L4 fracture pathologic fracture benign fracture
P)	종양 내과에 입원 Pelvis AP x-ray, L-spine AP/Lat x-ray Bone scan Pelvis MRI Chest CT Pain control with analgesics

Hospital Day #1 - #5

#6 Lower back pain

S) 허리가 아파요.

Pelvis MRI:

Rt. pubic bone, Lt. sacrum, Lt. iliac bon으로 insufficiency fracture에 합당한 소견 확인 됨

Benign compression fracture, body of L4

Generalized osteoporosis

Chest CT:

Lt 2nd & 3rd rib fracture

No evidence of primary lung cancer or metastasis in thorax

Bone scan:

Rt. pubic bone, Lt sacrum, Lt. iliac bone 으로 metastasis 보다는 fracture에 더 합당한 소견 확인 됨

Compression fracture, body of L4

O) Recent fractures in Lt 2nd & 3rd ribs

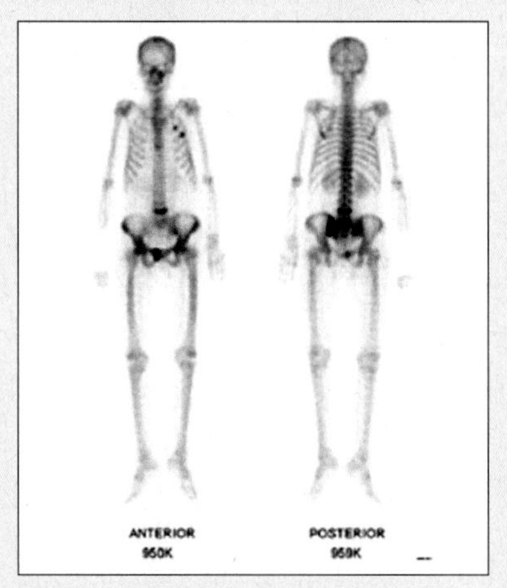

A) Benign compression fracture of L4

Benign fracture of Lt 2nd & 3rd rib, Rt pubic bone, Lt. sacrum, Lt. iliac bone

P) Bone densitometry (spine AP + Femur AP)

추가적으로 검사한 pelvis MRI, bone scan, chest CT상에서 악성 종양을 시사하는 소견은 없었으며 골절도 병적 골절이 아닌 양성 골절을 시사하는 소견 이었다. Pelvis MRI상 osteoporosis가 의심되는 소견이 있고 골절이 발생한 부위가 osteoporosis가 있을 때 골절이 잘 일어나는 부위로 osteoporosis 의심 하에 bone densitometry를 시행하기로 하였다

노화과정이나 폐경으로 인해 생긴 것을 primary osteoporosis라 하고 다른 질환이나 약제에 의해 발생하는 것을 secondary osteroporosis라고 한다.

Bone densitometry상 T-score -2.5 미만으로 osteoporosis로 진단을 하였고 이 환자는 폐경 후이고, 고령의 여성이지만 급격히 생긴 multiple fracture와 steroid 치료력이 있는 환자로 secondary osteoporosis 검사를 진행 하였다.

아울러 환자가 호소하는 허리 통증에 대한 증상 완화 치료로 L4에 kyphoplasty를 시행하기로 하였다

Hospital Day #6

#6 Lower back pain

O)	Bone densitometry Spine AP BMD (L1-L3): T-score (-5.2) Z-score (-3.4) ➡ osteoporosis Femur BMD (Neck) : T-score (-3.5) Z-score (-2.1) ➡ osteoporosis Femur BMD (Troch) : T-score (-3.0) Z-score (-2.6) ➡ osteoporosis Femur BMD (Total) : T-score (-3.5) Z-score (-2.4) ➡ osteoporosis
A)	Benign compression fracture of L4 Benign fracture of Lt 2nd & 3rd rib, Rt pubic bone, Lt. sacrum, Lt. iliac bone Osteoporosis
P)	C-telopeptide, bone alkaline phosphatase, intact PTH, 25-OH-vitamin D3, TSH, free T4, ACTH (8AM), cortisol (8AM) level check Kyphoplasty L4 (cement insertion)

C-telopeptide 참고치:
mean: 0.299 ng/mL
mean+2SD: 0.573 ng/mL

Secondary osteoporosis에 대한 검사에서 morning cortisol level이 낮았다. eosinophilic enteritis에 대하여 5개월 전까지 steroid를 복용한 과거력이 있어 adrenal insufficiency를 감별하기 위해 ACTH stimulation test를 시행하기로 하였으나 환자는 당시 주관적으로 호소하는 adrenal insufficiency 증상이 없었으며 연고지 병원에서 검사를 시행하기 원하여 ACTH stimulation test는 시행하지 않았다.

Osteoporosis 및 low Vit D level에 대하여 bisphosphonate 제제와 Vitamin D 및 Ca 혼합 제제를 복용 하도록 하고 퇴원하였다.

Hospital Day #11

#6 Lower back pain

S)	시술 받은 부위가 아파요.	
O)	C-telopeptide	0.624 mg/dL
	25-OH-Vitamin D3 (8~51.9)	8.9 ng/mL
	PTH-intact (10~65)	34.1 mg/dL
	TSH (0.4~5.0)	3.7 μg/dL
	Free T4 (0.8~1.9)	1.2 ng/dL
	Cortisol, 8AM (5~25)	1.8 μg/dL
	ACTH, 8AM (0~60)	13.7 pg/mL
A)	Benign compression fracture of L4 s/p Kyphoplasty L4 Benign fracture of Lt 2nd & 3rd rib, Rt pubic bone, Lt. sacrum, Lt. iliac bone Osteoporosis Low 25-OH-Vitamin D3 level Low morning cortisol level	
P)	Rapid ACTH stimulation test Bisphophonate, Vitamin D & Ca supply	

Updated problem list

#1 Eosinophilic enteritis

#5 s/p total abdominal hysterectomy with bilateral salpingo oophorectomy d/t squamous cell carcinoma of cervix

#6 Back pain ➡ benign compression fracture of L4
s/p kyphoplasty L4 (2009. 5)

#7 Benign fracture of lt 2nd & 3rd rib, rt pubic bone, lt. sacrum, lt. iliac bone

#8 Osteoporosis

#9 Low 25-OH-Vitamin D3 level

#10 Low morning cortisol level

OPD 11 months from last admission

S) 1개월 전 1주일 동안 감기를 심하게 앓고 난 이후로 기운이 없어 걷지를 못하겠고, 식욕이 없고, 2-3일에 한번씩 물 설사를 해요

O) 1달 동안 45 kg에서 42 kg으로 3 kg의 체중 감소

CBC

WBC 10100 /mm^3	Hb 10.9 g/dL
Neutrophil 71.2%	MCV 88.3 fL
Lymphocyte 23.9%	MCH 29.1 pg
Eosinophil 1.9%	Platelet 347 K/mm^3
Eosinophil count 190/mm^3 IgE 7.5 IU/mL	

Chemical and electrolyte battery

Glucose	110 mg/dL	BUN/Cr	12/ 0.6 mg/dL
Ca	8.6 mg/dL	Albumin	2.6 mg/dL
Protein	6.9 mg/dL	AST / ALT	15/10 IU/L
ALP	67 IU/L	T-bilirubin	0.4 mg/dL
Na / K / Cl	135/3.8/99	CRP	0.36 mg/dL
Total CO2	23.2 mEq/L	ESR	47 mm/hr

A) Adrenal insufficiency
Eosinophilic enteritis recurrence

P) Rapid ACTH stimulation test
CT, enterography
Stool WBC, stool occult blood
Stool gram stain & culture, stool ova & parasite study

11개월 전 본원 종양내과에서 퇴원 직전에 시행한 lab에서 low morning cortisol level 소견이 있었으며 eosinophilic enteritis로 진단하였을 때와는 다르게 diarrhea 보다는 general weakness를 더 심하게 호소하여 adrenal insufficiency 가능성을 먼저 생각하였으며, 아울러 이전 과거력을 고려하여 eosinophilic enteritis의 재발도 감별진단에 포함하였다.

이에 rapid ACTH stimulation test를 시행하여 adrenal insufficiency가 있는지 확인하도록 하였고, bowel status에 대한 평가 및 severe general weakness에 대하여 underlying malignancy 가능성도 고려하에 CT, enterography를 찍도록 하였다.

Rapid ACTH stimulation test: corticotrophin 250 μg을 IV로 주사 후 30분 60분 후 cortisol 측정치가 18 μg/dL 이상이면 정상이다

Rapid ACTH stimulation test에서 cortisol이 18 ug/dL 이상으로 적절하게 증가하지 않았음에도 ACTH가 증가하지 않고 정상 level인 secondary adrenal insufficiecy의 소견을 보였다.

이에 eosinohpilic enteritis의 재발 보다는, secondary adrenal insufficiency의 가능성이 높을 것으로 판단을 하였다.

Secondary adrenal insufficiency의 원인으로는 이전 budesonide 사용력에 의한 iatrogenic hypothalamus pituitary adrenal axis suppression의 가능성이 가장 높을 것으로 판단하였고, 이에 hydrocortisone 치료를 시작하였다

2nd ADM Hospital Day #1

#12 Generalized weakness and diarrhea	
S)	기운이 없어요.
O)	Rapid ACTH stimulation test ACTH 27.2 pg/mL Cortisol 0 min 9.1 μg/dL Cortisol 30 min 12.3 μg/dL Cortisol 60 min 13.1 μg/dL Stool WBC: not found Stool occult blood: negative Stool gram stain & culture: no growth Stool ova & parasite study: negative CT, enterography: normal
A)	Secondary adrenal insufficiency, more likely due to past budesonide treatment Eosinophilic enteritis, less likely
P)	Hydrocortisone 10 mg (8AM)/ 5 mg (4PM)

Hydrocortisone 치료 후 증상 호전되어 hydrocortisone 오전 10 mg, 오후 5 mg을 유지하며 외래에서 경과관찰 하기로 하였다.

2nd ADM Hospital Day #8

#6 Lower back pain	
S)	설사 이제 안하고 기운도 나요.
A)	Secondary adrenal insufficiency ➡ improved
P)	Hydrocortisone 10 mg (8AM)/ 5 mg (4PM) 유지

Updated problem list

#1 Eosinophilic enteritis

#5 s/p total abdominal hysterectomy with bilateral salpingo oophorectomy d/t squamous cell carcinoma of cervix

#6 Back pain ➡ benign compression fracture of L4
s/p kyphoplasty L4(2009. 5)

#7 Benign fracture of lt 2nd & 3rd rib, rt pubic bone, lt. sacrum, lt. iliac bone

#8 Osteoporosis

#9 Low 25-OH-Vitamin D3 level

#10 Low morning cortisol level ➡ see #11

#11 Generalized weakness and diarrhea
➡ secondary adrenal insufficiency d/t past budesonide treatment

Lesson of the case

Eosinophilic gastroenteritis는 아직 명확히 define된 disease category는 아니지만 소화기 증상이 있고 eosinohpilia가 동반되었으며, eosinophilia를 일으킬 수 있는 다른 질환들이 배제되었을 때 의심할 수 있는 disease이다.

Steroid를 사용하다가 중단한 과거력이 있는 환자가 general weakness를 호소할 때 기저 질환 재발 가능성과 함께 secondary adrenal insufficiency의 가능성을 고려해야 한다.

CASE 9 2주 전 시작된 구토와 두통으로 내원한 43세 여자

Chief Complaints

Nausea, vomiting, and headache, started 2 weeks ago

Present Illness

1년 6개월 전, 타원에서 건강 검진으로 시행한 neck ultrasonography에서 thyroid nodule과 superior mediastinal mass가 발견되어 정밀 검사 위해 본원 이비인후과 내원하였다. Chest computed tomography (CT)에서 superior mediastinum의 4.5 × 3.1 cm mass이외에 특이소견은 없었고, 조직검사 시행한 결과 thyroid nodule은 papillary thyroid carcinoma (PTC)로 진단되었으나 mediastinal mass는 진단이 불명확하였다. PTC에 대하여 total thyroidectomy with central neck dissection 시행하였고, 수술 당시 진단이 불명확하였던 mediastinal mass의 frozen biopsy도 함께 시행하였다. Mediastinal mass의 frozen biopsy에서 malignant cell 확인되어 excision하였으며, 이의 병리소견은 epithelial differentiation을 보이는 carcinoma이나 원발 병소를 알기 어려운 상태로, 원발 병소 찾기 위해 positron emission tomography-computed tomography (PET-CT) 시행한 결과, right paratracheal lymph node (LN)의 hypermetabolic lesion 확인되어 endoscopic bronchial ultrasonography (EBUS) guided core needle biopsy를 시행하였다.

그러나 malignant cell은 확인되지 않아 video-assisted thoracoscopic surgery (VATS)를 통해paratracheal LN excisional biopsy 시행하였고 이전의 mediastinal mass와 동일한 metastatic carcinoma로 확인되었으나 원발 병소를 알 수 있는 추가적인 정보는 얻지 못하였다. 이에 대해 여러 진료과 상의한 끝에 probable thymic carcinoma로 최종 진단하고, post-operative concurrent chemo-radiation therapy (CCRT) (62Gy, 31Fx, cisplatin#2) 및 adjuvant chemotherapy (ADOC#4) 시행하였다. Total thyroidectomy시행 당시 parathyroid gland는 2개 확인되어 보존하였으나, 수술 후 hypocalcemia

ADOC regimen
1) Daunorubicin 40 mg/m^2 IV bolus on day 1
2) Cisplatin 50 mg/m^2 over 1hr on day 1
3) Vincristine 0.6 mg/m^2 IV bolus on day 3
4) Cyclophosphamide 700 mg/m^2 IV bolus on day 4

발생하여 calcium carbonate / vitamin D_3 (1,250 mg / 1,000 IU)를 현재까지 1년 이상 복용 중이었다. 3개월 전 시행한 follow up PET-CT에서 cancer 재발의 증거는 없었으며, 이후 특별한 문제 없이 지내던 중, 2주 전부터 식사와 무관하게 지속되는 양상의 오심과 함께 간헐적인 구토 증세 발생하여 식사 잘 하지 못하였다고 하며, 복통 및 체중 감소는 없었다. 비슷한 시기부터 묵직한 느낌의 두통 함께 동반되어 응급실 내원하였다.

Past History

diabetes (-)

hypertension (-)

tuberculosis (-)

hepatitis (-)

rheumatoid arthritis (+): 2개월 전 진단받고 약 복용 중

Family History

malignancy (-)

diabetes (-)

hypertension (-)

tuberculosis (-)

thyroid disease: 여동생, benign thyroid nodule로 lobectomy 시행

Social History

occupation: 사무직 회사원

never smoker

alcohol (-)

marital status: married

Review of Systems

General

general weakness (-)	easy fatigability (-)
fever (-)	chills (-)

Skin

purpura (-)	erythema (-)

Head / Eyes / ENT

hearing disturbance (-)	tinnitus (-)
rhinorrhea (-)	oral ulcer (-)
sore throat (-)	dry eyes / mouth (-/-)

Respiratory

dyspnea (-)	hemoptysis (-)
cough (-)	sputum (-)

Cardiovascular

chest pain (-)	palpitation (-)
orthopnea (-)	dyspnea on exertion (-)

Gastrointestinal

See present illness	

Genitourinary

flank pain (-)	gross hematuria (-)
dysuria (-)	foamy urine (-)

Neurologic

seizure (-)	cognitive dysfunction (-)
psychosis (-)	motor-sensory change (-)

Musculoskeletal

arthralgia (-)	myalgia (-)
back pain (-)	tingling sense (-)

Physical Examination

height 156.9 cm, weight 63.2 kg, body mass index 25.7 kg/m^2

Vital Signs

1년 전 갑상선 수술 당시 혈압은 110/70 mmHg 였다.

BP 144/88 mmHg - HR 64 /min - RR 18 /min - BT 36.2℃

General Appearance

acutely ill-looking	alert
oriented to time, person, place	

Skin

skin turgor : normal	ecchymosis (-)
rash (-)	purpura (-)

Head / Eyes / ENT

visual field defect (-)	pale conjunctivae (+)
icteric sclerae (-)	palpable lymph nodes (-)

Chest

Anterior chest wall nodule는 내원 당시 physical examination에서 확인되었고, 환자에게 문진하였을 때, 3주 전 목욕하면서 처음 발견하였다고 하였다.

symmetric expansion without retraction	normal tactile fremitus
percussion : resonance	clear breath sounds without crackle
anterior chest wall nodule (+): superior of sternal notch, 1.5 cm sized, soft, non-tender	

Heart

regular rhythm	normal heart sounds without murmur

Abdomen

soft & flat	normoactive bowel sounds
direct tenderness (-)	rebound tenderness (-)

Musculoskeletal

costovertebral angle tenderness (-)	pretibial pitting edema (-)

Neurology

motor weakness (-)	sensory disturbance (-)
gait disturbance (-)	neck stiffness (-)

Initial Laboratory Data

CBC

WBC ($4 \sim 10 \times 10^3/mm^3$)	3,800	Hb (13~17g/dl)	13.6
WBC differential count	neutrophil 67.4% lymphocyte 24.1% monocyte 7.4%	platelet ($150 \sim 350 \times 10^3/mm^3$)	230
MCV (80~100 fL)	84.7	MCH (27~33 pg)	30.1
MCHC (32~36%)	35.5		

Chemical & Electrolyte battery

Ca (8.3~10 mg/dL) /P (2.5~4.5 mg/dL)	**15.6/2.3**	glucose (70~110 mg/dL)	123
protein (6~8 g/dL)/ albumin (3.3~5.2 g/dL)	7.7/4.4	aspartate aminotransferase (AST) (~40 IU/L) alanine aminotransferase (ALT) (~40 IU/L)	21/27
alkaline phosphatase (ALP) (40~120 IU/L)	138	gamma-glutamyl transpeptidase (r-GT) (11~63 IU/L)	-
total bilirubin (0.2~1.2 mg/dL)	32 2.00	direct bilirubin (~0.5 mg/dL)	-
BUN(10~26 mg/dL) /Cr (0.7~1.4 mg/dL)	15/1.16	estimated GFR (≥ 60 ml/min/1.7m2)	51
C-reactive protein (~0.6 mg/dL)	0.22	cholesterol	314
Na (135~145 mmol/L) /K (3.5~5.5 mmol/L) /Cl (98~110 mmol/L)	138/3.3/98	Magnesium (1.8~3.0 mg/dL)	**1.70**
Total CO_2 (24~31 mmol/L)	**34.4**	Ionized calcium (0.98~1.13 mmol/L)	**2.03**

1년 전 갑상선수술 당시 Cr은 0.5 mg/dL 였다.

Coagulation battery

CK (50~250 IU/L)	119.9%	CK-MB (0~5 ng/mL)	0.88
Activated partial thromboplastin time (aPTT) (25~35sec)	25.5		

Chest X-ray

양 폐 실질과 종격동, 주변 연조직 내의 뚜렷한 이상소견은 보이지 않는다.

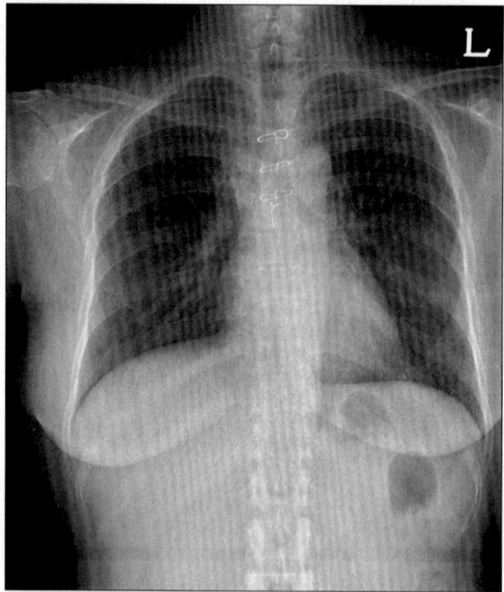

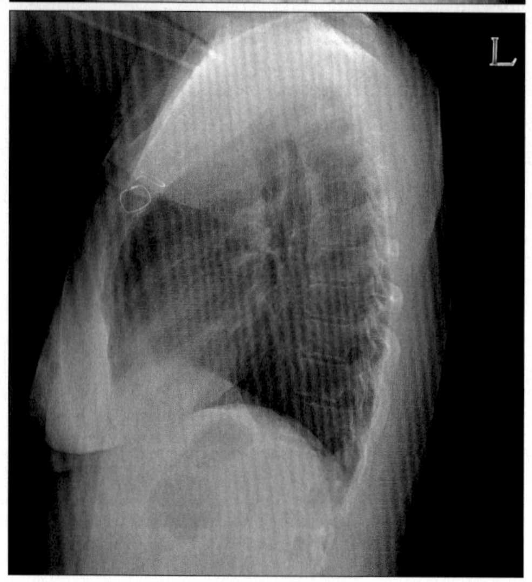

EKG

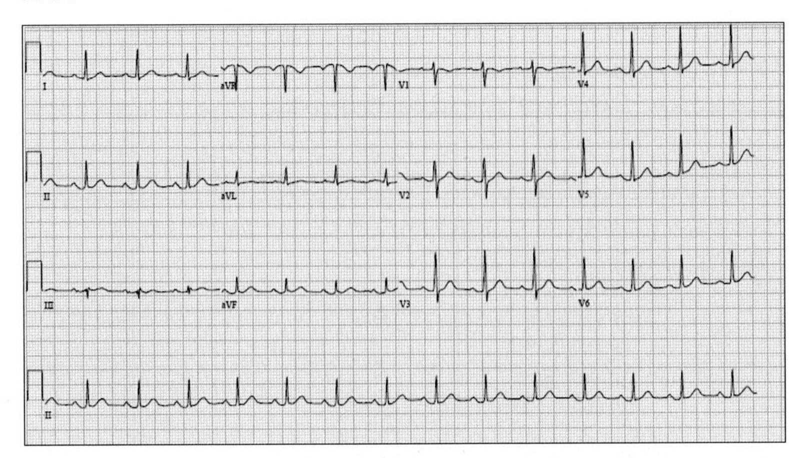

PR 79회의 normal sinus rhythm이며, 그 외 ST segment나 T wave의 이상소견은 관찰되지 않는다. QTc interval은 0.389초 이다.

EKG in Hypercalcemia: QT interval is shorten.

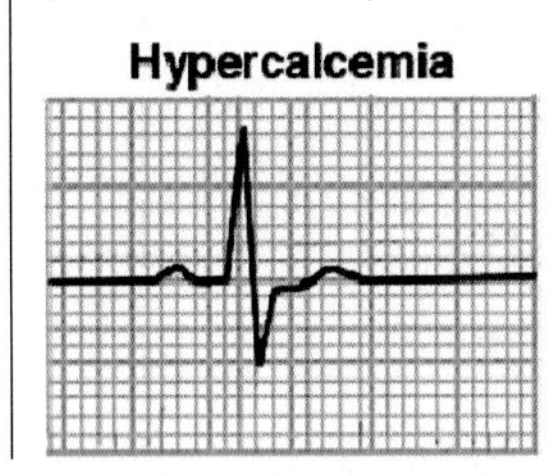

Initial Problem List

#1 Papillary thyroid carcinoma
  s/p total thyroidectomy with central neck dissection,
    parathyroid gland saved
  s/p radioactive iodine therapy (RAI), 80mCi
#2 Thymic carcinoma with paratracheal LN metastasis
  s/p mass excision
  s/p upper paratracheal LN excision, VATS
  s/p post-operative CCRT (62Gy, 31Fx, cisplatin #2)
  s/p adjuvant chemotherapy (ADOC#4)
#3 Hypocalcemia after thyroidectomy
  on calcium carbonate / vitamin D3
#4 Rheumatoid arthritis on medication
#5 Nausea, vomiting
#6 Headache
#7 Newly onset hypertension
#8 Anterior chest wall palpable nodule
#9 Hypercalcemia and hypophosphatemia
#10 Mild elevation of serum ALP
#11 Metabolic alkalosis with hypokalemia and hypomagnesemia

Nausea, vomiting, headache, hypertension은 hypercalcemia로 설명 가능한 증상이고, 이전 암의 과거력을 고려하였을 때 뼈 전이나 부종양증후군에 의한 hypercalcemia의 가능성이 높다. 그러나 hypercalcemia와 hypophosphatemia의 원인으로 primary hyperparathyroidism 가능성도 고려해야 하겠다.

Parathyroid hormone-related protein (PTHrP)
PTH family의 한 종류로 대개 breast cancer나 squamous cell carcinoma와 같은 lung cancer 등의 암세포에서 분비된다. 하지만 이들은 여러 방식으로 우리 몸의 정상 기능에도 관여하는데 endochondral bone development를 조절하거나 mammary gland의 formation에 관여하는 것으로 알려져 있다. (http://en.wikipedia.org/wiki/Parathyroid_hormone-related_protein)

PTH intact
PTH는 84개 아미노산으로 구성된 single-chain polypeptide로 2~5분 정도의 반감기를 가진다. 이는 주로 간, 신장, 뼈 등에서 대사되어 N-terminal, midregion, C-terminal fragment로 분해되며, 이들은 혈장소실율이 서로 다르고 신장 기능에 영향을 받는다. 따라서 이들과 구분하여 생물학적 활성을 가지고 있고 다른 요인에 영향을 덜 받는 intact PTH를 chemiluminescent immuno-assay 방법으로 주로 측정하고 있다. (http://labmed.ucsf.edu/labmanual/db/resource/Immulite_2000_Intact_PTH.pdf)

Management of severe hypercalcemia
1) Hydration 2-4 L/day of 0.9% NaCL IV qd x 1-5 days
2) Furosemide 20-40 mg IV after rehydration q 12-24 hrs
3) Pamidronate 60~90 mg IV over 2-4hrs once
4) Calcitonin 4-8 IU/kg SC q 12-24hrs
5) Glucocorticoid: 200-300 mg hydrocortisone IV or 40-60 mg prednisone PO qd x 3-5 days
6) Dialysis
(Williams textbook of endocrinology, 12th ed., p.1277)

Assessment and Plan

#1 Papillary thyroid carcinoma
#2 Thymic carcinoma with paratracheal LN metastasis
#5 Nausea, vomiting
#6 Headache
#7 Newly onset hypertension
#9 Hypercalcemia and hypophosphatemia
#10 Mild elevation of serum ALP

A)	Hypercalcemia - bone metastasis - paraneoplastic syndrome - primary hyperparathyroidism
P)	Diagnostic plan Bone scan Parathyroid hormone-related protein (PTH-rP) Parathyroid hormone intact (iPTH) Therapeutic plan Discontinuation of calcium carbonate / vitamin D3 Normal saline hydration + loop diuretics (furosemide) IV calcitonin Consider bisphosphonate, if it needs

#1 Papillary thyroid carcinoma
#2 Thymic carcinoma with paratracheal LN metastasis
#8 Anterior chest wall palpable nodule
#10 Mild elevation of serum ALP

A)	Recurrent carcinoma (thymic carcinoma 〉 PTC)
P)	Diagnostic plan 〉 Neck US with anterior chest wall mass Core needle biopsy

#11 Metabolic alkalosis with hypokalemia and hypomagnesemia

A)	Poor oral intake and vomiting due to severe hypercalcemia
P)	Therapeutic plan Normal saline hydration Correction of hypercalcemia

Hospital day #2 ~ #5

#1 Papillary thyroid carcinoma
#2 Thymic carcinoma with paratracheal LN metastasis
#5 Nausea, vomiting
#6 Headache
#7 Newly onset hypertension
#9 Hypercalcemia and hypophosphatemia
#10 Mild elevation of serum ALP

S)	많이 좋아졌어요.
O)	Total calcium: 12.1 mg/dL PTH intact: 153 pg/mL (10 ~ 65 pg/mL) Bone scan: no evidence of bone metastasis Neck US: About 1.3 cm ill-defined hypoechoic nodular lesion in the anterior upper chest wall
A)	PTH dependent hypercalcemia - primary hyperparathyroidism (ectopic parathyroid tumor) - paraneoplastic syndrome
P)	Diagnostic plan 24 hours urine calcium / creatinine Parathyroid scan Therapeutic plan Normal saline hydration Diuretics (furosemide)

Calcium level이 감소하면서 증상 호전되었고, PTH level 상승소견 확인되어 PTH dependent hypercalcemia로 분류할 수 있다. PTH-rP의 검사결과는 아직 보고되지 않았다.

Comment from audience
Parathyroid gland의 발생학적 과정을 고려하였을 때, mediastinum에 ectopic parathyroid tumor가 발생하는 것은 가능하나, thoracic cage 밖의 anterior upper chest wall에 발생하는 것은 불가능 하다.

iPTH level이 2배 이상 상승되어 있어 PTH dependent hypercalcemia 로 판단할 수 있고, 이에 대한 검사를 진행함과 동시에 이전 cancer 과거력을 고려하였을 때, occult malignancy에 대한 evaluation을 지속하였다. (Williams textbook of endocrinology, 12th ed., p.1275)

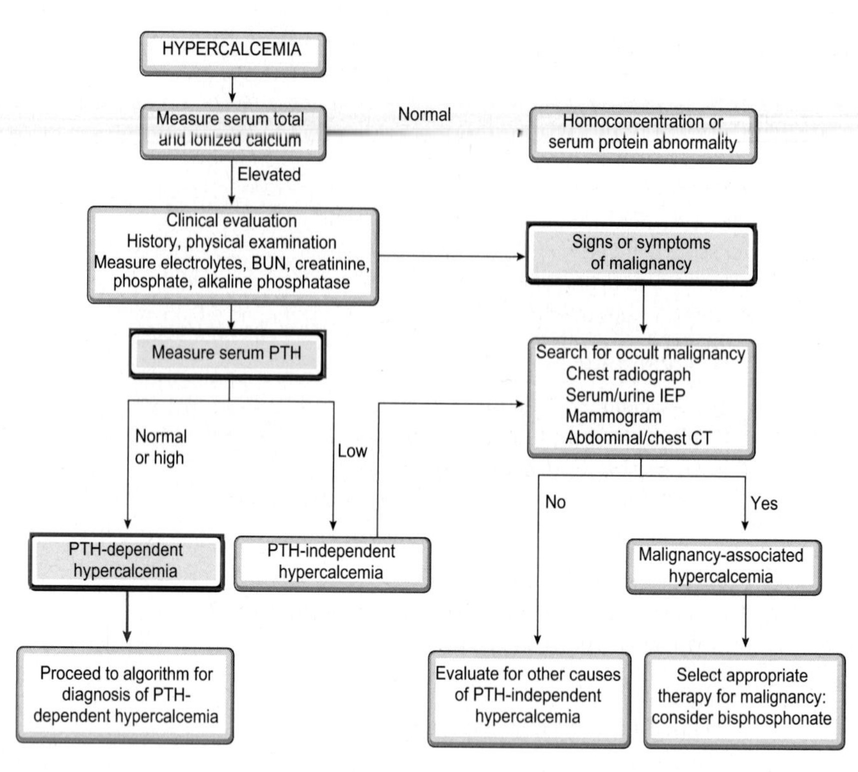

PTH dependent hypercalcemia중 hypocalciuric hypercalcemia의 감별진단을 위해 24시간 urine calcium과 creatinine 검사를 진행하였고, 환자는 이전 Li 포함한 제제의 치료를 받은 병력은 없었다. (Williams textbook of endocrinology, 12th ed., p.1276)

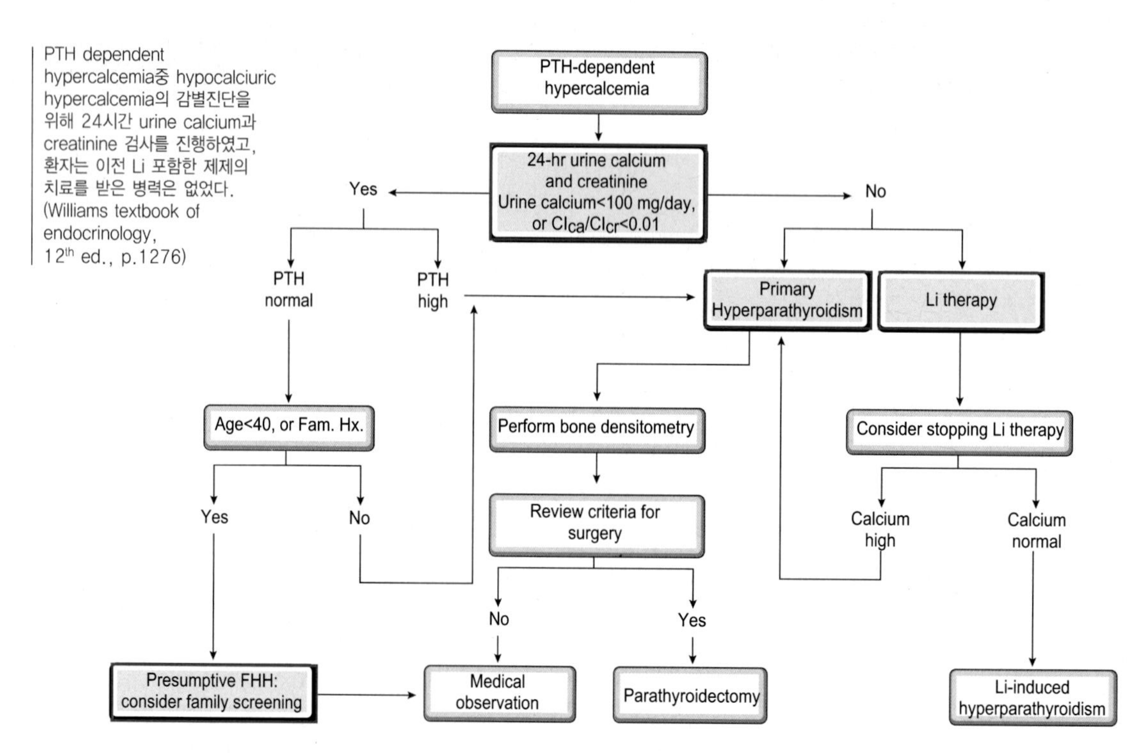

#1 Papillary thyroid carcinoma
#2 Thymic carcinoma with paratracheal LN metastasis
#8 Anterior chest wall palpable nodule
#10 Mild elevation of serum ALP

S)	괜찮아요.
O)	[Parathyroid scan] Focal increased uptake nodule in anterior chest wall 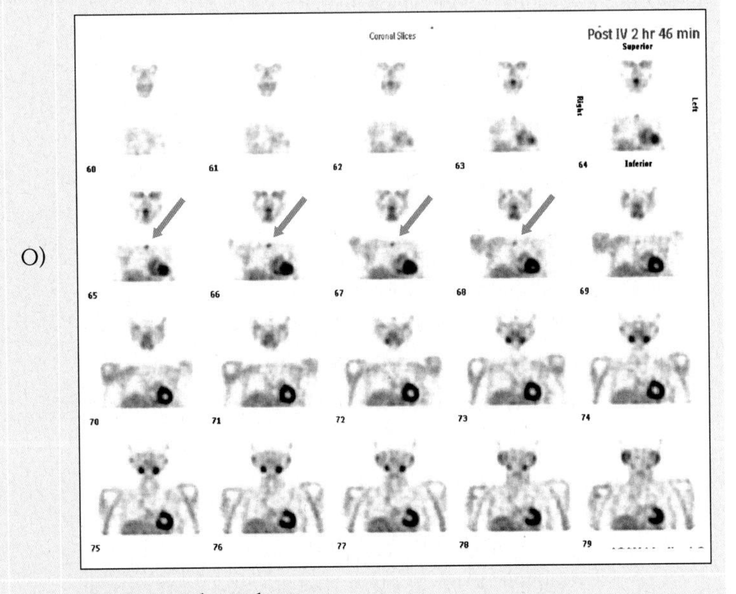
A)	Ectopic parathyroid tumor Recurrent carcinoma (thymic carcinoma 〉〉 PTC)
P)	Diagnostic plan PTH intact 상승 및 US, parathyroid scan 결과 parathyroid tumor 가능성 있어 core needle biopsy 검체에서 PTH stain 함께 시행 Therapeutic plan Parathyroid tumor로 확인될 경우 surgical resection 고려 Recurrent carcinoma로 확인될 경우 향후 항암방사선 치료고려

Hospital Day #6

#1 Papillary thyroid carcinoma
#2 Thymic carcinoma with paratracheal LN metastasis
#5 Nausea, vomiting
#6 Headache
#7 Newly onset hypertension
#9 Hypercalcemia and hypophosphatemia
#10 Mild elevation of serum ALP

S)	다시 속이 메스꺼워요.
O)	Total Ca: 15.0 mg/dL Alb: 3.9 g/dL PTH-intact: 173 pg/mL 24 hour urine Ca: 408 mg/day 24 hour urine Cr: 1.0 g/day ➡ calcium-creatinine clearance ratio : 0.023 (>0.01)
A)	Hypercalcemia - primary hyperparathyroidism (ectopic parathyroid tumor) - paraneoplastic syndrome
P)	Diagnostic plan Anterior chest wall mass core needle biopsy (PTH staining 포함) 결과 확인 Therapeutic plan Normal saline hydration Diuretics (furosemide) IV calcitonin Pamidronate 60 mg IV

Hospital Day #9

#1 Papillary thyroid carcinoma
#2 Thymic carcinoma with paratracheal LN metastasis
#5 Nausea, vomiting
#6 Headache
#7 Newly onset hypertension
#8 Anterior chest wall palpable nodule
#9 Hypercalcemia and hypophosphatemia
#10 Mild elevation of serum ALP

S) 메스꺼운 느낌 많이 좋아졌어요.

Comment from department of pathology
Parathyroid adenoma나 carcinoma가 워낙 드물기 때문에 저명한 hypercalcemia, 혹은 임상의 요청 등의 clinical information이 없으면 routine PTH staining은 시행하지 않는다.

O)
Ca: 9.4 mg/dL
Core needle biopsy of anterior chest wall mass결과
- Carcinoma with PTH-expression, suggestive of parathyroid carcinoma
- Immunohistochemistry (IHC) stain
; CK (+); S-100 protein (-); PTH (+)

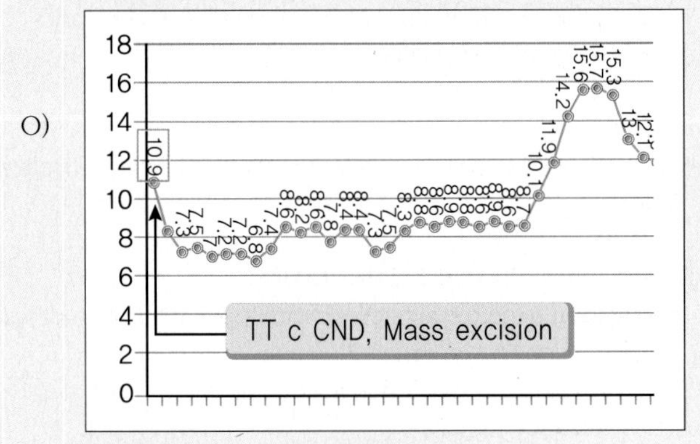

⟨trend of serum calcium level⟩

A)
Primary hyperparathyroidism
- ectopic parathyroid carcinoma
- metastatic parathyroid carcinoma

환자 triple primary cancer가 진단된 시점으로 이러한 경우는 매우 드문 경우이다. 이전 thymic carcinoma 진단 당시 병리 결과가 애매했던 상황을 고려하여 다시 한번 이전 chart를 review 하였고 TT with CND 시행 전에도 total calcium 10.9 mg /dL로 약간 높았던 것을 확인 하였다. 또한 total thyroidectomy 당시 parathyroid gland를 보존 하였고 이후 일시적인 hypo-parathyroidism이 올 수 있으나 1년 이상 장기간 calcium repla -cement 지속하였던 점으로 미루어 thymic carcinoma 역시 para thyroid carcinoma일 가능성이 있을 것으로 보고 이전 검체에서 PTH stain을 다시 시행하고 조직검사 결과를 review 하기로 하였다.

P)
Diagnostic plan
Mediastinal mass, paratracheal LN: PTH staining 시행
→ 이전 조직검사 모두 비교하여 review
Chest CT
PET-CT

Therapeutic plan
Normal saline hydration
Diuretics (furosemide)
Ca level 재상승 시 pamidronate 고려
CT, PET 확인 후 parathyroid carcinoma의 수술적 제거 고려

Hospital Day #13

#1 Papillary thyroid carcinoma
#2 Thymic carcinoma with paratracheal LN metastasis
#3 Hypocalcemia after thyroidectomy
#4 Rheumatoid arthritis (2013.2) on medication
#5 Nausea, vomiting

S)	증상 없어요.
O)	Ca: 11.8 mg/dL [Previous biopsy review with additional PTH IHC stain] [Mediastinal mass] - Results of immunohistochemical stainings: PTH (+); bcl-2 (focal +); chromogranin (+); Synaptophysin (+); cyclin D1 (±) [Excisional paratracheal lymph node biopsy] The result of immunohistochemical staining at clinician's request for PTH is positive. [Chest CT] No evidence of newly appeared metastasis or other active lesion in thorax. [Fusion Whole Body PET (F-18 FDG)] 1) New focal hypermetabolic lesion in upper anterior chest wall C/W Biopsy proven metastatic lesion 2) Focal hypermetabolic lesion in cervical level VI area R/O Recurred tumor
A)	Primary hyperparathyroidism - ectopic parathyroid carcinoma - metastatic parathyroid carcinoma
P)	Diagnostic plan Needle biopsy for cervical level VI hypermetabolic mass with PTH, thyroglobulin staining Therapeutic plan Normal saline hydration Diuretics (furosemide) Ca level 지속 상승 시 pamidronate 고려 Surgical resection of metastatic parathyroid carcinoma

Updated problem lists

#1 Papillary thyroid carcinoma

#2 Thymic carcinoma with paratracheal LN metastasis ➞ error

➞ Parathyroid carcinoma with LN metastasis

#3 Hypocalcemia after thyroidectomy ➞ error

➞ Hypocalcemia d/t resection of parathyroid carcinoma

#4 Rheumatoid arthritis (2013. 2) on medication

#5 Nausea, vomiting

➞ Primary hyperparathyroidism d/t ectopic parathyroid carcinoma

➞ error

➞ Primary hyperparathyroidism d/t metastatic parathyroid carcinoma to anterior chest wall and cervical LN

#6 Headache ➞ #5

#7 Newly onset hypertension ➞ #5

#8 Anterior chest wall palpable nodule ➞ #5

#9 Hypercalcemia and hypophosphatemia ➞ #5

#10 Mild elevation of serum ALP ➞ #5

#11 Metabolic alkalosis with hypokalemia and hypomagnesemia

➞ resolved

Clinical course

Cervical LN의 needle biopsy 결과는 특이소견 보이지 않았다. 이후 anterior chest wall mass와 cervical LN에 대해서는 이비인후과 의뢰하여 mass excision 및 LN dissection을 시행하였다. 이 excision된 mass는 조직검사 결과 모두 metastatic parathyroid carcinoma로 확인되었고, 수술 후 calcium level은 정상화되었으며, 현재 calcium 및 vitamin D replacement하면서 외래 경과 관찰 중이다.

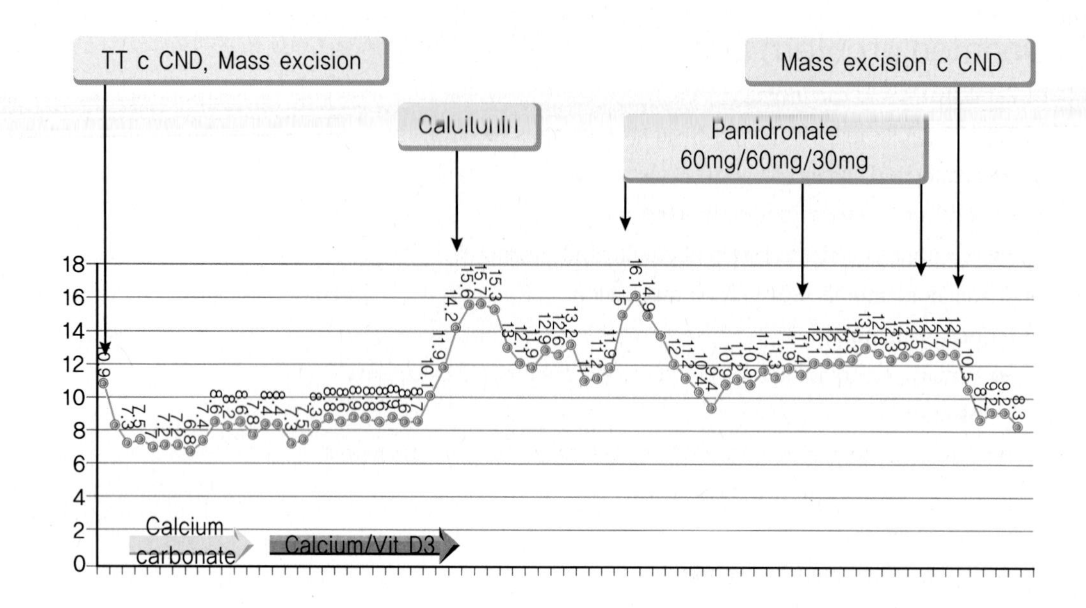

Lesson of the case

매우 드문 빈도로 발생하는 papillary thyroid cancer에 동반된 parathyroid carcinoma의 case로, 영상학적, 조직학적으로 진단이 어려운 경우 clinical initial assessment가 얼마나 중요한지 보여주는 case이다. 첫 내원 당시 경도의 calcium level 상승, total thyroidectomy 후 1년 이상 calcium replacement가 필요할 정도의 저칼슘혈증이 지속된 점 등은 간과하기 쉬우나, 진단에 결정적인 단서를 제공하는 소견이라 하겠다. 이에 대해 의심을 가지고, pathologist에게 clinical information을 주었다면 PTH stain을 통해 조기에 papillary thyroid cancer를 진단할 수 있었을 것이다. 그리고 double primary cancer 환자에서 새롭게 발견된 triple primary cancer는 매우 드문 경우로, 반드시 이전 cancer의 재발 가능성 및 이전 cancer가 진단이 잘못 되었을 가능성에 대해서도 고려하여야겠다. 요약하자면, 본 case는 사소하게 보아 넘기기 쉬운 laboratory data에 대한 해석의 중요성과 함께 임상의사와 병리의사의 의사소통의 중요성도 함께 일깨워 주는 case라고 하겠다.

CASE 10 10일 전 시작된 흉통으로 내원한 80세 남자

Chief Complaints

Chest pain, started 10 days ago

Present Illness

당뇨병에 대해서 OO의원에서 경구용 혈당강하제(성분 미상)를 수년 간 투약 중이던 환자로, 내원 10일 전 갑자기 등으로 방사되는 우측 흉통 발생하여 OO병원 순환기내과 입원하였다. 당시 급성심낭염 의증으로 aspirin 1,000 mg/day와 ceftriaxone을 투약하였고, 증상 호전 되어 5일 뒤 퇴원하였다.
내원 12시간 전 우측 흉통 심해져 OO병원 다시 방문하였고, 심장초음파 결과 시행, 지난 입원 시와 비교하여 심막 삼출액의 양이 증가한 소견으로 pericardial window operation 고려하던 중 보호자 본원에서의 치료 원해 응급실 방문하였다.

Characteristics of chest pain

Onset:
remote - 10 일전, recent - 내원 당일
Location: right anterior chest
Quality: 뻐근함
Duration: continuous
Radiation: neck (-), shoulder (-), back(-)
Severity: 6/10
Aggravating factor: not related to respiration
Relieving factor: leaning forward
Response to Nitroglycerin: not tried
Associated symptoms: dyspnea/dizziness/diaphoresis/palpation (-/-/-/-)
fever/chills/weight loss (-/-/-)

급성 심막염에서 일어나 앉거나 몸을 앞으로 숙일 때 증상이 완화되는 것이 특징이다. (Harrison's internal medicine, 18th)

Past History

Hypertension (-)
Hepatitis (-)
Tuberculosis (-)

Family History

Diabetes (-)
Hypertension (-)
Liver disease (-)
Tuberculosis (-)
Malignancy (-)

Social History

Occupation: 무직
Smoking: Ex-smoker - 24년 전 금연
Alcohol: 소주 1-2잔/주 - 24년 전 금주

Review of Systems

General

general weakness (+)	

Skin

bruise (-)	purpura (-)

Head / Eyes / ENT

headache (-)	sore throat (-)
hoarseness (-)	hearing disturbance (-)
visual disturbance (-)	rhinorrhea (-)

Gastrointestinal

anorexia (-)	nausea (-)
vomiting (-)	constipation (-)
diarrhea (-)	abdominal pain (-)
melena (-)	hematochezia (-)

Genitourinary

dysuria (-)	nocturia (-)

Neurologic

seizure (-)	cognitive dysfunction (-)
psychosis (-)	motor-sensory change (-)

Musculoskeletal

arthralgia (-)	back pain (-)

Physical Examination

height 174 cm, weight 63.0kg, body mass index 20.8 kg/m^2

Vital Signs

BP 75/49 mmHg - HR 67 /min - RR 20 /min - BT 36.0℃

General Appearance

acute ill-looking appearance	alert and oriented to time, person, place

Skin

skin turgor: normal	ecchymosis (-)
swelling (-)	external wound (-)
bruise (-)	purpura (-)

Head / Eyes / ENT

isocoric pupils with prompt light reflex	
whitish sclerae	pinkish conjunctivae
palpable lymph nodes (-)	jugular vein engorgement (-)

Chest

no deformity
symmetric expansion without retraction
clear breath sound without crackle, wheezing

Heart

regular rhythm
normal heart sounds without murmur

Abdomen

soft and flat
normoactive bowel sound
abdominal pain (-) / tenderness (-) / rebound tenderness (-)

Musculoskeletal

no deformities
pretibial pitting edema (-/-)
costovertebral angle tenderness (-/-)

Initial Laboratory Data

CBC

WBC ($4\sim10\times10^3/mm^3$)	24,600	Hb (13~17g/dl)	14.2
WBC differential count	neutrophil 93.6% lymphocyte 3.7%	platelet ($150\sim350\times10^3/mm^3$)	378

Chemical & Electrolyte battery

Ca (8.3~10 mg/dL) / P (2.5~4.5 mg/dL)	8.6/4.1	glucose (70~110 mg/dL)	558
protein (6~8 g/dL)/ albumin (3.3~5.2 g/dL)	6.4/2.7	aspartate aminotransferase (AST) (~40 IU/L) / alanine aminotransferase (ALT) (~40 IU/L)	19/23
alkaline phosphatase (ALP) (40~120 IU/L)	94	total bilirubin (0.2~1.2 mg/dL)	1.3
BUN (10~26 mg/dL) / Cr (0.7~1.4 mg/dL)	28/1.73	Na (135~145 mmol/L) / K (3.5~5.5 mmol/L) / Cl (98~110 mmol/L)	123 5.7 89
total CO_2 (24~31 mmol/L)	16.6	C-reactive protein (~0.6 mg/dL)	6.12

ABGA at ER

pH (7.35~7.45)	7.510	pCO_2 (35-45 mmHg)	26.0
pO_2 (80~90 mmHg)	86.0	HCO_3^- (23~29 mmEq/L)	21.0
SaO_2 (94~100 %)	97%	FiO_2	Room air

Coagulation battery

prothrombin time (10~13sec)	14.1	PT(INR) (0.8~1.3)	1.24
activated partial thromboplastin time (aPTT) (25~35 sec)	34.5	D-dimer (~0.5 ug/ml)	1.67

Chest X-ray

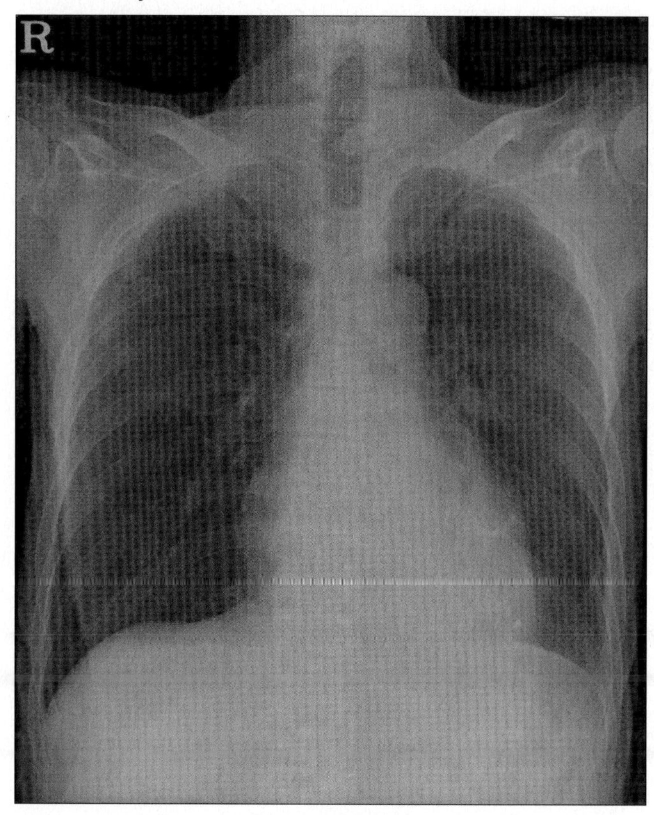

Right cardiophrenic angle의 blunting이 관찰된다.
Lung parenchyme에 이상소견은 없다.

모든 lead에서
concave upward한
양상의 ST elevation이 있으며,
acute pericarditis에 전형적인
소견이다.

EKG

OO병원 (입원당시)

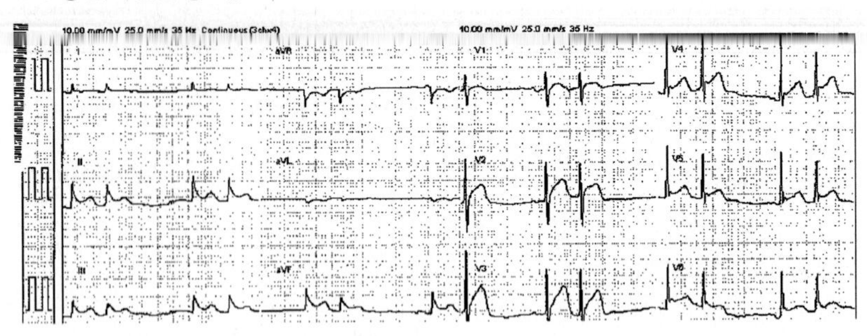

본원

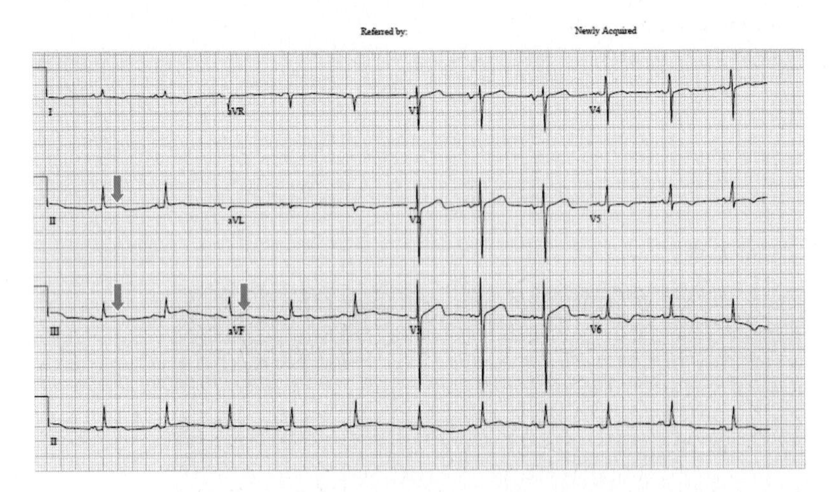

T-wave inversion이 보이지만
아직 II, III, aVF에서는
ST elevation (화살표)가 남아있어
stage I과 III가 혼재되어
있음을 알 수 있다.

[급성 심막염 EKG Stage]

stage 1 – 광범위한
ST elevation과 함께
reciprocal ST depression이
aVR과 V1에서 관찰된다.
aVR에서 PR segment의 상승과
다른 lead에서의 depression
(특히 V5, V6)는 atrial injury를
의미한다.

stage 2 – ST와
PR deviation이 정상화 된다.

stage 3 – 광범위한
T wave inversion이 보인다.
(모든 환자에서 관찰되지는 않는다)

stage 4 – EKG가 정상화되거나,
T wave inversion이 생긴다.

Initial Problem List

#1 Type 2 diabetes mellitus on oral hypoglycemic agent
#2 Right anterior chest pain ➡ pericardial effusion by referring doctor
#3 ST elevation at II, III, aVF with elevated cardiac enzyme
#4 Hypotension
#5 Leukocytosis with elevated CRP
#6 Azotemia
#7 Hyponatremia
#8 Hyperkalemia
#9 High blood glucose

Assessment and Plan

#2 Right anterior chest pain ➡ pericardial effusion by referring doctor #3 ST elevation at II, III, aVF with elevated cardiac enzyme #4 Hypotension #5 Leukocytosis with elevated CRP #6 Azotemia	
A)	Acute pericarditis with cardiac tamponade, most likely Acute pericarditis with septic shock, possible Acute myocardial infarction with cardiogenic shock, less likely
P)	Diagnostic plan - Transthoracic echocardiography - Pericardiocentesis - Blood culture - Check serial EKG and cardiac markers - Coronary CT, then consider coronary angiography if necessary Therapeutic plan - Hydration for hypotension - Therapeutic pericardiocentesis - Empirical antibiotics: ceftriaxone IV 2g q 24hr
#1 Type 2 diabetes mellitus on oral hypoglycemic agent #9 High blood glucose	
A)	Acute pericarditis with septic shock Poor glucose control
P)	Therapeutic plan - Control glucose level with continuous RI infusion

Leukocytosis, CRP elevation 있고 bacterial pericarditis라면 S. aureus, *S. pneumonia*, Group A *streptococcus*가 흔한 원인이 될 수 있으며 외부병원에서 사용한 ceftriaxone에 반응이 있다고 판단하여 경험적 항생제로 ceftriaxone사용하기로 하였다.

Glucose가 558 mg/dL로 증가되어있고 hyperglycemia에 대하여 sodium correction을 하면 134 mmol/L로 교정이 된다.

#6 Azotemia

A)	Acute pericarditis with cardiac tamponade Acute pericarditis with septic shock Dehydration
P)	Diagnostic plan - Check FeNa Therapeutic plan - Hydration

#7 Hyponatremia

A)	Pseudohyponatremia
P)	Diagnostic plan - Serum osmolality - Urine osmolality - Urine Sodium, Potassium, Chloride Therapeutic plan - Saline hydration - Correction of high blood glucose - Correction of underlying sepsis

#8 Hyperkalemia

A)	Azotemia
P)	Diagnostic plan - Check TTKG Therapeutic plan - Correction of underlying sepsis - Correction of high blood glucose

Hospital Day #1-2

#2 Right anterior chest pain ➡ pericardial effusion by referring doctor
#3 ST elevation at II, III, aVF with elevated cardiac enzyme
#4 Hypotension
#5 Leukocytosis with elevated CRP
#6 Azotemia

S) 목말라요. 흉통은 비슷합니다.

BP 92/52 mmHg - HR 86 /min - RR 24 /min - BT 37.5℃

Procalcitoniin 19.36 ng/mL
CK 248 IU/L CK-MB 2.5 ng/mL

EKG〉 내원 8시간 후

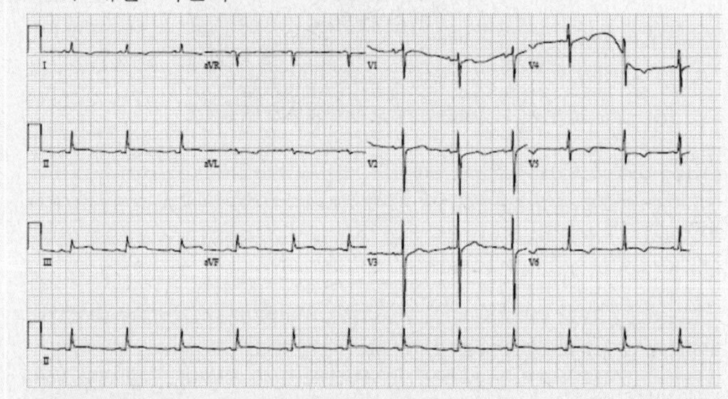

Rate 72회 정도의 sinus rhythm이며 응급실 내원 초기 관찰되었던 Lead II III aVF의 ST elevation소견이 지속되고 있고 precordial lead에 T-wave inversion도 지속되고 있다.

Coronary CT 〉

O)

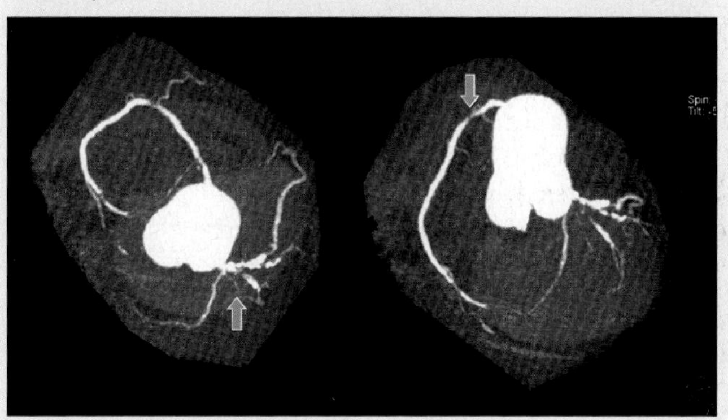

pRCA에 moderate stenosis가 관찰되며 (우측 화살표) pLAD, diagonal branch에 Severe stenosis가 관찰된다. (좌측 화살표)

Transthoracic echocardiography〉
Right ventricle (RV) anterior side에 32 mm, Left ventricle (LV) posterior side에 19 mm로 측정되는 pericardial effusion이 관찰된다. Visceral pericardium과 parietal pericardium도 thickening이 증가되었고 이에 연하여 fibrin material들이 관찰되어 pericarditis와 연관된 acute inflammatory state가 의심된다. IVC plethora and dilation도 관찰되어 hemodynamic significance 있는 소견이며, pericardiocentesis는 subxiphoid approach가 가능하다.

O)	Pericardiocentesis〉 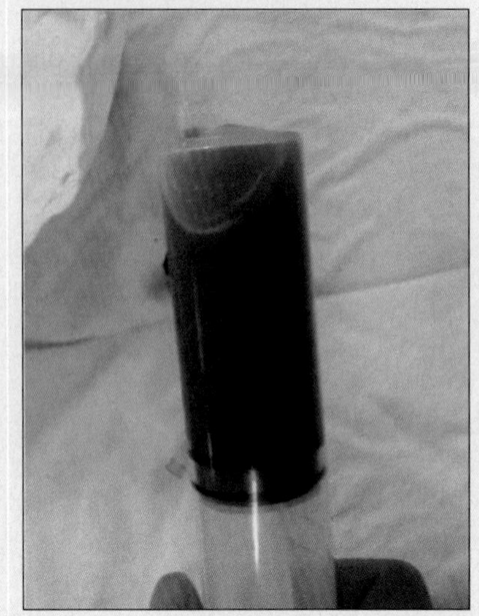 - 130cc Pericardial fluid analysis - RBC 12,500 /uL - WBC 217,500 /uL - Neutrophil 89% - Lymphocyte 5% - Histiocyte 6% - pH 7.0 - Protein 5.5 g/dL - Glucose 22 mg/dL - LD 6,465 U/L - Albumin 2.8 g/dL - ADA 182 U/L 감염내과 협의 내용 〉 Pericardial fluid의 성상이나 환자에서 inflammatory marker가 증가되어 있다는 점은 bacterial infection을 시사하지만 supprative pericarditis로 생각하기에는 병의 경과가 빠르지 않고, 환자 condition이 양호하여 malignancy, connective tissue disease, 결핵 가능성을 함께 고려해야 하겠습니다. Abdominal pelvic CT 촬영하여 악성질환 감별하고 결핵 가능성과 viral disease 가능성에 대해서 TB interferon gamma assay 및 enterovirus PCR도 함께 시행하시고 항생제는 ceftriaxone 유지하십시오.
A)	Acute pericarditis with hemodynamically significant pericardial effusion d/t bacterial infection, more likely d/t tuberculosis infection, less likely d/t malignant effusion, less likely
P)	Blood culture 결과 확인 Pericardial fluid의 Gram stain/culture, AFB stain/culture, M. Tb PCR, Check chest CT and Abdominal pelvic CT

Updated problem list

#1 Type 2 diabetes mellitus on oral hypoglycemic agent

#2 Right anterior chest pain ➡ pericardial effusion by referring doctor

➡ Acute pericarditis with hemodynamically significant pericardial effusion

#3 ST elevation at II, III, aVF with elevated cardiac enzyme ➡ #2

#4 Hypotension ➡ #2

#5 Leukocytosis with elevated CRP ➡ #2

#6 Azotemia ➡ #2

#7 Hyponatremia ➡ #2

#8 Hyperkalemia ➡ #6

#9 High blood glucose ➡ #2

#10 Two vessel disease on coronary CT

Hospital Day #3-6

#2 Acute pericarditis with hemodynamically significant pericardial effusion

O)

혈압 107/ 55 mmHg; 맥박 99회/min;
호흡 26회/min; 체온 37.0℃

Pericardial fluid Gram stain: No organism seen
Pericardial fluid AFB stain: Negative
Tb interferon gamma: Negative (0.02) IU/mL
Enterovirus PCR (blood,stool): Negative
Pericardial fluid cytology: Negative for malignant cell
Pericardial fluid culture: No growth
Pericardial fluid fungus culture: pending
M.Tb PCR: Negative

WBC 24,600/uL (HD #1) ➡ 14,100/uL (HD #3)
Blood culture: No growth
Glucose 558 mg/dL (HD #1) ➡ 149 mg/dL (HD #3)
Creatinine 1.73mg/dL (HD #1) ➡ 0.79mg/dL (HD #3)

입원당시 시행한 혈액검사에 비하여 입원 5일 째 확인한 혈액검사 소견을 보면, Leukocytosis는 호전되었고, Glucose도 control 되었다. 하지만 Liver enzyme이 상승하였다.

Diffuse pericardial thickening and enhancement를 보이는 pericardial effusion이 있다. 이는 complicated effusion이 의심되어 결핵이나 malignant effusion을 의심하게 하는 소견이다.

Pancreas에 IPMN의 가능성이 있는 1.8cm cystic lesion이외에 cancer증거 없었다.

Chest CT

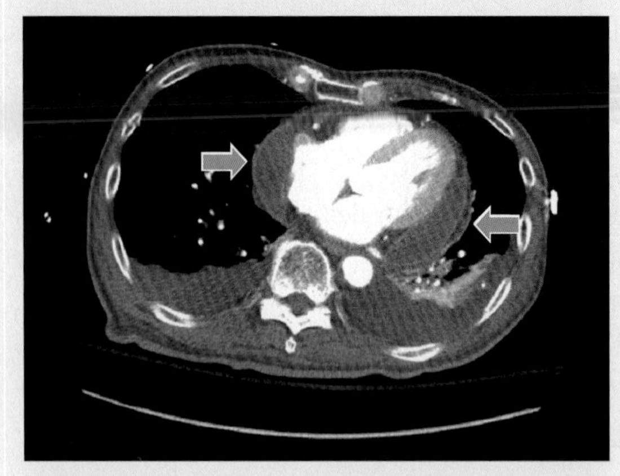

Abdominal pelvic CT

O)

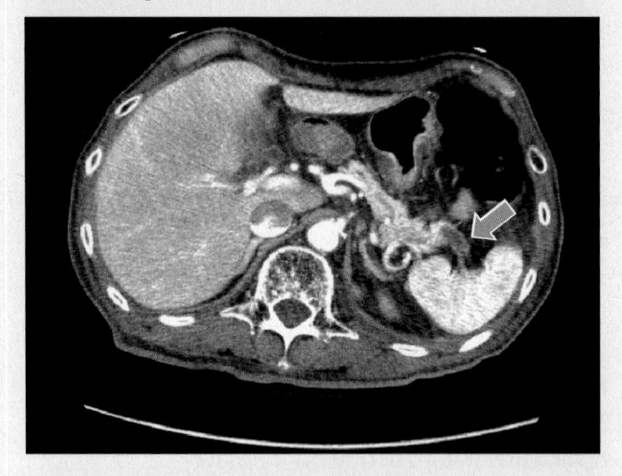

감염내과 협의내용〉
Pericardial fluid에서 ADA가 상승되어 있지만 이는 pyogenic infection때도 증가할 수 있습니다. Syphilis serology 양성이지만 pericarditis의 원인으로 생각하기는 bacterial infection보다 가능성이 낮아, serum RPR titer를 확인해 보는 게 좋겠습니다. 원인균이 분리되지 않는 상황으로 16S rRNA gene sequencing test를 시행해 보시기 바랍니다.

Transthoracic echocardiography 〉
Pericardial effusion이 여전히 관찰된다.
Hepatic vein에 respiratory variation 및 IVC dilatation 동반한 plethora 관찰되어 hemodynamic significance도 있다.

Pericardiocentesis 〉

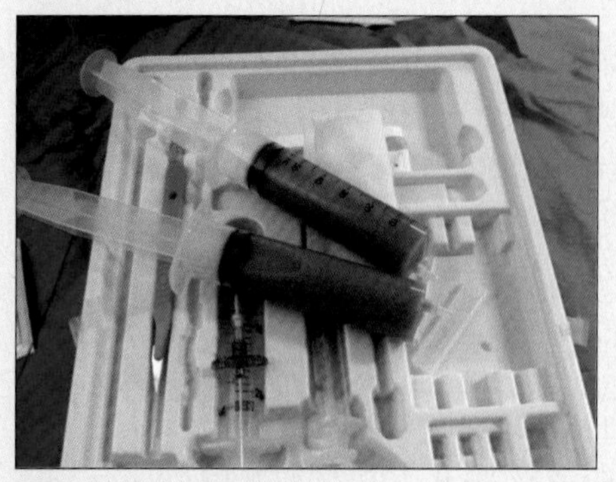

O) Pericardial fluid analysis

- RBC 2,400 /uL
- WBC 328,000 /uL
  - Neutrophil 99%
  - Lymphocyte 1%
- pH 7.2
- Protein 4.4 g/dL
- Glucose 9 mg/dL
- LD 21,050 U/L
- Albumin 2.0 g/dL
- ADA 268 U/L

A) Acute pericarditis c hemodynamically significant pericardial effusion
  d/t bacterial infection, more likely
  d/t tuberculosis infection, less likely
  d/t malignant pericardial effusion, possible
  d/t syphilitic pericarditis, least likely

P) Blood culture 결과 확인
Pericardial fluid의, AFB culture 결과 확인
Continue current antibiotics: Ceftriaxone + Vancomycin

Transthoracic echocardiography에서 hemodynamic significance를 동반한 pericardial effusion이 관찰되어 다시 pericardiocentesis를 시행하였으며, 원인균이 동정되지 않는 상황으로 16S rRNA gene sequencing test를 시행하기로 하였다.

#11 Positive RPR test

O) Syphilis reagin test: Reactive(3.7) R.U.

A) Late latent syphilis

P) RPR (rapid plasma regain) titer,
FTA-ABS (fluorescent treponemal antibody absorption test)

New problem
#11 Positive RPR test

#12 Elevated liver enzyme

O) AST/ALT 19/23 IU/L (HD #1) ➡ 559/542 IU/L (HD #3)

A) Elevated liver enzyme
  d/t antibiotics (ceftriaxone)

P) Change antibiotics: ceftriaxone to cefotaxime

New problem
#12 Positive RPR test

Hospital Day #7-9

> 아직 hemodynamic significance는 있으나 echocardiography에서 pericardial effusion이 줄어들었고, 현재 catheter로 effective drain이 되지 않아 pericardial catheter remove를 시행하였다.

#2 Acute pericarditis with hemodynamically significant pericardial effusion	
S)	밥이 맛이 없어요.
O)	혈압 144/ 68mmHg; 맥박 84회/min; 호흡 18회/min; 체온 36.0℃ WBC 14,100/uL (HD #3) ➡ 9,100/uL (HD#7) Hb 10.6g/dL Platelet 221k/dL Creatinine 0.62mg/dL AST / ALT 559/542 IU/L (HD #3) ➡ 94/240 IU/L (HD#7) Anti-Amebic Ab (-) 감염내과 협의 내용 〉 Cefotaxime 투여에 반응이 있고 전체 임상경과를 보아 bacterial pericarditis의 가능성이 높아 보입니다. Transthoracic echocardiography 〉 RV anterior side에 8 mm, LV posterolateral side에 9-11 mm 정도의 echogenic pericardial effusion 관찰되고 이전보다 양은 감소하였다. 하지만 septal bouncing 및 IVC plethora를 동반한 hemodynamic significance는 아직 동반되어 있다.
A)	Acute pericarditis with hemodynamically significant pericardial effusion d/t bacterial infection, more likely
P)	Continue current antibiotics (cefotaxime) Transfer to general ward

#11 Positive RPR test	
O)	FTA-ABS reactive RPR titer 1:1 (reactive) 감염내과 협의내용 〉 Syphilis는 환자 증상이 없고, syphilis regain test에서 양성, RPR test에서 reactive소견으로 latent syphilis로 진단하며 pericarditis의 원인균일 가능성은 떨어집니다. Penicillin 240만 단위 근육주사로 주 1회, 총 3회 투여 하면 되겠습니다.
A)	Late latent syphilis
P)	Benzathine penicillin G 2.4 million IU IM q week × 3

Hospital Day #10-11

#2 Acute pericarditis with hemodynamically significant pericardial effusion	
S)	숨이 계속 찹니다. 힘이 듭니다.
O)	혈압 110/ 70mmHg; 맥박 91회/min; 호흡 20회/min; 체온 36.6℃ WBC 9,100/uL (HD#7) ➡ 8,200/uL (HD#10) Hb 10.2g/dL Platelet 140k/dL Creatinine 0.55mg/dL AST / ALT 94/240 IU/L (HD#7) ➡ 64/141IU/L (HD#10) CRP 24.26 mg/dL (HD#7) ➡ 4.76 mg/dL (HD#10) Pericardial fluid: Negative for malignant cells 16S rRNA gene sequencing 결과: *Clostridium septicum* 감염내과 협의 내용 〉 16S rRNA gene sequencing검사에서 *C. septicum*과 염기서열이 100% 일치도를 보이는 세균이 확인되어 이를 Pathogen으로 생각해야 하겠습니다. 또한 *C. septicum*은 colon cancer와 관련성이 있으므로 환자 경과 호전되면 대장내시경을 시행해 보는 것이 좋겠습니다.
A)	Acute pericarditis with hemodynamically significant pericardial effusion d/t *C. septicum* infection
P)	Change antibiotics: Cefotaxime + Metronidazole Consider colonoscopy Follow up 2D echocardiography

*C. septicum*에 대한 항균제 사용 위하여 metronidazole을 추가하였다.

Updated problem list

#1 Type 2 diabetes mellitus on oral hypoglycemic agent

#2 Acute pericarditis with hemodynamically significant pericardial effusion

➡ Acute pericarditis d/t *C. septicum*

#8 Two vessel disease on coronary CT

#11 Positive RPR test ➡ Late latent syphilis

#12 Elevated liver enzyme ➡ improving

Hospital Day #12-15

#2 Acute pericarditis d/t *C. septicum*

S) 숨은 아직 찹니다.

혈압 110/ 68 mmHg; 맥박 92회/min;
호흡 18회/min; 체온 36.6℃

WBC 9,100/uL (HD #7) → 5,200/uL (HD #12)
Hb 10.9 g/dL
Platelet 199 k/dL

O) Pericardiocentesis 〉
Pericardial fluid analysis
- RBC 54,400 /uL
- WBC 118,000 /uL
  - Neutrophil 95%
  - Lymphocyte 2%
Pericardial fluid culture: 2D NG
Pericardial fluid AFB: negative

A) Acute pericarditis d/t *C. septicum* infection

P) Continue antibiotics: Cefotaxime + Metronidazole
Consider colonoscopy

임상 증상은 호전추세였으나 숨이 찬 증상을 지속적으로 호소하여 다시 한번 pericardial fluid에 대하여 pericardiocentesis를 시행하였다.

Hospital Day #16-18

#2 Acute pericarditis d/t *C. septicum*

S) 대장내시경은 안하고 싶습니다.

혈압 92/ 52 mmHg; 맥박 92회/min;
호흡 20회/min; 체온 36.0℃

O) Transthoracic echocardiography 〉
RV anterior side에 16 mm, LV posterolateral side에 23 mm 정도의 echogenic pericardial effusion 관찰되고 이전 검사 보다 echogenic material이 약간 증가되었다.
이는 locutation되어있고 septation 되어있어 pericardial abscess의 가능성이 있다.

A) Acute pericarditis d/t C. septicum infection
Pericardial abcess formation

P) Continue antibiotics: Cefotaxime + Metronidazole
Consider general thoracic surgery for removal of pericardial abcess
Pre op. coronary angiography

Clinical course

환자는 임상적으로 호전을 보였지만 pericardial effusion이 해결되지 않으며 pericardial abscess의 가능성도 있는 소견으로 pericardiectomy를 고려하였으며 수술 전 검사로 coronary angiography를 시행하기로 하였다.

HD #19일 째 수술전 검사로 coronary angiography를 시행하였고, 1 vessel disease 소견으로 medical treatment를 계획하였다. 하지만 환자 원인 미상의 cardiac arrest 발생하였고, CPCR 시행 후 ECMO insertion시행하였으나 recovery되지 못하고 사망하였다.

Lesson of the case

원인미상의 pericarditis를 16S rRNA sequencing test로 원인균을 진단한 case 였다. 항생제를 사용한 경우나 분리가 힘든 세균의 경우 보조적으로 16S rRNA sequencing test 와 같은 broad range PCR을 고려해 볼 수 있다.

CASE 11 6주전 시작된 식욕부진을 주소로 내원한 88세 남자

Chief Complaints

Poor oral intake, started 6 weeks ago

Present Illness

내원 7년 전부터 척추관 협착증으로 인한 허리 통증 있었으나, 혼자 옷 입기 및 식사하기 가능하였다. 내원 6주 전 점차 피로감을 호소하며 하루에 침상에 누워있는 시간이 12시간 이상 되었고, 내원 2주 전 식욕부진 및 구역감이 동반되면서 식사량이 절반으로 감소하고 혼자 옷을 갈아입을 수 없을 정도로 전신 위약감이 악화되어 본원 외래 통해 입원하였었다.

당시 chest X-ray상 both lower lung zone에 peribronchial infiltration이 있었고, leukocytosis, C-reactive protein상승하여 community acquired pneumonia로 판단 하고 levofloxacin 투약 하였다. 1주내 호전 보여 퇴원하였으나, 퇴원 1주일 후 식욕 부진과 전신 위약감 지속, 기타 동반 증상은 없는 상태로 외래 통하여 다시 입원 하였다.

Past History

spinal stenosis: 8년 전 진단, 3년 전까지 epidural steroid injection 받고,
1주 전까지 modified decompressive neuroplasty 받음.

benign prostate hyperplasia: 5년 전 진단, dutasteride 0.5 mg,
tamsulosin 0.4 mg 복용 중

nocturia: 3년 전 진단 받고, desmopressin 0.2 mg 복용 중

both caliceal stone: 5년 전 진단, 경과관찰 중

gallbladder stone: 13년 전 진단, 경과관찰 중

diabetes / hypertension / hepatitis / Tb (-/-/-/-)

Family History

diabetes / hypertension / renal disease / malignancy (-/-/-/-)

Social History

occupation: 전직 교사

smoking: 20갑년, 30년 전 금연

alcohol: social drinker

marital status: married

Review of Systems

General

generalized edema (-)	weight loss (-)
fever (-)	chills (-)

Skin

purpura (-)	erythema (-)

Head / Eyes / ENT

headache (-)	hearing disturbance (-)
dry eyes (-)	tinnitus (-)
rhinorrhea (-)	oral ulcer (-)
sore throat (-)	dry mouth (-)

Respiratory

dyspnea (-)	hemoptysis (-)
cough (-)	sputum (-)

Cardiovascular

chest pain (-)	palpitation (-)
orthopnea (-)	dyspnea on exertion (-)

Gastrointestinal

anorexia (-)	dyspepsia (-)
nausea (-)	vomiting (-)
diarrhea (-)	abdominal pain (-)

Genitourinary

flank pain (-)	gross hematuria (-)
genital ulcer (-)	

Neurologic

seizure (-)	cognitive dysfunction (-)
psychosis (-)	motor-sensory change (-)

Musculoskeletal

arthralgia (-)	muscle pain (-)

Physical Examination

height 163 cm, weight 62.1 kg
body mass index 23.4 kg/cm^2

Vital Signs

BP 120/78 mmHg - HR 80회/min - RR 18회/min - BT 36.2℃

General Appearance

chronically ill looking	alert
oriented to time, person, place	

Skin

skin turgor: normal	ecchymosis (-)
rash (-)	purpura (-)

Head / Eyes / ENT

visual field defect (-)	anemic conjunctiva (+)
icteric sclera (-)	palpable lymph nodes (-)

Chest

symmetric expansion without retraction	clear breathing sound without crackle

Heart

regular rhythm	normal hearts sound without murmur

Abdomen

soft & flat abdomen	normo active bowel sound
tenderness(-)	rebound tenderness (-)

Musculoskeletal

pretibial pitting edema(-)	costovertebral angle tenderness(-/-)

Initial Laboratory Data

CBC

WBC ($4 \sim 10 \times 10^3/mm^3$)	26,100	Hb (13~17 g/dL)	9.1
WBC differential count	neutrophil 63.5% lymphocyte 5% monocyte 31.2%	platelet ($150 \sim 350 \times 10^3/mm^3$)	234
reticulocyte (0.5~1.8%)	3.6	reticulocyte production index (%)	1.03

Chemical & Electrolyte battery

Ca (8.3~10mg/dL) /P (2.5~4.5mg/dL)	8.0/4.3	glucose (70~110 mg/dL)	110
protein (6~8 g/dL)/ albumin (3.3~5.2 g/dL)	5.1/3.1	aspartate aminotransferase (AST) (~40 IU/L) alanine aminotransferase (ALT) (~40 IU/L)	16 /15
alkaline phosphatase (ALP) (40~120 IU/L)	98	total bilirubin (0.2~1.2 mg/dL)	0.6
BUN (10~26 mg/dL) Cr (0.7~1.4 mg/dL)	9/0.78	Estimated GFR (≥ 60ml/min/1.7m2)	> 60
C-reactive protein (~0.6 mg/dL)	3.48	cholesterol (~199 mg/dL)	103
Na^+ (135~145 mmol/L) / K^+ (3.5~5.5 mmol/L) / Cl^- (98~110 mmol/L)	127/3.9/92	total CO_2 (24~31 mmol/L)	27.4
osmolarity, serum (289-302 mom/kg)	275	osmolarity, urine (300-900 mosm/kg)	106

Coagulation battery

prothrombin time (PT) (70~140%)	90.1	PT(INR) (0.8~1.3)	1.05
activated partial thromboplastin time (aPTT) (25~35sec)	38.1		

Urinalysis with microscopy

specific gravity (1.005~1.03)	1.015	pH (4.5~8)	.0
albumin(TR)	(-)	glucose (-)	(-)
ketone (-)	(-)	bilirubin (-)	(-)
occult blood (-)	(-)	nitrite (-)	(-)
RBC (0~2/HPF)	0/HPF	WBC (0~2/HPF)	0/HPF
squamous cell (0~2/HPF)	0/LPF	bacteria	0/HPF

Chest X-ray

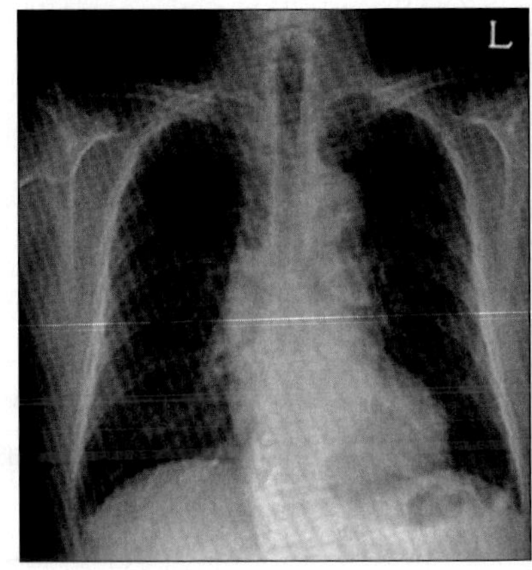

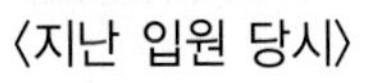
〈지난 입원 당시〉

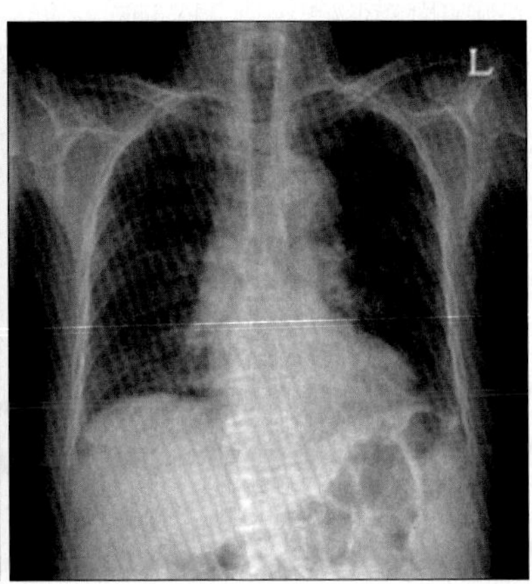

〈이번 입원 시〉

지난 입원 및 이번 입원 chest X-ray이다. Both lower lung zone에 peribronchial infiltration보였으며, 지난 입원 시 chest X-ray와 차이가 없었다.

분당 90회의 normal sinus rhytm with right bundle branch block이었다.

EKG

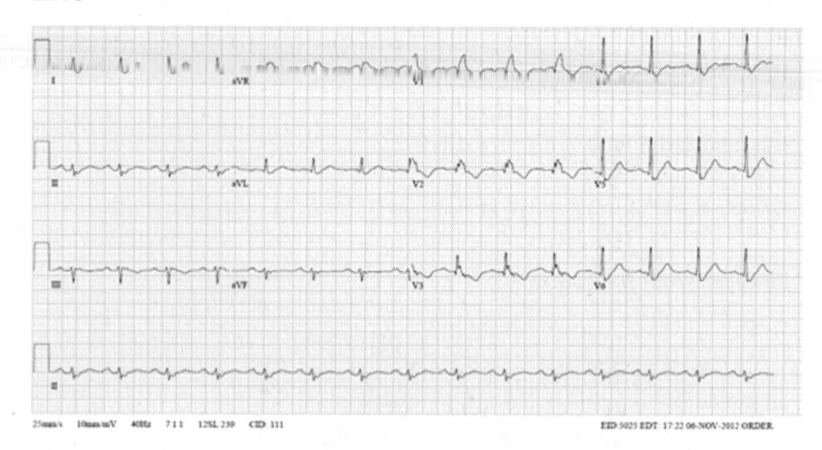

Initial Problem List

#1 spinal stenosis
s/p repeated epidural steroid injection & modified decompressive neuroplasty
#2 benign prostate hyperplasia
#3 nocturia on desmopressin
#4 both caliceal stone
#5 asymptomatic gallbladder stone
#6 recent history of community acquired pneumonia
#7 poor oral intake
#8 leukocytosis with high monocyte proportion
#9 hypoosmolar hyponatremia
#10 normocytic normochromic anemia

Assessment and Plan

#1 spinal stenosis, s/p repeated epidural steroid injection and modified decompressive neuroplasty
#6 recent history of community acquired pneumonia
#7 poor oral intake
#8 leukocytosis with high monocyte proportion

A)	Hematologic malignancy, possible Vertebral osteomyelitis, possible Tuberculosis, possible Re-aggravated community acquired pneumonia, less likely
P)	Diagnostic plan 〉 peripheral blood smear & bone marrow study spine MRI blood, sputum culture (AFB 포함) chest CT Therapeutic plan 〉 nutritional support

#7 poor oral intake
#9 hypo-osmolar hyponatremia

A)	Drug induced hyponatremia due to desmopressin Syndrome of inappropriate antidiuretic hormone secretion Adrenal insufficiency Hypothyroidism
P)	Diagnostic plan 〉 urine sodium rapid ACTH stimulation test thyroid function test Therapeutic plan 〉 stop desmopressin

Urine osmolarity 100 mosm/kg 이상으로 primary polydipsia 이외의 hypo-osmolar hyponatremia로 판단하였다. Skin turgor 정상 및 pretibial pitting edema 없는 상태로 euvolemic hypo-osmolar hyponatremia중 drug 가능성 가장 높은 것으로 판단하여 야뇨증 치료목적으로 사용 중이던 desmopressin 중단하기로 하였다.

이번 chest X-ray를 이전과 비교했을 때 변화가 없고, leukocytosis with high monocyte proportion이 있어 hematologic malignancy나 infectious condition의 가능성 고려하여, PB smear, bone marrow study, chest CT를 진행하기로 하였다. Back pain과 multiple epidural injection history 있어 vertebral osteomyelitis 가능성도 고려하여 spine MRI 시행하기로 하였다. 질병의 경과가 subacute 한 course를 거치며, levofloxacin에 반응을 보였기 때문에 결핵감염 가능성도 고려하여 sputum culture/AFB 시행하기로 하였다.

<Approach to hyponatremia>

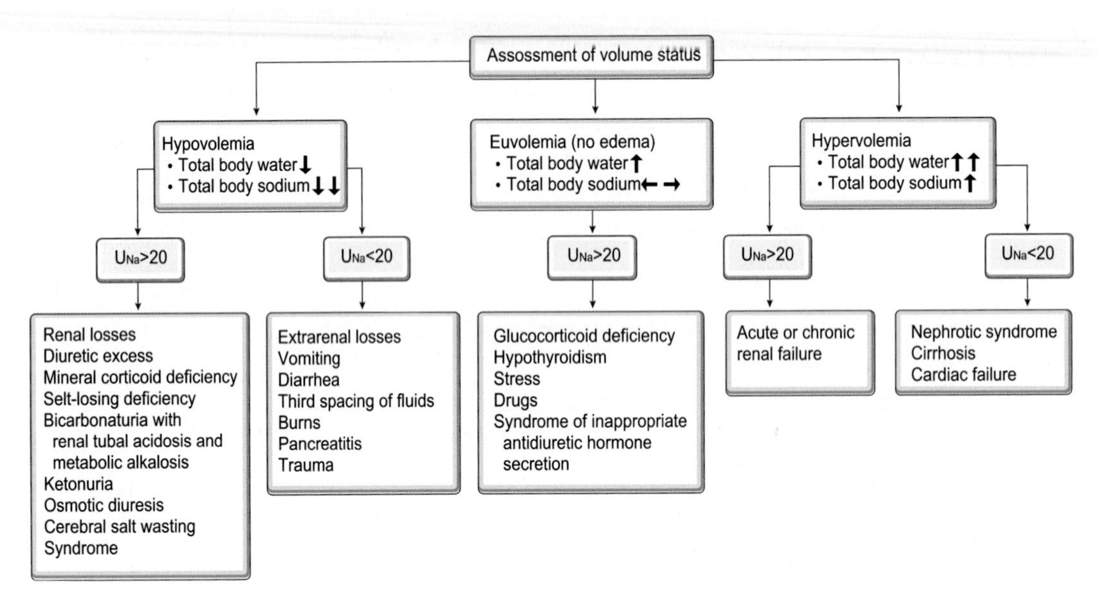

(Reference: Harrison' s principles of internal medicine, 17th)

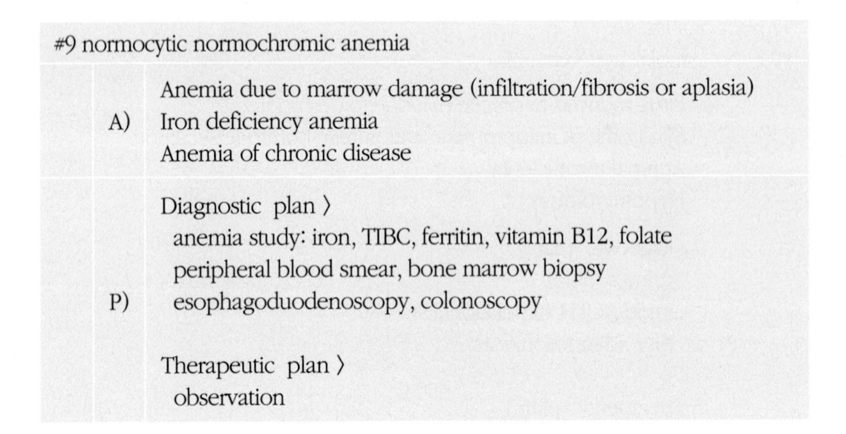

#9 normocytic normochromic anemia	
A)	Anemia due to marrow damage (infiltration/fibrosis or aplasia) Iron deficiency anemia Anemia of chronic disease
P)	Diagnostic plan 〉 anemia study: iron, TIBC, ferritin, vitamin B12, folate peripheral blood smear, bone marrow biopsy esophagoduodenoscopy, colonoscopy Therapeutic plan 〉 observation

Algorithm of the physiologic classification of anemia

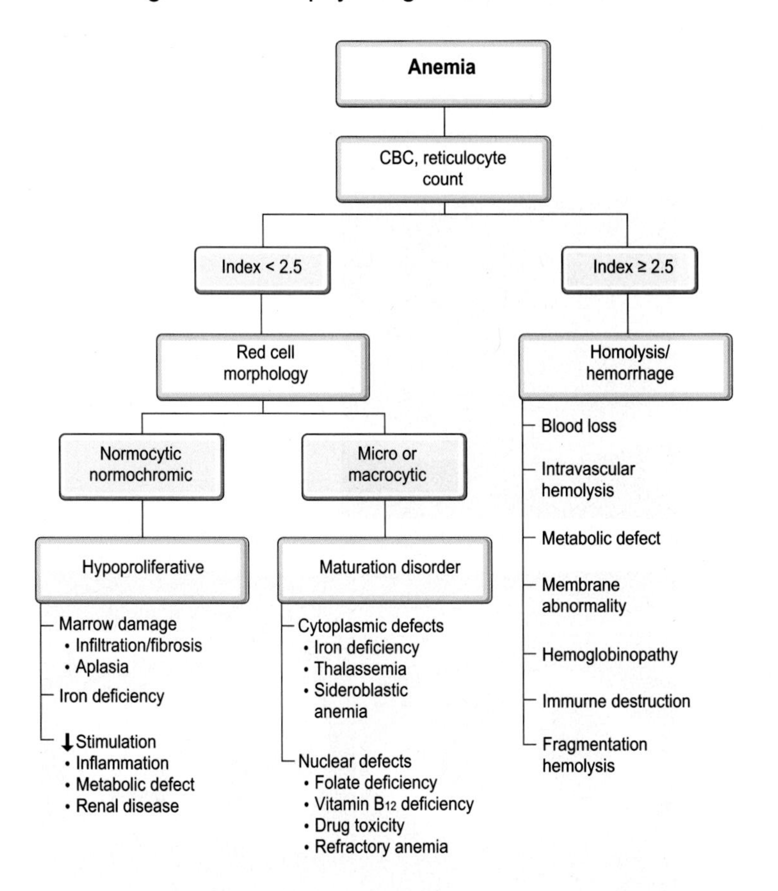

(Reference: Harrison' s principles of internal medicine, 17th)

Reticlocyte production index 2.5 이하로, flow sheet에 따라 hypoproliferative normocytic normochromic anemia로 판단 하였으며, 증상 없어 수혈하지 않고 경과관찰 하기로 하였다.

Hospital day #1 ~ #4

#8 leukocytosis with high monocyte proportion

O)

Blood culture: no growth for 5 days
Sputum culture/AFB: no growth / negative
Spine MRI:

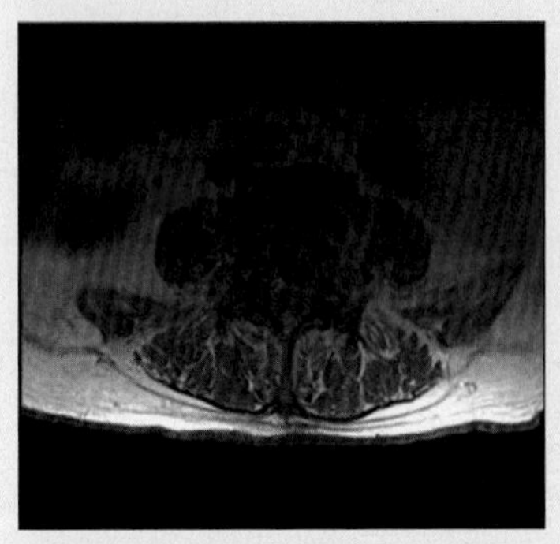

Spine MRI에서 L4-5 central stenosis가 있었고, vertebral osteomyelitis 소견은 없었다.

Chest CT:

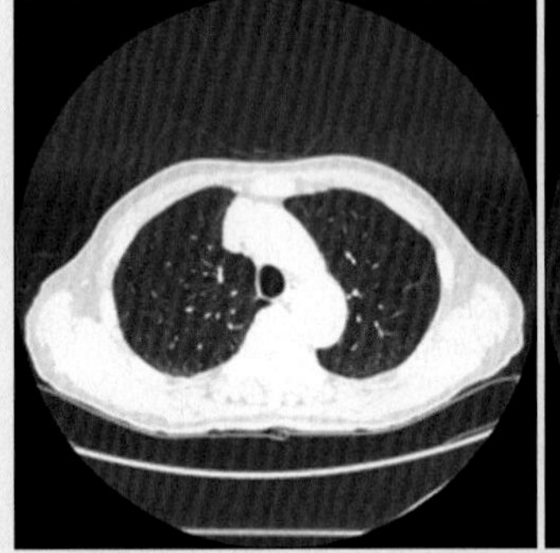

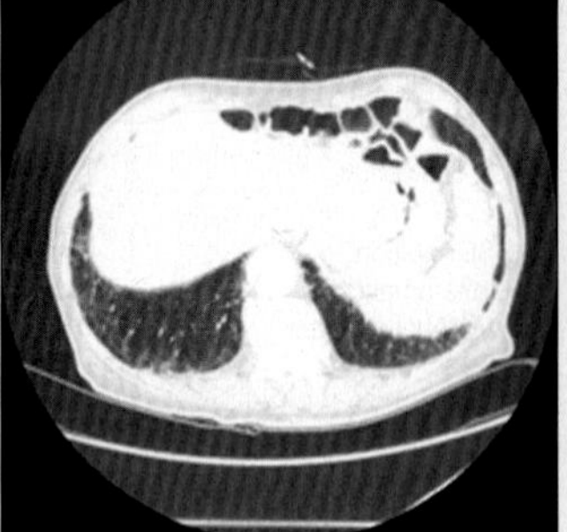

CT에서 양측 subpleura의 minimal firbrosis만 확인되었고 pneumonia 또는 Tb소견은 없었다.

Peripheral blood smear:
CBC: WBC - 36,100/ μL, Hg - 9.0 g/dL, Plt - 214,000 /μL
RBC: normocytic & normochromic, anisopoikilocytosis (+), poikilocytosis (+), mild polychromasia (+)
WBC: marked leukocytosis, reactive monocytosis shift to left phenomenon
differential) myelocyte: 5%, seg.neutrophil: 66%, lymphocyte: 4% monocyte: 15%, immature monocyte: 4%, eosinophil: 1%, atypical lymphocyte: 1%
Platelet: adequate in number

Peripheral blood smear 상 shift to left phenomenon의 toxic sign이 저명하고 간간히 normoblast 계열 관찰 되는 것으로 볼 때 bone marrow - peripheral blood barrier 손상되어 leukoerythro blastic reaction에 합당하며, 이는 감염, 골수 질환, 혈액 암 계열 등에 의한 것으로 판단된다.

Reference
Rapid review pathology, 4th edition, Edward F. goljan

O) Bone marrow aspiration & biopsy:

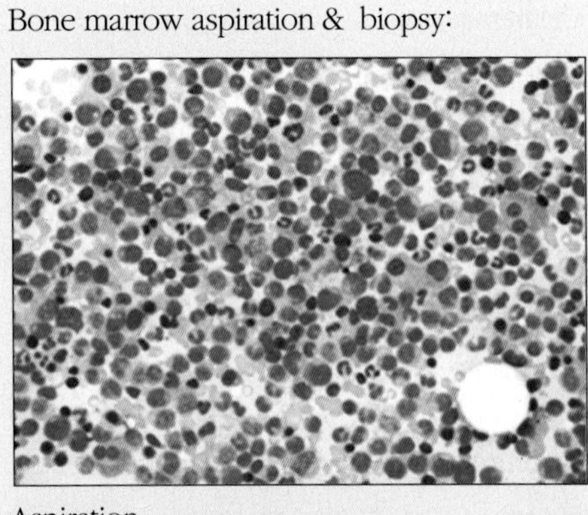

Aspiration

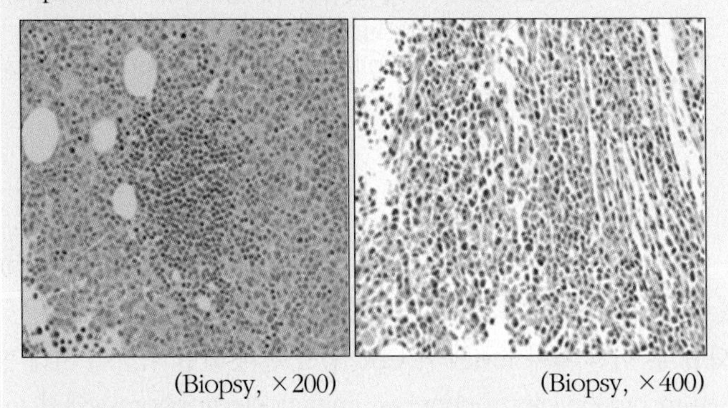

(Biopsy, ×200) (Biopsy, ×400)

A) Reactive leukocytosis

P) Diagnostic plan 〉
serum immune electrophoresis (IEP),
protein electrophoresis (PEP),
urine immune electrophoresis (IEP),
protein electrophoresis (PEP)

Therapeutic plan 〉
observation
treat underlying infectious cause

Bone marrow biopsy에서 celullarity 90%, M:E ratio = 6:1, granulocyte 증가 소견과, few immature form plasma cells (4.8%)이 확인되었다.

x200 배율 현미경 소견에서 single lymphoid aggregation이 보였으나, 악성화 소견은 뚜렷하지 않았다.

Peripheral blood smear 소견과 연관 지었을 때, granulocytic hyperplasia with benign lymphoid nodule로 판단 하였고, infection 등의 자극에 의한 reactive process로 생각 하였다.

Bone marrow biopsy에서 immature form의 plasma cell이 극소수 확인되어, multiple myeloma 가능성에 대한 diagnostic work up 시행 후 외래에서 검사 결과 확인하기로 하였다.

#9 hypo-osmolar hyponatremia	
O)	Sodium, urine 56 mmol/L TSH 4.0 (0.4 ~ 5.0 μU/ml), free T4 1.4 (0.8 ~ 1.9 ng/dL) ACTH 60.7 (1 ~ 60 pg/ml), Cortisol 0min/30min/60min: 20.5/28.5/32.5 (〉18 ug/dl) ➡ desmopressin 중단 후 sodium level 138 mEq/L로 회복됨.
A)	Hypo-osmolar hyponatremia due to desmopressin use
P)	observation

Iron, TIBC, ferritin 소견으로 미루어 볼 때 IDA는 배제할 수 있으며, inflammation에 의한 anemia of chronic disease 가능성이 높을 것으로 진단하였다.

#10. normocytic normochromic anemia	
O)	Iron 127 (50~170 ug/dL), ferritin 390.7 (20 ~ 320 ng/ml), TIBC: 200 (280~400 ug/dL) Folate: 5.5 (~5.4 ng/ml), vitamin B12: 3141 (211~911 pg/ml)
A)	Anemia of chronic disease
P)	transfusion if needed

〈Outpatient follow up〉

퇴원 후 이전 결과 review와 CBC 검사 결과 확인 위하여 외래 방문하였다.
Serum protein electrophoresis, immunoelectrophoresis에서 total protein 5.7 g/dL, IgA κ type의 monoclonal gammopathy 확인되었으며, urine protein electrophoresis, immunoelectrophoresis에서는 urine protein: 33.8 mg/dL, Bens-Jones proteinuria, IgA κ type 확인되었다.
CBC에서는 WBC: 65,300 /μL (neu: 57%, lym: 3%, mon 27%), Hb: 7.0 g/dL, Plt: 134,000 /μL 확인되었다.
IgA κ type의 monoclonal gammopathy 및 지속되는 monocyte-dominant leukocytosis에 대하여 hematologic malignancy 가능성이 높다고 판단하여 추가적 evaluation 위해 입원하였다.

Updated Problem List

#8 monocyte lineage-dominant leukocytosis
➡ infection or hematologic malignancy

#9 hypo-osmolar hyponatremia
➡ euvolemic hypo-osmolar hyponatremia d/t desmopressin use

#10 normocytic normochromic anemia
➡ hypoproliferative normocytic normochromic anemia d/t chronic disease or marrow damage

#11 thrombocytopenia
➡ hematologic malignancy

#12 monoclonal gammopathy, IgA κ type

〈3rd admission〉

#12 monoclonal gammopathy, IgA κ type	
O)	β2 microglobulin: 5.0 μg/mL (1 ~ 2.4 μg/mL) 24hr urine protein: 697 mg/day (25 ~ 70 mg/day) S-PEP, IEP: total protein 5.2 g/dL, no abnormal restriction, IgA κ type U-PEP, IEP: urine protein 30.8 mg/dL, Bence-Jones proteinuira, IgA κ type, 10.4% ➡ M protein 72.5 mg/day Kappa/lambda free light chain ratio (serum): 193.0 (3660/18.90 mg/dL) Bone survey: skull X-ray - pacchionian granulation . Bone marrow study: immunohistochemistry - CD 138 (+), suggestive of kappa positive clustered plasma cells (4.8%) 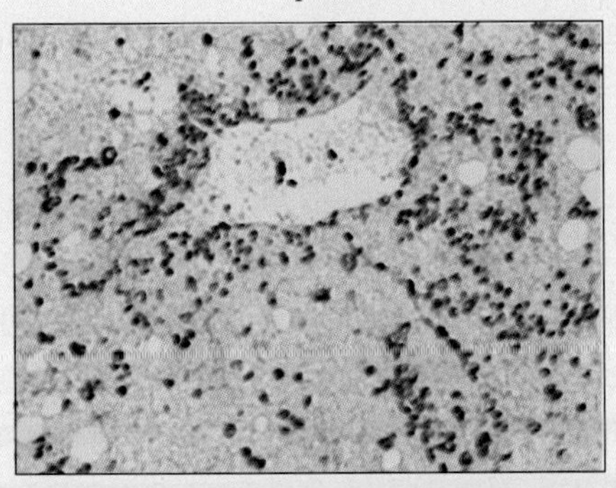 (CD138 IHC, ×200)
A)	Monoclonal gammopathy of undetermined significance (MGUS), IgA κ type
P)	observation

골수 검사에서 plasma cell 4.8%, M-protein 72.5 mg 확인되어, monoclonal gammopathy of undetermined significance (MGUS), IgA κ type으로 진단하였다. 이는 asymptomatic premalignant disease로 risk of progression 1% 내외로 외래 경과관찰 예정이다.

monocytosis는
3개월 이상 지속 되었으며,
CBC에서 monocyte count는
1×10^3/L 이상,
bone marrow study에서
유전자 이상은 없었으며,
peripheral blood smear 및
bone marrow study에서 blast는
20% 미만, dysgranulopoiesis
and dysmonopoiesis 확인되어
chronic myelomonocytic
leukemia로 진단할 수 있었다.
진단 후 항암 치료 목적으로
hydroxyurea 시작하였으며,
anemia 악화 시 수혈하였다.

Reference
CMML:2012,
Sameer A.parikh,MD, American
journal of hematology

#8 monocyte lineage-dominant leukocytosis #10 normocytic normochromic anemia #11 thrombocytopenia	
O)	CBC: WBC - 43,200/ μL, Hg - 8.5 g/dL, Plt - 97,000 /μL monocyte - 26% ➡ 11,200 /μL Peripheral blood smear: blast - 0% Bone marrow study review: Philadelphia chromosome or BCR-ABL1 fusion gene: (-) PDGFRA or PDGFRB rearrangement: (-) myeloblasts - 1.6%, monoblast – 0%, promonocytes – 0% MDS flow cytometry: dysgranulopoiesis and dysmonopoiesis
A)	Chronic myelomonocytic leukemia
P)	hydroxyurea transfusion

Updated Problem List

#8 monocyte lineage-dominant leukocytosis
➡ chronic myelomonocytic leukemia
#10 normocytic normochromic anemia
➡ hypoproliferative normocytic normochromic anemia
(due to marrow damage or chronic disease)
➡ anemia due to chronic myelomonocytic leukemia
#11 thrombocytopenia
➡ hematologic malignancy
➡ chronic myelomonocytic leukemia
#12 monoclonal gammopathy, IgA κ type
➡ monoclonal gammopathy of undetermined significance, IgA κ type

〈4th admission〉

퇴원 4주 뒤 호흡 곤란으로 입원, WBC: 104,000 /μL (Neu - 54%, Lym - 3%, Mon - 32%)로 disease progression 보였으며, BUN/creatinine: 32/1.7 mg/dL, chest X-ray: pulmonary congestion, echocardiography: pericardial effusion 확인되었다. 이는 leukostasis로 azotemia 진행 되어 발생한 것으로 판단하였으며, 산소 요구량 점차 증가되어 기관 삽관 시행 후 중환자실로 전동되었다. 이후 acidosis진행 하였으며, 환자 보호자 측의 DNR 요청으로 leukapheresis 및 투석은 시행하지 않고 경과 관찰하던 중 사망하였다.

Lesson of the case

첫 입원 시부터 monocyte lineage-dominant leukocytosis에 대하여 관심을 기울이지 못하였고, 감염에 의해 이차적으로 발생한 것으로 판단하여 진단이 다소 늦어졌던 환자였다. 이번 case를 통해 CBC 시행 시 total count 뿐만 아니라 differential count 또한 중요하게 관찰해야 할 항목임을 배울 수 있었다. 그리고 고령 환자가 지속되는 monocytosis로 내원 시, infection에 의한 reactive process로만 판단할 것이 아니라 malignancy 및 다른 질환 감별 위해 bone marrow study를 고려해봐야 할 것이다. 또한 monocyte lineage hematologic disease 의심이 되지만 bone marrow biopsy 소견으로 감별이 어려울 때 flow cytometry immunophenotyping 검사를 이용하면 감별에 유용할 것으로 생각된다.

Differential diagnosis of monocytosis

1) Infection
   a. granulomatous disease (tuberculosis, fungal disease)
   b. endocarditis
   c. syphilis
2) Autoimmune disease
   a. lupus, rheumatoid arthritis
   b. giant cell arteritis
   c. vasculitis
3) Inflammatory bowel disease
4) Sarcoid
5) Malignancy
   a. primary hematologic malignancy
   b. solid tumors
6) Neutropenia
   a. associated with chronic neutropenia
   b. recovery from marrow suppression
7) Post splenectomy

Reference: Goldman: Goldman's Cecil Medicine, 24th
〈Chapter 170 leukocytosis and leukopenia〉

CASE 12 6시간 전 시작된 객혈로 내원한 60세 남자

Chief Complaints

Hemoptysis, started 6 hours ago

Present Illness

5년 전 심방 세동 진단 받고 본원 심장내과 내원하여 약물 투약하였으나 조절되지 않아 4년 전과 2년 전 radiofrequency catheter related ablation 시행하여 정상 동율동 전환되었다. 2년 전 입원 당시 시행한 pulmonary vein CT에서 좌측 상, 하 폐정맥 협착 확인되어 정기적으로 CT 추적 관찰하였고 CT에서 협착 진행 확인하였으나 특별한 증상 없어 경과 관찰 하였다.

6개월 전 건강 검진으로 시행한 흉부 CT에서 양측 폐의 다발성 간유리 음영, 좌측 흉수 확인 되어 입원하여 흉수 천자 포함하여 검사하였다. 흉수 양상이 삼출액이었으나 그 원인 분명하지 않아 경과 관찰하였다.

3개월 전 간헐적인 객혈 있어 연고지 이비인후과에서 후두경 시행 후 만성 기관지염 진단받았다.

10일 전 시행한 흉부 CT에서 간유리 음영의 범위가 이전보다 증가하였으나 증상 변화는 없어 경과 관찰하였다.

6시간 전부터 발열은 없이 기침, 가래를 동반한 종이컵 한 컵 씩의 6-7회의 대량 객혈 발생하여 응급실 내원하였고, airway protection 위해 intubation 시행하였다.

Past History

diabetes mellitus: 6개월 전 진단, life style modification

hypertension (-)

hepatitis (-)

tuberculosis (-)

Family History

diabetes mellitus: 어머니
hypertension: 어머니
malignancy: 아버지 - 전립선암, 위암

Social History

occupation: 무직
smoking: 40 pack-years
alcohol (-)

Review of Systems

General

generalized edema (-)	easy fatigability (-)
dizziness (-)	weight loss (-)

Skin

purpura (-)	erythema (-)

Head / Eyes / ENT

headache (-)	hearing disturbance (-)
dry eyes (-)	tinnitus (-)
rhinorrhea (-)	oral ulcer (-)
sore throat (-)	dry mouth (-)

Cardiovascular

chest pain (-)	palpitation (-)
orthopnea (-)	dyspnea on exertion (-)

Gastrointestinal

anorexia (-)	dyspepsia (-)
nausea (-)	vomiting (-)
diarrhea (-)	abdominal pain (-)

Genitourinary

flank pain (-)	gross hematuria (-)
genital ulcer (-)	

Neurologic

seizure (-)	cognitive dysfunction (-)
psychosis (-)	motor-sensory change (-)

Musculoskeletal

CVA tenderness (-)	tingling sense (-)
back pain (-)	muscle pain (-)
pretibial pitting edema (-)	

Physical Examination

height 160 cm, weight 61.1 kg

body mass index 23.8 kg/cm^2

Vital Signs

BP 132/84 mmHg - HR 77회 /min - RR 18회 /min - BT 36.2℃

General Appearance

looking acute ill	alert
acute ill looking	

Skin

skin turgor: normal	ecchymosis (-)
rash (-)	purpura (-)

Head / Eyes / ENT

isocoric pupils with prompt light reflex	
whitish sclerae	pinkish conjuctivae
palpable lymph nodes (-)	jugular vein engorgement (-)

Chest

chest contour : normal	symmetric expansion without retraction
coarse breathing sound	crackles on left lung field

Heart

regular rhythm
normal heart sounds without murmur

Abdomen

normoactive bowel sound with soft and flat
tenderness / rebound tenderness (-/-)

Musculoskeletal and extrimities

no deformites
pretibial pitting edema (-/-)
costovertebral angle tenderness (-/-)

Initial Laboratory Data

CBC

WBC ($4\sim10\times10^3/mm^3$)	9,100	Hb (13~17g/dl)	12.7
WBC differential count	Neutrophil 65.3% lymphocyte 26.8% monocyte 5%	platelet ($150\sim350\times10^3/mm^3$)	239

Chemical & Electrolyte battery

Ca (8.3~10 mg/dL) / P (2.5~4.5 mg/dL)	8.9/3.8	glucose (70~110 mg/dL)	209
protein (6~8 g/dL)/ albumin (3.3~5.2 g/dL)	7.4/3.6	aspartate aminotransferase (AST) (~40 IU/L) alanine aminotransferase (ALT) (~40 IU/L)	17/10
alkaline phosphatase (ALP) (40~120 IU/L)	69	gamma-glutamyltranspeptidase (r-GT) (11~63 IU/L)	33
total bilirubin (0.2~1.2 mg/dL)	0.3	direct bilirubin (~0.5mg/dL)	0.2
BUN(10~26mg/dL) /Cr (0.7~1.4mg/dL)	16/0.65	Estimated GFR (≥ 60ml/min/1.7m^2)	80
C-reactive protein (~0.6 mg/dL)	0.94	cholesterol	102
Na^+ (135~145 mmol/L) / K^+ (3.5~5.5 mmol/L) / Cl^- (98~110 mmol/L)	135/4.1/100	total CO_2 (24~31 mmol/L)	24.2
ABGA : pH 7.41, pO_2 78 mmHg, pCO_2 41 mmHg, HCO_3^- 26 mmEq/L, O_2 saturation 96%			

Coagulation battery

prothrombin time (PT) (70~140%)	97.8%	PT(INR) (0.8~1.3)	0.98
activated partial thromboplastin time (aPTT) (25~35sec)	27.6sec		

Urinalysis with microscopy

specific gravity (1.005~1.03)	1.030	pH (4.5~8)	5.0
Albumin (-)	(-)	Glucose (-)	(+++)
Ketone (-)	(-)	Bilirubin (-)	(-)
Occult blood (-)	(-)	Nitrite (-)	(-)
RBC (0~2/HPF)	0/HPF	WBC (0~2/HPF)	0/HPF
squamous cell (0~2/HPF)	0/LPF	bacteria	0/HPF

6개월 전에 비해 left lower lung의 consolidation 증가와 left hilar area bulging 소견이 보인다.

Chest X-ray

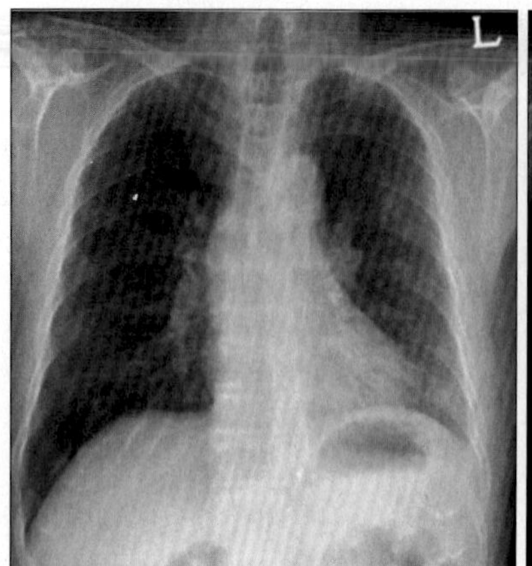

〈이번 병원 방문 당시〉

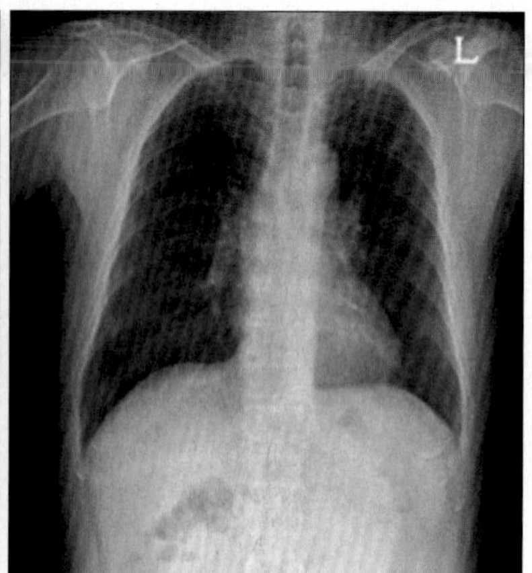

〈6개월 전〉

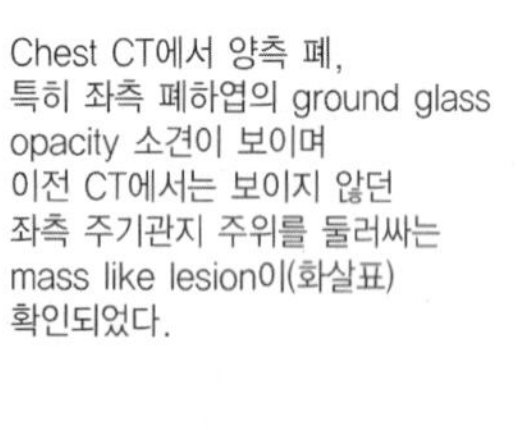

Chest CT에서 양측 폐, 특히 좌측 폐하엽의 ground glass opacity 소견이 보이며 이전 CT에서는 보이지 않던 좌측 주기관지 주위를 둘러싸는 mass like lesion이(화살표) 확인되었다.

Chest CT

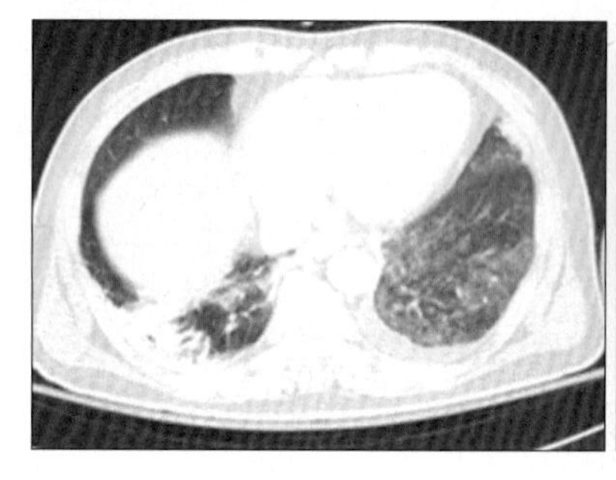

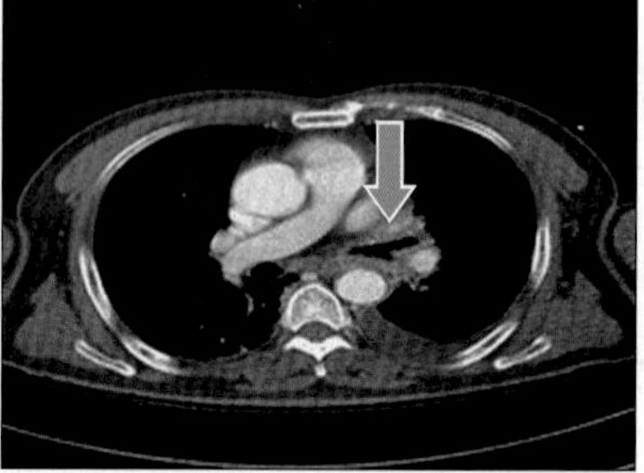

Initial Problem List

#1 H/O Atrial fibrillation

#2 S/P Radiofrequency catheter related ablation
(4 years ago and 2 years ago)

#3 Progressive pulmonary vein stenosis, Left superior, inferior after RFCA

#4 Uncontrolled diabetes mellitus

#5 Smoking (40 pack-years)

#6 Massive hemoptysis

#7 Multiple patchy ground glass opacities

#8 Mass around Lt. main bronchus

#9 Left pleural effusion

대량 객혈의 정의는 24시간 이내에 100-600 mL의 출혈을 보이는 것으로 환자는 종이컵 한 컵 (120 mL) 분량의 객혈을 6-7회 반복하여 대량 객혈의 정의에 만족한다.

주 기관지 주변의 mass like lesion에 대해 radiologic finding으로 malignancy 가능성이 가장 높으며, ground glass opacities lesion은 aspiration된 blood가 가장 유력하게 의심되나 pneumonia 및 pulmlonary TB가 동반되었을 가능성도 있다.

Assessment and Plan

#5 Smoking (40 pack-years)
#6 Massive hemoptysis
#7 Multiple patchy ground glass opacities
#8 Mass around Lt. main bronchus
#9 Left pleural effusion

A)	Lung cancer with endobronchial lesion Pneumonia Pulmonary tuberculosis
P)	Diagnostic plan 〉 Sputum gram stain, culture Sputum AFB stain, culture Sputum cytology ANCA/ANA 등 autoantibody level check Chest CT Bronchoscopy Therapeutic plan 〉 Tranexamic acid Bronchoscopy Empirical antibiotics Consider bronchial artery embolization

Hospital day #2-4

#5 Smoking (40 pack-years)
#6 Massive hemoptysis
#7 Multiple patchy ground glass opacities
#8 Mass around Lt. main bronchus
#9 Left pleural effusion

S)	Intubated state bloody suction 12회/day

O)	CBC) initial Hb 12.7 ➡ 9.2 g/dL로 감소 하였다. ANCA/ANA (-/-) Sputum cytology: negative for malignancy Electrocardiography) paroxysmal supraventricular tachycardia Bronchodscopy) 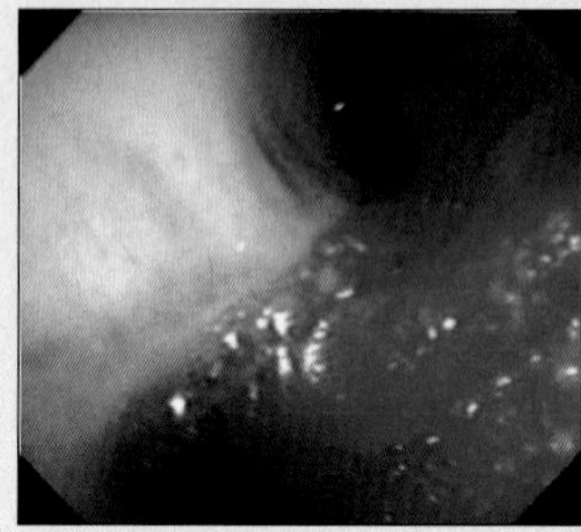 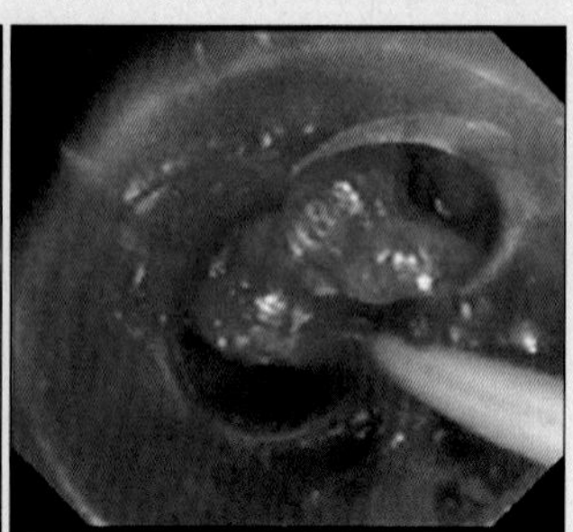 양측 기관지에 blood clot 있었으나 제거 시 focus를 찾을 수 없는 active bleeding이 지속되어 주 기관지 외 추가로 검사할 수 없었다. Embolization) 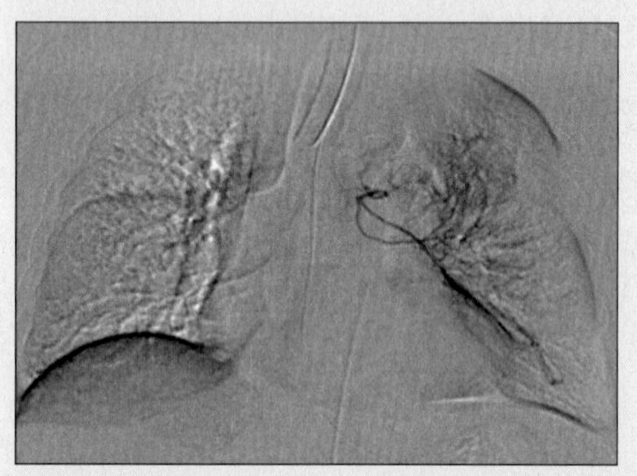 Bilateral bronchial artery의 slightly hypertrophy 외에 뚜렷한 bleeding focus없어 prophylactic gelfoam embolization을 시행하였다.
A)	Lung cancer with endobronchial lesion Pneumonia Pulmonary tuberculosis
P)	Diagnostic plan 〉 Transthoratic echocardiography Therapeutic plan 〉 Tranexamic acid Empirical antibiotics

이전에 left pulmonary vein stenosis 있었던 병력을 고려하여 pulmonary artery pressure 확인을 위해 echocardiography를 추적관찰 하기로 하였다.

Hospital Day #4-6

#5. Smoking (40 pack-years)
#6. Massive hemoptysis
#7. Multiple patchy ground glass opacities
#8. Mass around Lt. main bronchus
#9. Left pleural effusion

O)

CBC) 9.6 ➡ 7.6 g/dL으로 Hb 감소하였다.
CRP) 9.4 mg/dL
Sputum/blood culture) no growth
Bronchoscopy)

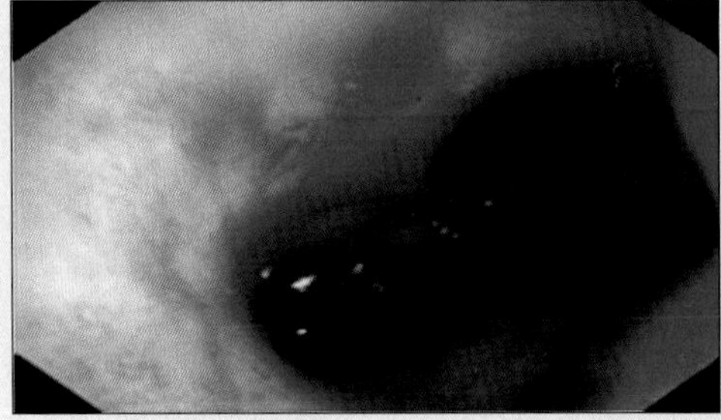

Left. main bronchus carina 직하방에서 혈괴 제거 후 출혈 지속되어 epinephrine 사용하여 지혈함. Right. bronchus는 관찰하지 못하였다.

Embolization)
Bleeding focus 뚜렷하지 않아 Right bronchial artery의 prophylactic embolization 시행하였다.

Transthoracic echocardiography)
LV ejection fraction 66%
TR Vmax 3.7 m/sec, Pressure gradient (RV-RA) 56 mmHg
➡ Newly developed moderate resting pulmonary hypertension

A) Hemoptysis
due to pulmonary vein stenosis after RFCA

P) Percutaneous pulmonary vein angioplasty
대량 객혈 발생 시 left lower lobectomy 고려

2년 전 시행한 TTE에서 LVEF = 65%, Pressure gradient (RV-RA) 29 mmHg로 정상 소견이었다.

TTE에서 새롭게 발견된 pulmonary hypertension과 2년 전 left pulmonary vein stenosis 진단 후 follow up CT에서 점차 stenosis 진행한 점을 연관시켜 initial에 시행한 chest CT review 시 left main bronchus를 둘러싼 mass like lesion이 pulmonary vein stenosis 진행으로 venous engorgement로 인한 varix로 결론지었고 치료를 위해 percutaneous pulmonary vein angioplasty를 우선 시행하기로 하였다.

Hospital Day #7

#5 Smoking (40 pack-years)
#6 Massive hemoptysis
#7 Multiple patchy ground glass opacities
#8 Mass around Lt. main bronchus
#9 Left pleural effusion

O)

Percutaneous pulmonary vein angioplasty

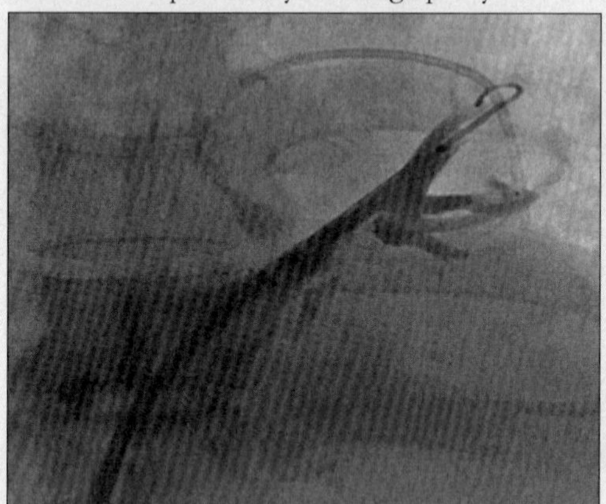

Right femoral vein을 puncture하여 접근한 뒤 right atrium에서 left atrium으로 transseptal puncture 시행, left superior pulmonary vein을 찾아서 balloon angioplasty 시행 후 stenting 시행하였다. 이 과정에서 pulmonary vein rupture 발생하여 pericardial tamponade와 함께 cardiac arrest발생하여 pericardiocentesis하면서 Extra-corporeal membrane oxygenation (ECMO) 삽입을 시행하였다. 다시 transseptal puncture 시행하여 left atrium으로 진입하였고 다시 stent를 넣어서 leakage되는 부분을 막은 뒤 같은 자리에 angioplasty 시행한 후 contrast extravasation은 없는 것을 확인하였다.

A)

Hemoptysis
  due to pulmonary vein stenosis after RFCA
  s/p Lt. sup. pulmonary vein angioplasty
Cardiac arrest
  due to pulmonary vein rupture & cardiac tamponade
  s/p Extra-corporeal membrane oxygenation (ECMO) insertion

P)

Extra-corporeal membrane oxygenation(ECMO) 유지
Anti platelet, anti coagulant는 bleeding tendency로 투약하지 않기로 함
Inotropics 등 supportive care
출혈 지속되면 응급 수술 고려

Hospital Day #8-10

#5 Smoking (40 pack-years)
#6 Massive hemoptysis
#7 Multiple patchy ground glass opacities
#8 Mass around Lt. main bronchus
#9 Left pleural effusion

O)	Endotracheal suction 으로 bloody secretion 양이 시술 직후 감소 하였으나 다시 bloody secretion 증가 함 BFS) 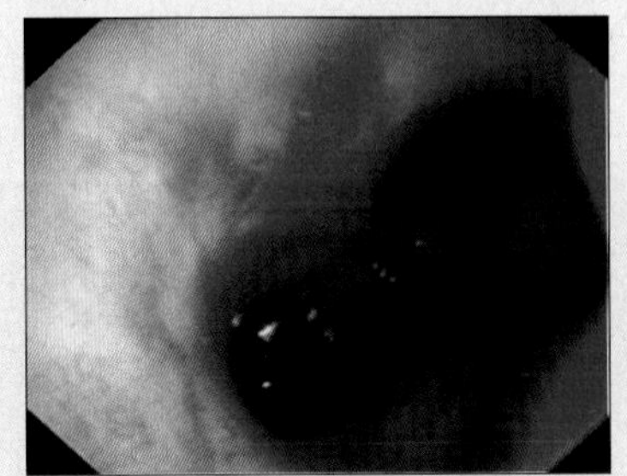 Left lower lobe bronchus에서 active bleeding이 확인되어 Pulmonary vein angioplasty, left inferior 우선 시행하기로 하였다. Pulmonary venography) Left inferior pulmonary vein의 total occlusion 및 이전 stent를 insertion 한 Left superior pulmonary vein의 in-stent restenosis확인되어 cathter insertion 불가능하였다.
A)	Hemoptysis due to pulmonary vein stenosis after RFCA s/p Lt. sup. pulmonary vein angioplasty Cardiac arrest due to pulmonary vein rupture & cardiac tamponade s/p Extra-corporeal membrane oxygenation (ECMO) insertion
P)	흉부외과와 상의하여 응급 수술 진행

Hospital Day #11-14

#5 Smoking (40 pack-years)
#6 Massive hemoptysis
#7 Multiple patchy ground glass opacities
#8 Mass around Lt. main bronchus
#9 Left pleural effusion

O)

Operation note)
Left inferior pulmonary vein resection 후 left atrium에 anastomosis 하려 하였으나 chronic obstruction으로 flow 전혀 없어 pneumonectomy, Left 시행하였다.

CXR)

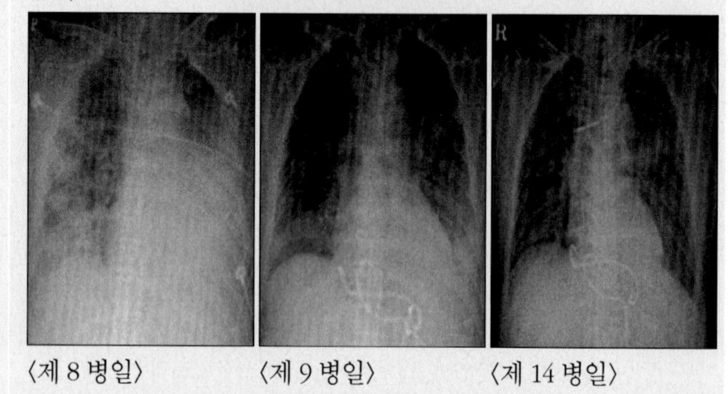

〈제 8 병일〉 〈제 9 병일〉 〈제 14 병일〉

Right lung의 consolidation이 점차 증가하고 있다.

Bronchoscopy) Lt. bronchial operation stump site는 intact 하였고 Rt. bronchus에서 bronchial washing 시행함

A)

Hemoptysis
  due to pulmonary vein stenosis after RFCA
  s/p Lt. sup. pulmonary vein angioplasty
Cardiac arrest
  due to pulmonary vein rupture & cardiac tamponade
  s/p Extra-corporeal membrane oxygenation (ECMO) insertion
Pulmonary vein stenosis after RFCA
  s/p Lt. pneumonectomy
Hospital acquired pneumonia

P) Bronchial washing culture 결과 확인 후 Antibiotics 조절 상의

Updated problem list

#1 H/O Atrial fibrillation
#2 S/P Radiofrequency catheter related ablation
(4 years ago and 2 years ago)
#3 Progressive pulmonary vein stenosis, Left superior, inferior after RFCA
s/p Lt. sup. pulmonary vein angioplasty
s/p Pneumonectomy
#4 Uncontrolled diabetes mellitus
#5 Smoking (40 pack-years)
#6 Massive hemoptysis
➞ #3
#7 Multiple patchy ground glass opacities
➞ #3
#8 Mass around Lt. main bronchus
#9 Left pleural effusion
➞ #3
#10 Cardiac arrest
due to pulmonary vein rupture & cardiac tamponade
s/p Extra-corporeal membrane oxygenation(ECMO) insertion
#11 Hospital acquired pneumonia

Hospital Day #19-31

제 19병일에 ventilator weaning 시도하였으나 실패하여 tracheostomy 시행함. 이후 hospital acquired pneumonia에 대해 항균제 치료하였고, 제 31병일에 T-piece weaning 성공하여 일반 병동 전동 후 재활의학과 전과하여 재활치료 후 증상 호전되어 퇴원하였다.

Lesson of the case

Hemoptysis 원인으로 드물지만 radiofrequency catheter ablation 후 발생한 pulmonary vein stenosis가 있을 수 있으므로 병력 청취 및 이전 의무 기록을 면밀히 검토해야 할 것이며, pulmonary vein stenosis 확인 시 angioplasty나 operation 결정 전 여러 가지 환자의 co-rmorbidity를 고려하고 여러 과에서 다각적으로 상의하여 환자에게 가장 알맞은 치료 방향을 결정해야 할 것이다.

CASE 13 2개월 전 시작된 전신 쇠약감으로 내원한 75세 남자

Chief Complaints

General weakness, started 2 months ago

Present Illness

2개월 전부터 전신 쇠약감이 발생하였고 입맛이 없어 식사 잘 하지 않으면서 15 kg의 체중 감소가 있었다. 1개월 전부터 커피색의 육안적 혈뇨가 발생하였고 blood clot은 없었으며 물을 마시면 호전되었다가 악화되는 것이 반복되었다.

연고지 병원에서 복부 전산화 단층 촬영을 하였으나 이상 소견은 없었다고 듣고 특별한 치료 없이 경과 관찰하였다.

3주 전부터는 간헐적으로 양 손에 마비가 왔고 오른쪽 다리에 차가운 느낌이 있었다. 1주일 전부터는 양쪽 다리에 힘이 없어 걷기 힘들었으며 전신 쇠약감이 악화되어 가정의학과로 입원하였다.

Past History

hypertension (-)
diabetes (-)
tuberculosis (-)
hepatitis (-)

Family History

diabetes (-)
hypertension (-)
tuberculosis (-)
hepatitis (-)
malignancy (-)

Social History

occupation: 전직 대학 교수
smoking: 20 pack-years, ex-smoker
alcohol (+): 맥주 1병/일, 50년

Review of Systems

General

generalized edema (-)	easy fatigability (+)
dizziness (-)	

Skin

purpura (-)	erythema (-)

Head / Eyes / ENT

headache (-)	hearing disturbance (-)
dry eyes (-)	tinnitus (-)
rhinorrhea (-)	oral ulcer (-)
sore throat (-)	dry mouth (-)

Respiratory

cough (+): 1 day ago	sputum (+): 1 day ago, yellowish
dyspnea (-)	wheezing (-)

Cardiovascular

chest pain (-)	palpitation (-)
orthopnea (-)	

Gastrointestinal

dyspepsia (-)	nausea (-)
vomiting (-)	constipation (-)
diarrhea (-)	abdominal pain (-)

Musculoskeletal

arthralgia (-)	tingling sense (-)
back pain (-)	myalgia (-)

Physical Examination

height 153.3 cm, weight 42 kg, body mass index 17.9 kg/m^2

Vital Signs

BP 108/70 mmHg - HR 102 /min - RR 18 /min - BT 36.8℃

General Appearance

chronically ill - looking	alert
oriented to time, place, and person	

Skin

skin turgor: normal	ecchymosis (-)
rash (-)	purpura (-)

Head / Eyes / ENT

visual field defect (-)	pinkish conjunctivae (+)
icteric sclera (-)	palpable lymph nodes (-)

Chest

symmetric expansion without retraction	normal tactile fremitus
percussion: resonance	crackles on whole lung field

Heart

regular rhythm	normal heart sounds without murmur

Abdomen

soft & flat abdomen	normoactive bowel sound
tenderness (-)	rebound tenderness (-)

Neurology

motor weakness (+): MRC scale grade 4, both upper and lower extremities	sensory disturbance (-)
gait disturbance (-)	neck stiffness (-)

Initial Laboratory Data

CBC

WBC (4,000~10,000 /mm³)	18,100	Hb (13~17 g/dl)	12.6
WBC differential count	neutrophil 80.6% lymphocyte 7.9% eosinophil 4.3%	platelet (150~350 × 10³/mm³)	414

Chemical & Electrolyte battery

Ca (8.3~10 mg/dL)	8.4	glucose (70~110 mg/dL)	93
protein (6~8 g/dL)/ albumin (3.3~5.2 g/dL)	7.7 1.9	aspartate aminotransferase (AST) (~40 IU/L) alanine aminotransferase (ALT) (~40 IU/L)	23 13
alkaline phosphatase (ALP) (40~120 IU/L)	110	gamma-glutamyl transpeptidase (r-GT) (11~63 IU/L)	50
total bilirubin (0.2~1.2 mg/dL)	1.1	direct bilirubin (~0.5 mg/dL)	0.2
BUN (10~26 mg/dL) Cr (0.7~1.4 mg/dL)	64/2.9	estimated GFR (≥ 60 ml/min/1.7 m²)	21
C-reactive protein (~0.6 mg/dL)	21.03	cholesterol	121
Na (135~145 mmol/L) / K (3.5~5.5 mmol/L) / Cl (98~110 mmol/L)	134/4.3/101	total CO_2 (24~31 mmol/L)	22.7

Coagulation battery

prothrombin time (PT) (70~140%)	86.6%	PT (INR) (0.8~1.3)	1.08
activated partial thromboplastin time (aPTT) (25~35 sec)	30.2		

Urinalysis with microscopy

specific gravity (1.005~1.03)	1.015	pH (4.5~8)	5.0
albumin (TR)	Trace	glucose (-)	(-)
ketone (-)	(-)	bilirubin (-)	(-)
occult blood (-)	(++++)	nitrite (-)	(-)
RBC (0~2/HPF)	11-20	WBC (0~2/HPF)	0-2
squamous cell (0~2/HPF)	0-2		

Spot urine

sodium, urine (mmol/L)	20	Creatinine, urine (mg/dL)	70.4
FENa (%)	0.6		

Chest x-ray

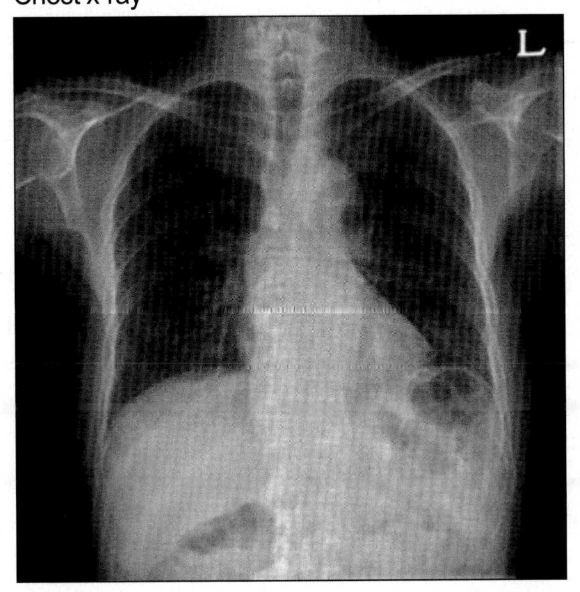

Left lower lung에 음영 증가 소견이 있다.

Heart rate 100회 이상의 tachycardia 소견이다.

EKG

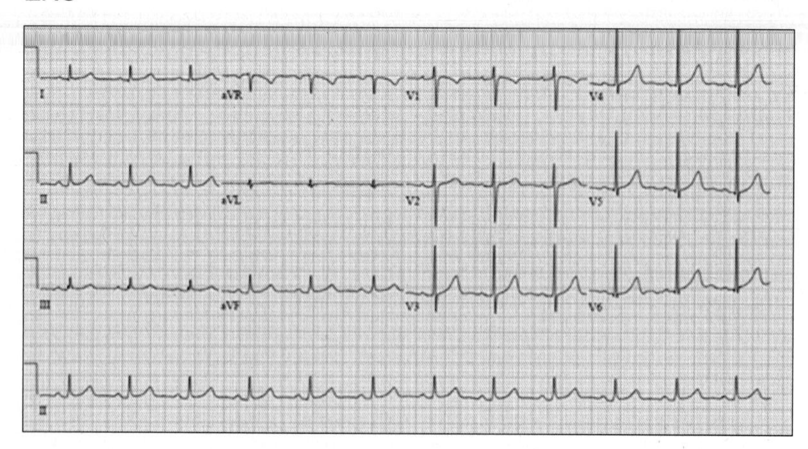

Initial Problem List

#1 General weakness with weight loss
#2 Painless, coffee-colored urine
#3 Cold sensation at right leg, intermittent paralysis of both hands
#4 Motor weakness of both upper and lower extremities
#5 Cough, yellowish sputum
#6 Leukocytosis with elevated C - reactive protein
#7 Azotemia
#8 Hypoalbuminemia, reversed albumin - globulin ratio
#9 Normocytic normochromic anemia

Assessment and Plan

#1 General weakness with weight loss
#4 Motor weakness of both upper and lower extremities
#7 Azotemia
#8 Hypoalbuminemia, reversed albumin - globulin ratio
#9 Normocytic normochromic anemia

A)	Plasma cell disorders such as multiple myeloma
P)	Diagnostic plan 〉 Serum protein electrophoresis (PEP), immunoelectrophoresis (IEP) Serum kappa free light chain, serum lambda free light chain Serum kappa/lambda free light chain ratio Bone survey Whole spine MRI

Albumin – globulin ratio가 역전되어 있고 azotemia, anemia의 소견이 있어 multiple myeloma와 같은 plasma cell disorder를 감별하기 위하여 다음의 검사들을 시행하기로 하였다.

#2 Painless, coffee-colored urine	
A)	Urogenital neoplasm Glomerular nephritis Genitourinary tuberculosis, less likely
P)	Diagnostic plan 〉 Urine cytology, prostate-specific antigen (PSA) Cystoscopy if needed Dysmorphic RBC 24hrs urine protein, 24hrs urine creatinine

타원에서 시행한 CT에서 특이 소견은 없었으나 urogenital neoplasm 및 glomerular nephritis의 가능성이 높을 것으로 판단하였다. Urinary tract infection이나 genitourinary tuberculosis는 dysuria가 없고 pyuria 없고 결핵의 과거력도 없어 가능성이 낮을 것으로 판단하였고 ureter stone 역시 CT에서 보이지 않아 가능성이 낮을 것으로 판단하였다.

#5 Cough, yellowish sputum #6 Leukocytosis with elevated C - reactive protein	
A)	Community acquired pneumonia Upper respiratory infection with atelectasis
P)	Diagnostic plan 〉 Blood culture, sputum culture Pneumococci-urine antigen test Therapeutic plan 〉 Empirical antibiotics: Ceftriaxone + azithromycin

#7 Azotemia	
A)	Prerenal azotemia due to poor oral intake (FENa: 0.6%) Kidney involvement of Multiple myeloma
P)	Therapeutic plan 〉 Hydration Nutritional support by total parenteral nutrition

#9 Normocytic normochromic anemia	
A)	Anemia of chronic disease Iron deficiency anemia
P)	Diagnostic plan 〉 Reticulocyte Serum iron, TIBC, ferritin Stool occult blood

Hospital day #2

#9 Normocytic normochromic anemia	
O)	Reticulocyte 1.15% Iron 24 mcg/dL TIBC 102 mcg/dL Ferritin 306 ng/mL Stool occult blood: negative
A)	Anemia of chronic disease
P)	원인 교정

Hospital day #3

#2 Painless, coffee-colored urine	
S)	수액 맞으면서 소변 색이 정상이 됐어요.
O)	BUN/Cr 62 / 3.5 mg/dL CRP 19.33 mg/dL eGFR 17 ml/min/1.7m^2 PSA: 0.66 ng/mL (reference range; 0 - 3) urine cytology: negative for malignant cells (x2) dysmorphic RBC: 53%
A)	Glomerular nephritis ANCA associated small vessel disease Lupus nephritis Primary glomerular disease
P)	C_3, C_4, CH_{50} ANA titer MPO-ANCA, PR3-ANCA Consider kidney biopsy

#1 General weakness with weight loss #4 Motor weakness of both upper and lower extremities #7 Azotemia #8 Hypoalbuminemia, reversed albumin - globulin ratio #9 Anemia of chronic disease	
O)	Bone survey Degenerative spondylosis, T and L spine Disc space narrowing, C3-4-5 and L1-2 Osteopenia Spondylolytic spondylolisthesis, L5-S1
A)	Plasma cell disorders such as multiple myeloma
P)	Wait for serum PEP, IEP

Multiple myeloma 환자에서 bone lesion 여부를 확인하기 위하여 전신 x-ray (bone survey)를 시행하였다. Osteoporosis, osteolytic lesion은 보이지 않았다.

Hospital day #5

#5 Cough, yellowish sputum
#6 Leukocytosis with elevated C - reactive protein

S)	기침, 가래는 이제 거의 없어요.
O)	clear lung sound without crackles blood culture: 5 day no growth sputum culture: normal flora 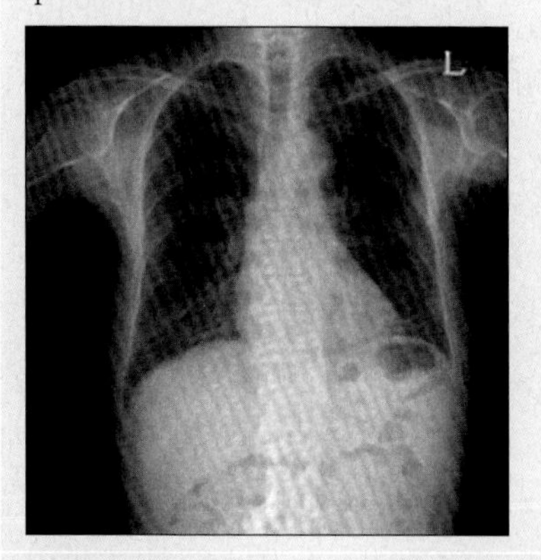
A)	Upper respiratory infection with atelectasis
P)	Discontinue antibiotics

Chest x-ray는 이전과 차이가 없다.

Hospital Day #7-8

#2 Painless, coffee-colored urine
#7 Azotemia

O)	serum PEP, IEP: no abnormal zone of restriction with monoclonal antibodies C_3: 61.8 mg/dL (88 - 201) C_4: 7.7 mg/dL (16 - 47) CH_{50}: 〈10 U/ml (25 - 50) MPO-ANCA: positive (〉134) PR3-ANCA: negative 24hrs urine protein: 325.1 mg/day (24hrs urine creatinine: 1.01 g/day)
A)	Glomerular nephritis ANCA associated small vessel disease Lupus nephritis Primary glomerular disease such as MPGN
P)	Kidney biopsy

Serum PEP, IEP에서 γ fraction의 intensity가 증가하였지만 M-peak가 없는 polyclonal gammopathy의 소견을 보여 multiple myeloma는 배제하였다.

C_3, C_4, CH_{50}가 낮아 lupus nephritis, membranoproliferative glomerulonephritis (MPGN)의 가능성을 고려하였고 MPO-ANCA가 양성으로 확인되어 ANCA associated small vessel vasculitis 가능성도 있을 것으로 판단하였다. 이러한 질환들을 감별하기 위하여 kidney biopsy를 시행하기로 하였다.

Kidney biopsy 결과와 MPO-ANCA 양성 소견 등을 종합하여 microscopic polyangiitis로 진단하였다. ANA 양성 소견에 대하여 다른 자가 면역 질환이 동반되었을 가능성을 고려하여 Anti-ds-DNA Ab 등의 autoimmune Ab 검사를 시행하였다.

Hospital Day #9

#2 Painless, coffee-colored urine
#7 Azotemia

O)

ANA titer: mixed type (Speckled 1:320 + Nucleolar 1:320)
Kidney biopsy:
Focal extracapillary proliferative and focal necrotizing glomerulonephritis, consistent with pauci-immune crescentic glomerulonephritis

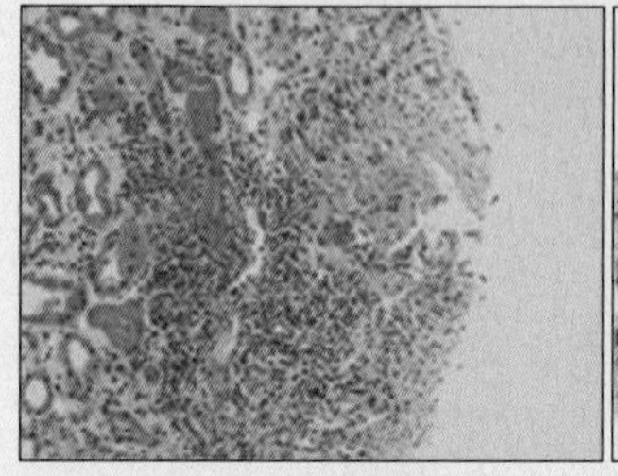

H&E ×200

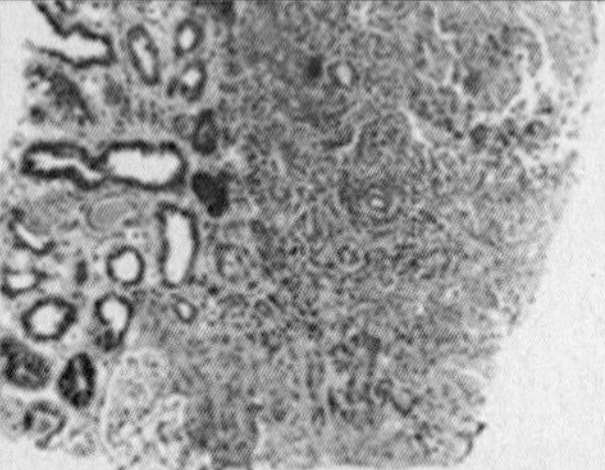

MT × 200

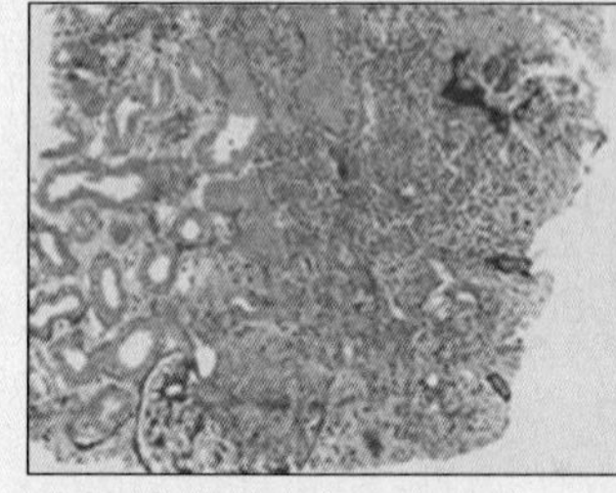

PAS ×200

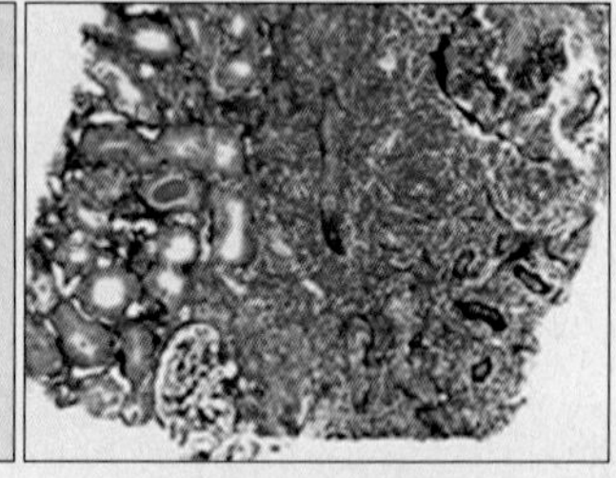

Silver × 200

A)

Microscopic polyangiitis
Systemic lupus erythematosus

P)

Diagnostic plan 〉
Anti-ds-DNA Ab, Auto-immune Ab
Therapeutic plan 〉
Steroid pulse therapy (methylprednisolone 250 mg)
Cyclophosphamide 50 mg

Hospital Day #11

#2 Painless, coffee-colored urine
#7 Azotemia

O)	Anti-dsDNA: 12.4 IU/mL (positive) Anti-SSA (Ro) Ab: positive (34 U/mL) Anti-SSB (La) Ab: negative Lupus anticoagulant test: negative Anticardiolipin Ab (IgG/IgM): negative/negative Beta2-GPI (IgG/IgM): negative/negative Anti-U1RNP Ab: negative Anti-sm Ab: negative Scl-70 Ab: negative
A)	Microscopic polyangiitis Systemic lupus erythematosus
P)	Steroid pulse therapy (methylprednisolone 250 mg) Cyclophosphamide 50 mg

ANA, anti-ds DNA 양성, C3, C4의 감소, anti-Ro Ab 양성 소견 등을 고려하였을 때 SLE diagnostic criteria를 모두 만족하지는 못하지만 SLE가 동반되었을 가능성이 높다는 류마티스 내과의 의견이 있었다.

이에 SLE에 microscopic polyangiitis가 동반된 것으로 생각하여 치료를 유지하였다.

Updated problem list

#1 General weakness with weight loss ➡ Microscopic polyangiitis
#2 #2 Painless, coffee-colored urine ➡ see #1
#3 Cold sensation at right leg, intermittent paralysis of both hands ➡ see #1
#4 Motor weakness of both upper and lower extremities ➡ see #1
#5 Cough, yellowish sputum ➡ Upper respiratory tract infection
#6 Leukocytosis with elevated C - reactive protein ➡ see #1
#7 Azotemia ➡ see #1
#8 Hypoalbuminemia, reversed albumin - globulin ratio ➡ see #1
#9 Normocytic normochromic anemia ➡ Anemia of chronic disease

Clinical course

Steroid, cyclophosphamide를 사용하면서 creatinine는 10일 동안 4.5 mg/dL에서 3.2 mg/dL로 호전되었고 전신 증상도 호전되어 퇴원하였다. 이후 steroid tapering하여 prednisolone 2.5 mg qd로 감량하였고 cyclophosphamide는 azathioprine으로 변경하였다. 체중도 다시 17 kg 증가하였고 creatinine은 1.9 mg/dL로 호전되었으며 hematuria, proteinuria 모두 호전되었다.

Lesson of the case

고령의 환자에서 발열, 체중 감소 등의 전신 증상과 함께 inflammatory marker의 증가 소견이 보이고 hematuria 또는 proteinuria가 있으면서 azotemia가 빠르게 진행한다면 rapid progressive glomerulonephritis의 가능성도 고려해야 한다.

CASE 14 3개월 전 시작된 혈변을 주소로 내원한 47세 남자

Chief Complaints

Hematochezia, started 3 months ago

Present Illness

10년 동안 일주일에 소주 2병정도 씩 마시던 자로 3개월 전 변기 전체를 물들이는 선홍색의 혈변이 있어 OO병원 방문결과, 간경변 및 식도 정맥류 확인 되었다. 음주력 고려하여 알코올성 간경변증으로 판단하고 경과 관찰하였다.
1개월 전 다시 동일한 양상의 혈변 발생하여 OO병원에서 위내시경 시행하였다. 중등도의 식도 정맥류 확인 되었으나, 활동성 출혈은 관찰되지 않았다. 당시 대장내시경 및 bleeding scan시행했으나 특이 소견은 없었다.
1일전 다시 혈변 발생하여 혈관 조영술 시행했으나, 뚜렷한 출혈 부위 관찰되지 않아 추가 검사 위해 본원 응급실로 전원 되었다. 응급실에서 식욕부진, 소화불량 호소하였으나, 복통, 오심 및 구토는 호소하지 않았다. 비위관 세척 시 혈액은 관찰되지 않았고, 직장수지검사에서 혈변이 확인되었다.

Past History

tuberculosis: 20년 전, 완치판정 받음
diabetes (-)
hypertension (-)
hepatitis (-)

Family History

diabetes (-)
hypertension (-)
tuberculosis (-)
malignancy (-)

Social History

occupation: 개인사업(상점)
smoking: 15갑년, 10년 전 금연
alcohol: 10년 간 주 1회, 한번에 소주 2병

Review of Systems

General

generalized weakness (+)	easy fatigability (-)
dizziness (-)	weight loss (-)

Skin

purpura (-)	erythema (-)

Head / Eyes / ENT

headache (-)	hearing disturbance (-)
dry eyes (-)	tinnitus (-)
rhinorrhea (-)	oral ulcer (-)
sore throat (-)	dizziness (+)

Respiratory

dyspnea (-)	hemoptysis (-)
cough (-)	sputum (-)

Cardiovascular

chest pain (-)	palpitation (-)
orthopnea (-)	dyspnea on exertion (-)

Gastrointestinal → See Present illness

Genitourinary

flank pain (-)	gross hematuria (-)
genital ulcer (-)	costovertebral angle tenderness (-)

Neurologic

seizure (-)	cognitive dysfunction (-)
psychosis (-)	motor- sensory change (-)

Musculoskeletal

pretibial pitting edema (-)	tingling sense (-)
back pain (-)	muscle pain (-)

Physical Examination

height 180 cm, weight 92.0 kg
body mass index 28.4 kg/cm^2

Vital Signs

BP 127/78 mmHg - HR 99 /min - RR 22 /min - BT 37.1℃

General Appearance

acute ill - looking	alert
oriented to time, person, place	

Skin

skin turgor : normal	ecchymosis (-)
rash (-)	purpura (-)

Head / Eyes / ENT

visual field defect (-)	pale conjunctiva (+)
icteric sclera (-)	palpable lymph nodes (-)

Chest

symmetric expansion without retraction	normal tactile fremitus
percussion : resonance	clear breath sound without crackle

Heart

regular rhythm	normal hearts sounds without murmur

Abdomen

distended abdomen	decreased bowel sound
splenomegaly (+)	rebound tenderness (-)

Back and extremities

pretibial pitting edema (+/+)	costovertebral angle tenderness (-/-)
flapping tremor (-)	

Neurology

motor weakness (-)	sensory disturbance (-)
gait disturbance (-)	neck stiffness (-)

Initial Laboratory Data

CBC

WBC ($4\sim10\times10^3/mm^3$)	9,700	Hb (13~17g/dl)	7.7
MCV (81~96 fl)	89.2	MCHC (32~36 g/dl)	34.4
WBC differential count	neutrophil 61.4% lymphocyte 25.3% monocyte 5%	platelet ($150\sim350\times10^3/mm^3$)	59

Chemical & Electrolyte battery

Ca (8.3~10mg/dL) /P (2.5~4.5mg/dL)	6.8/3.3	glucose (70~110 mg/dL)	125
protein (6~8 g/dL) / albumin (3.3~5.2 g/dL)	3.4/1.6	aspartate aminotransferase (AST) (~40 IU/L) / alanine aminotransferase (ALT) (~40 IU/L)	33/24
alkaline phosphatase (ALP) (40~120 IU/L)	110	gamma-glutamyl transpeptidase (r-GT) (11~63 IU/L)	13
total bilirubin (0.2~1.2 mg/dL)	4.7	direct bilirubin (~0.5 mg/dL)	0.5
BUN (10~26 mg/dL) / Cr (0.7~1.4 mg/dL)	21/0.7	estimated GFR ($\geq$ 60 ml/min/1.7 m^2)	90
C-reactive protein (~0.6 mg/dL)	0.5	cholesterol	36
Na (135~145 mmol/L) / K (3.5~5.5 mmol/L) / Cl (98~110 mmol/L)	132/4.0/112	total CO_2 (24~31 mmol/L)	20.0
ABGA : pH 7.460, PaO_2 90.0 mmHg, $PaCO_2$ 32.0 mmHg, HCO_3^- 23.0 mmEq/L, O_2 saturation 97%			

Coagulation battery

prothrombin time (PT) (70~140%)	43.4 %	PT (INR) (0.8~1.3)	1.60
activated partial thromboplastin time (aPTT) (25~35 sec)	19.8 sec		

Urinalysis

specific gravity (1.005~1.03)	1.025	pH (4.5~8)	6.0
albumin (TR)	(+)	glucose (-)	(-)
ketone (-)	(-)	bilirubin (-)	(+)
occult blood (-)	(-)	nitrite (-)	(-)
urobilinogen	(+)		

Chest x-ray

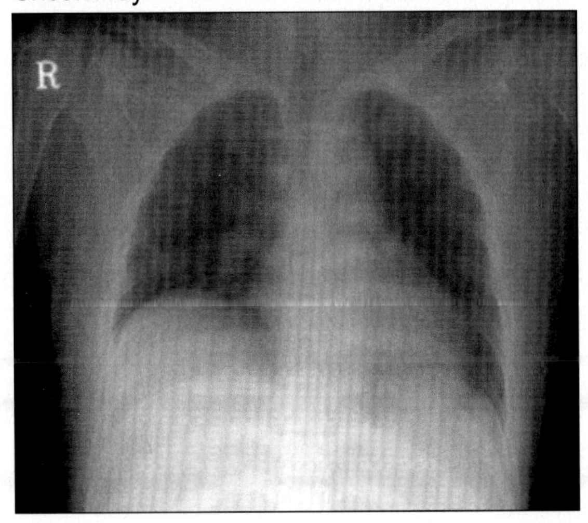

누워서 찍은 chest X-ray로 특이 소견 관찰되지 않는다.

Initial Problem List

#1 Recurrent hematochezia

#2 Liver cirrhosis

Assessment and Plan

대량의 GI bleeding은 우선 상부위장관 출혈을 배제해야 한다. 빈도상 peptic ulcer disease, esophageal varix, Mallory-Weiss syndrome 순서이나, 환자의 경우 병력 및 타원검사 소견 고려 시 variceal bleeding 가능성이 높다.

간경변 환자의 경우, 내시경 시술 전 CT를 촬영하여 정맥류 병변의 위치를 파악하는 것이 시술에 도움이 될 수 있다.

Variceal bleeding에서 vasopressin 사용은 생존율 향상에 이득이 있다.

#1 Recurrent hemaotchezia	
A)	Upper gastrointestinal bleeding due to variceal bleeding due to ulcer bleeding Lower gastrointestinal bleeding
P)	Diagnostic plan 〉 Esophagogastroduodenoscopy ➡ colonoscopy Liver dynamic CT Treatment plan 〉 NPO & packed RBC/Platelet concentrate/Fresh frozen plasma transfusion IV continuous proton pump inhibitor infusion Prophylactic antibiotic (cefotaxime) Vasopressin injection (terlipressin) Vitamine K replacement

알콜을 하루 80 g 이상, 10년 이상 섭취 시 간질환이 발생 가능하다. 소주 한병에는 약 75 g 정도의 알코올이 포함되어 있다.

coagulopathy, anemia hypoalbuminemia, splenomegaly는 liver cirrhosis의 결과로 생각할 수 있다.

#2 Liver cirrhosis, Child-Pugh class C	
A)	Liver cirrhosis due to alcohol due to virus due to autoimmune
P)	Diagnostic plan 〉 viral hepatitis markers : anti-HCV Ab, HBsAg, anti-HBs Ab cerulosplasmin, ANA, AMA check Treatment plan 〉 ascites control hepatotonics antiviral therapy, if needed diuretics, if needed

Hospital day #1

#1 Recurrent hematochezia
#2 Liver cirrhosis, Child-Pugh class C

S) 힘이 없어요.

O) Esophagoduodenoscopy

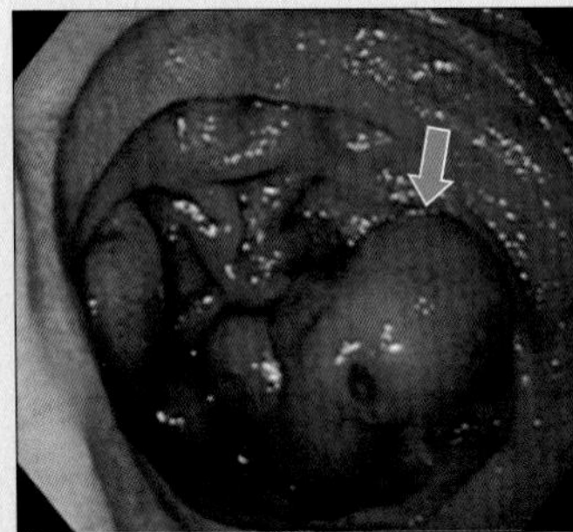

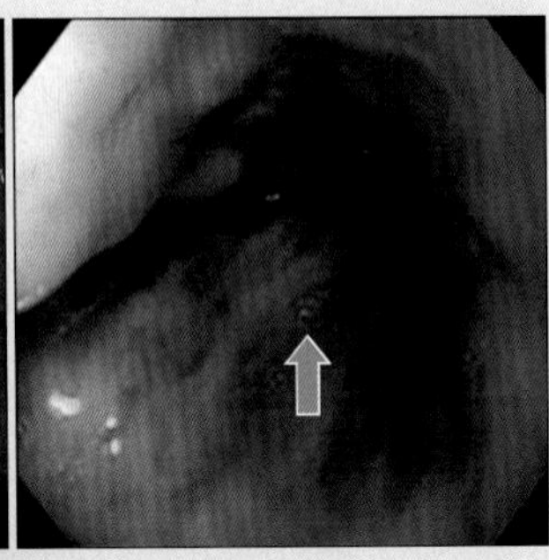

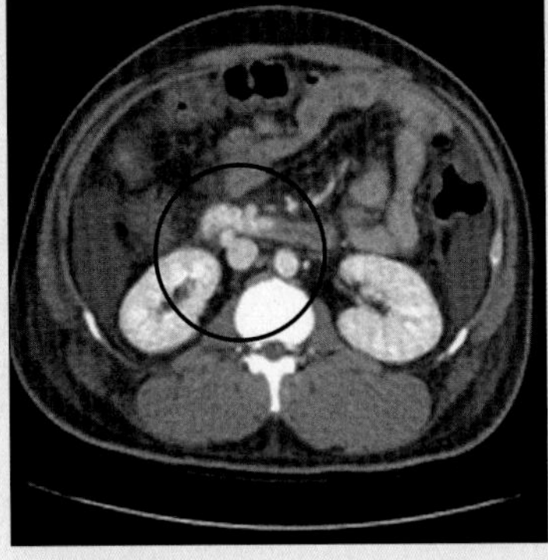

Viral marker:
- anti-HCV Ab (+)
- HBs-Ag (-)
- HBs-Ab (+)

A) Duodenal variceal bleeding due to #2
HCV LC, Child-Pugh class C

P) Bleeding control
- Transjugular intrahepatic portosystemic shunt (TIPS)

HCV RNA genotyping
HCV RNA quantitative test

Left: duodenum second portion의 varix에 bleeding stigma가 확인되고 있다. (blue arrow)
Right: blue color, tortuous vein의 esophageal varix가 관찰되고 있다.(blue arrow)

Liver dynamic CT에서 liver surface에 nodulality 관찰되어 liver cirrhosis에 합당한 소견이다. Portal phase에서 십이지장으로 supply 되는 dilatation된 조영 증강된 혈관이 관찰된다. (black circle)

본원 EGD에서 active bleeding은 없었으나 Child-Pugh calss C이고 high hepatic vein pressure gradient가 예상되어 다시 hematochezia 발생하면 TIPS를 시행하기로 하였다.

Child-Pugh calss C, Hepatic vein pressure gradient가 20 mmHg 으로 압력이 높은 경우는, 내시경적 치료 실패 고위험군으로 분류 되며, 이러한 경우 TIPS를 고려할 수 있다.
(N engl j med 362;25, june 24, 2010)

Hospital day #2

#1 Recurrent hematochezia
→ Duodenal variceal bleeding due to #2
#2 Liver cirrhosis, Child-Pugh class C
→ HCV LC, Child-Pugh class C

S) 다시 혈변을 봤습니다.

O)

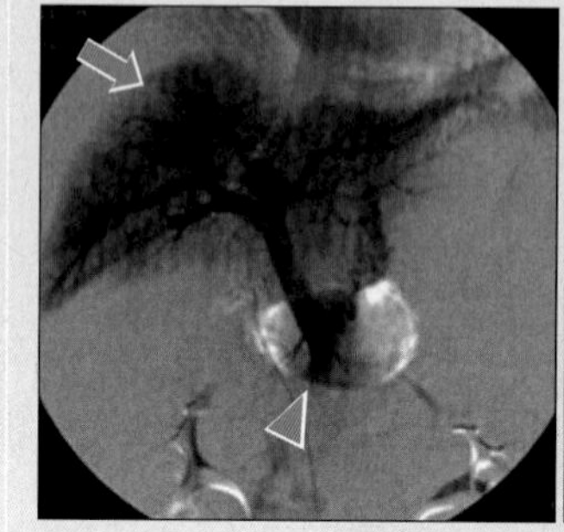

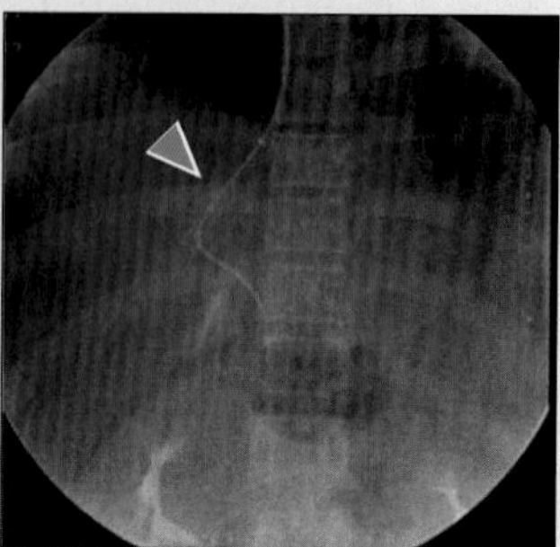

Left:
portal vein (arrow head),
hepatic vein (arrow)

Right:
Stent (arrow head)

TIPS 시행함

	Pre-TIPS	Post-TIPS
IVC	21 mmHg	24 mmHg
Portal vein	39 mmHg	37 mmHg
Hepatic vein	-	29 mmHg
Right atrium	-	21 mmHg

TIPS 전후의 portosystemic pressure gradient가 호전되었다.
Normal pressure gradient: 5~10 mmHg

A) Duodenal variceal bleeding
HCV LC, Child-Pugh class C

P) Bleeding control
- Consider Endoscopic variceal obturation (EVO)
- Endoscopic variceal ligation (EVL) for esophageal varix

Hospital Day #3

#1 Recurrent hematochezia
→ Duodenal variceal bleeding due to #2
s/p TIPS
#2 Liver cirrhosis, Child-Pugh class C
→ HCV LC, Child-Pugh class C

S)	혈변을 봤어요.
O)	Vital signs BP 99/57 mmHg - HR 86 /min - RR 18 /min - BT 36.1℃ Hematochezia: 400 g Hb 6.2 g/dL 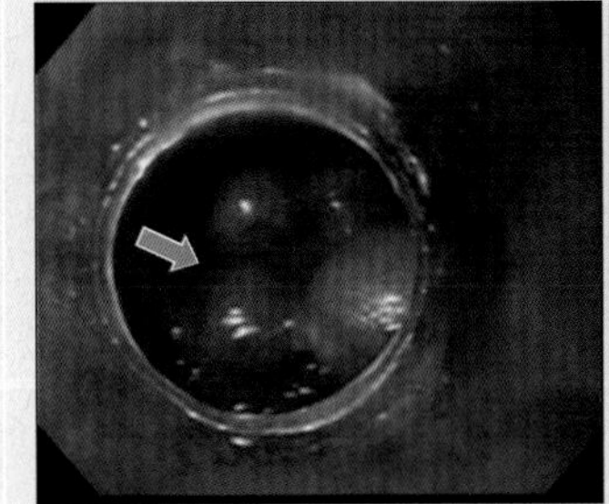 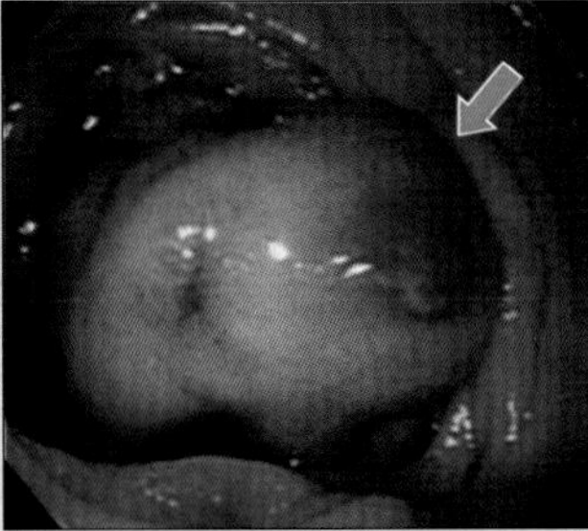
A)	Controlled duodenal variceal bleeding HCV LC, Child-Pugh class C
P)	NPO 유지 CBC follow up

혈변이 다시 발생하여, endoscopic intervension을 시행하기로 하였다.

Left: ligation된 esophageal varix가 관찰된다.

Right: 경화된 duodenal varix가 관찰된다.

Hospital Day #4~11

#1 Recurrent hematochezia
➜ Duodenal variceal bleeding due to #2
s/p TIPS, EVO, EVL
#2 Liver cirrhosis, Child-Pugh class C
➜ HCV LC, Child-Pugh class C

S)	피가 다시 나지는 않겠죠?
O)	Vital signs BP 112/59 mmHg - HR 87 /min - RR 18 /min - BT 36.7℃ CBC 2000/mm^3 - 9.6 g/dL - 39 k/mm^3 HCV 1b genotype HCV RNA quantitative 5.45 × 10^5 IU/mL
A)	Controlled duodenal variceal bleeding HCV LC, Child-Pugh class C
P)	Repeat EVL Consider anti HCV medication

이후 환자는 외래에서 HCV medication 시작 여부를 결정하기로 하고 퇴원하였다.

❶ 만성 C형 간염 치료의 적응증
1) 혈청 HCV RNA 양성이고, 혈청 ALT치가 정상 상한치보다 높은 경우
2) 혈청 HCV RNA 양성이고, 간조직 검사에서 2단계 이상의 섬유화가 있는 경우
3) 혈청 HCV RNA 양성이고, 대상성 간경변증이 있는 경우

❷ 만성 C형 간염 치료의 금기증
1) 조절이 안 된 우울증
2) 간 이외 장기 이식 수혜자
3) 자가 면역성 간염이나 인터페론으로 악화될 수 있는 질환
4) 조절이 안 된 갑상선 기능 이상
5) 심하고 조절이 안 된 동반질환 (고혈압, 심부전, 관상동맥질환, 당뇨병, 만성기관지염 등)
6) 조절이 안 된 빈혈(Hemoglobin 〈 10g/dl), 호중구 감소증(absolute neutrophil count, ANC 〈 750 /mm^3), 혈소판 저하증 (혈소판 수치 〈 50,000/mm^3)
7) 진행 중인 알코올 중독자나 정맥주사 약물 남용자
8) 임신 중이거나 피임을 못할 경우
9) 해당 약제 과민성이 있을 경우
10) 치료를 원치 않을 때

❸ 치료 개별화 환자군
1) 정상 ALT치를 가진 환자
2) 급성 C형 간염 환자
3) HBV와 HCV 중복 감염된 환자
4) HIV와 HCV 중복 감염된 환자
5) 간이식 후 환자
6) 신장 질환이 있는 환자
7) 정맥주사 약물 남용자

2004년 대한간학회, C형 간염 치료 가이드라인

이후 경과

2006년 9월과 10월 2회 더 endoscopic variceal ligation 시행하였다. 이후 외래 경과 관찰 중, 2007년 2월 ribavirin + amantadine 치료 시작하였으나, HCV RNA 감소에 영향 거의 없어 2007년 10월 치료 중단하고 경과 관찰하기로 하였다.

2012년 3월, MELD score 7점에서 9점으로 상승하며, LFT 역시 악화되어 환자 동의 하에 Interferon alfa-2a + ribavirin 치료 시작하였다. 치료 당시 환자의 HCV RNA는 9.6 × 103 IU/mL 이었다. 치료 12주차의 HCV RNA는 undetectable로 감소하여 early viral response (EVR) 확인할 수 있었다. 이후 48주차 치료 종료 시에도 역시 RNA는 측정되지 않아, end treatment response (ETR)를 확인하였다. 치료 종료 6개월 째에도 여전히 HCV RNA는 확인되지 않아 sustained viral response (SVR)를 확인하였다.

Model for End-Stage Liver Disease (MELD) score: = (0.957 * ln (Serum Cr) + 0.378 * ln (Serum Bilirubin) + 1.120 * ln (INR) + 0.643) * 10 (if hemodialysis, value for Creatinine is automatically set to 4.0)

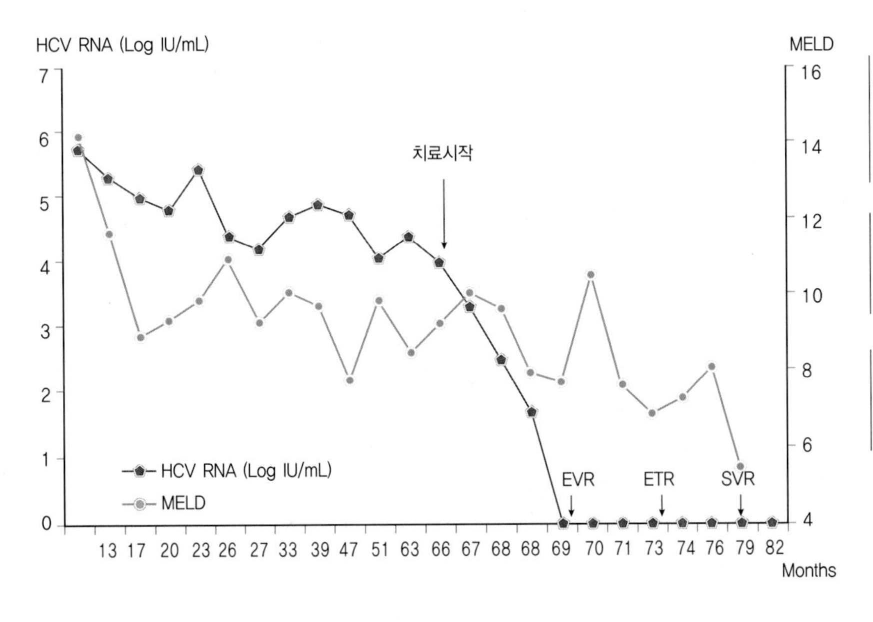

EVR(early viral response): 치료 12주째 혈중 HCV RNA가 치료 전 기저값에 비해 2 log 이상 감소하거나 검출 한계 50 IU/mL 이하의 예민한 검사법으로 검출되지 않는 상태

ETR(end of treatment response): 치료 종료 시점에 검출 한계 50 IU/mL 이하의 예민한 검사법으로 혈중 HCV RNA가 검출되지 않는 상태

SVR(sustained viral response): 치료 종료 24주째 검출 한계 50 IU/mL 이하의 예민한 검사법으로 혈중 HCV RNA가 검출되지 않는 상태

Lesson

Gastric varix의 변형인 duodenal varix는 발견이 쉽지 않다. 간경변 환자가 반복적인 위장관 출혈을 보임에도 출혈부위가 명확하지 않을 때는 duodenal varix를 고려해야 한다. 치료로는 내시경적 폐색술이 가능할 경우 효과적이다.

CASE 15-1 1주 전 시작 된 왼쪽 옆구리 통증으로 내원한 52세 남자

Chief Complaints
Left flank pain, started 1 week ago

Present Illness
특이병력 없었던 남자로 1주일 전부터 왼쪽 옆구리가 간헐적으로 욱신욱신 거리는 통증과 함께 전신 피로감이 발생하였다. OO병원 방문하여 복부 컴퓨터 단층촬영(CT)을 시행하여 pancreatic tail mass 발견되어 본원 내원하였다. 내원 시 체중감소, 구토, 식욕부진, 혈뇨 등의 증상은 없었다.

Past History
diabetes (-)
hypertension (-)
tuberculosis(-)
hepatitis (-)

Family History
diabetes (-)
hypertension (-)
tuberculosis (-)
malignancy (-)

Social History
smoking: 19 pack-year, current smoker, 19 pack-year
alcohol: 10년간 주 1회, 한번에 소주 2잔

Review of Systems

General

easy fatigability (+)	erythema (-)
dizziness (-)	weight loss (-)

Skin

purpura (-)	

Head / Eyes / ENT

headache (-)	hearing disturbance (-)
dry eyes (-)	tinnitus (-)
rhinorrhea (-)	oral ulcer (-)
sore throat (-)	dizziness (-)

Respiratory

dyspnea (-)	hemoptysis (-)
cough (-)	sputum (-)

Cardivascular

chest pain (-)	palpitation (-)
orthopnea (-)	dyspnea on exertion (-)

Gastrointestinal

anorexia (-)	nausea (-)
vomiting (-)	constipation (-)
diarrhea (-)	white stool (-)
hematochezia (-)	melena (-)

Genitourinary

flank pain (-)	genital ulcer (-)

Neurologic

seizure (-)	cognitive dysfunction (-)
psychosis (-)	motor- sensory change (-)

Musculoskeletal

muscle pain (-)	tingling sense (-)
back pain (-)	

Physical Examination

height 178.8 cm, weight 70.1 kg

body mass index 22.1 kg/cm^2

Vital Signs

BP 133/95 mmHg - HR 68 /min - RR 18/min - BT 36.3℃

General appearance

not so ill - looking	alert
oriented to time, person, place	

Skin

skin turgor : normal	ecchymosis (-)
rash (-)	purpura (-)

Head / Eyes / ENT

visual field defect (-)	pale conjunctiva (-)
icteric sclera (-)	palpable lymph nodes (-)

Chest

symmetric expansion without retraction	normal tactile fremitus
percussion : resonance	clear breath sound without crackle

Heart

regular rhythm	normal hearts sounds without murmur

Abdomen

soft and flat abdomen	normoactive bowel sound
abdominal tenderness (-)	rebound tenderness (-)
hepatomegaly (-)	splenomegaly (-)
no palpable mass	

Back and extremities

pretibial pitting edema (-/-)	costovertebral angle tenderness (-/-)
flapping tremor (-)	

Neurology

motor weakness (-)	sensory disturbance (-)
gait disturbance (-)	neck stiffness (-)

Initial Laboratory Data

CBC

WBC ($4\sim10\times10^3/mm^3$)	4,400	Hb (13~17g/dl)	14.5
MCV (81~96 fl)	93.8	MCHC (32~36 g/dl)	34.2
WBC differential count	neutrophil 60.0% lymphocyte 30.9% monocyte 6.2%	platelet ($150\sim350\times10^3/mm^3$)	173

Chemical & Electrolyte battery

Ca (8.3~10mg/dL) / P (2.5~4.5mg/dL)	8.9/3.8	glucose (70~110 mg/dL)	102
protein (6~8 g/dL) / albumin (3.3~5.2 g/dL)	7.0/4.3	aspartate aminotransferase (AST) (~40 IU/L) / alanine aminotransferase (ALT) (~40 IU/L)	21/18
alkaline phosphatase (ALP) (40~120 IU/L)	72	gamma-glutamyl transpeptidase (r-GT) (11~63 IU/L)	31
total bilirubin (0.2~1.2 mg/dL)	0.7	direct bilirubin (~0.5 mg/dL)	0.2
BUN (10~26 mg/dL) / Cr (0.7~1.4 mg/dL)	16/0.82	estimated GFR ($\geq$ 60 ml/min/1.7 m^2)	90
C-reactive protein (~0.6 mg/dL)	0.1	cholesterol	142
Na (135~145 mmol/L) / K (3.5~5.5 mmol/L) / Cl (98~110 mmol/L)	138/4.6/103	total CO_2 (24~31 mmol/L)	26.6

Coagulation battery

prothrombin time (PT) (70~140%)	114.1 %	PT (INR) (0.8~1.3)	0.94
activated partial thromboplastin time (aPTT) (25~35 sec)	27.5 sec		

Urinalysis

specific gravity (1.005~1.03)	1.019	pH (4.5~8)	5.0
albumin (TR)	(-)	glucose (-)	(-)
ketone (-)	(-)	bilirubin (-)	(-)
occult blood (-)	(-)	nitrite (-)	(-)
Urobilinogen	(-)		

Tumor marke (외부병원 시행)

Carcinoembryonic antigen (0~6 ng/mL)	114.1	CA 19-9 (0~37U/mL)	12.5
Alpha fetoprotein (~7.0ng/mL)	1.4		

| 정상 chest X-ray 소견이다.

Chest x-ray

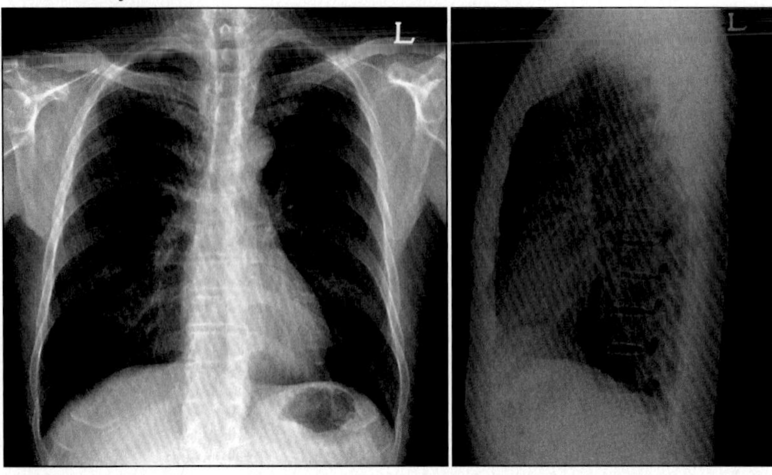

Abdomino-pelvic CT (외부병원)

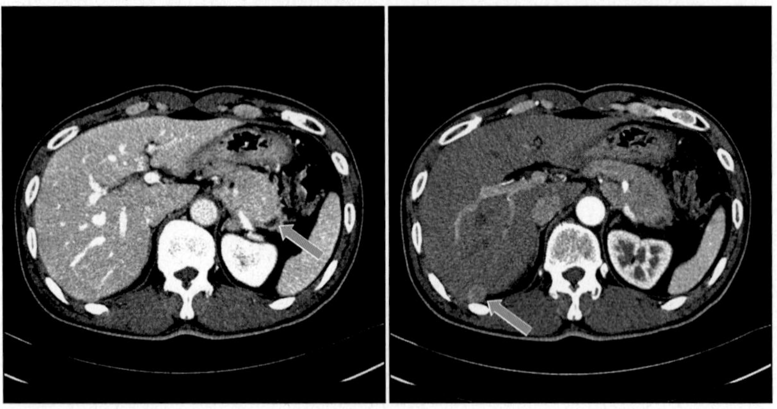

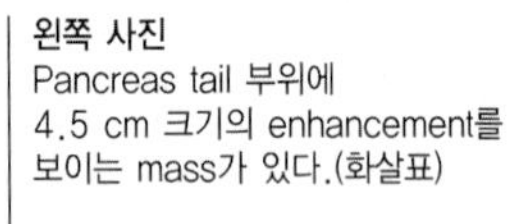

왼쪽 사진
Pancreas tail 부위에 4.5 cm 크기의 enhancement를 보이는 mass가 있다.(화살표)

오른쪽 사진
Liver에도 multiple hypervascular nodule들이 있으며 hepatic metastasis의 가능성이 높다.(화살표)

Initial Problem List

#1 Pancreatic tail mass with multiple lymph nodes

#2 Multiple hepatic nodule

Assessment and Plan

<table>
<tr><td colspan="2">#1 Pancreatic tail mass with multiple lymph nodes
#2 Multiple hepatic nodule</td></tr>
<tr><td>A)</td><td>Pancreatic adenocarcinoma with liver metastasis
Pancreatic neuroendocrine carcinoma with liver metastasis
Other metastatic cancer</td></tr>
<tr><td>P)</td><td>Diagnostic plan 〉
Endoscopic ultrasound (EUS) guided fine needle biopsy

Treatment plan 〉
Lt flank pain ➡ pain control (fentanyl patch)</td></tr>
</table>

Endoscopic ultrasound (EUS)
- endoscopy에 ultrasound 기능을 포함한 것으로, 내시경에서는 보이지 않는 hollow organ 주변 모습을 초음파를 통해서 관찰할 수 있다. 증례에서처럼 췌장미부의 종괴에서 수술적 조직검사보다 위험이 적고 종괴의 초음파적 특징을 통해 진단에 도움을 줄 수 있다.

Hospital day #2-6

<table>
<tr><td colspan="2">#1 Pancreatic tail mass with multiple lymph nodes
#2 Multiple hepatic nodule</td></tr>
<tr><td>S)</td><td>통증은 그럭저럭 비슷합니다.</td></tr>
<tr><td>O)</td><td>EUS-FNA – biliary pancreas (HD #2)
Ovoid cell neoplasm
- 위 소견으로는 진단적이지 않아 조직검사 재 시행하였다.
EUS-FNA, biliary pancreas (HD #6, 2nd)
Ovoid cell neoplasm
두번째의 검사에서도 역시 진단적이지 않았다.</td></tr>
<tr><td>A)</td><td>Pancreatic adenocarcinoma with liver metastasis
Pancreatic neuroendocrine carcinoma with liver metastasis
Other metastatic cancer</td></tr>
<tr><td>P)</td><td>cannot get diagnostic tissue through pancreatic tail mass
➡ Liver biopsy</td></tr>
</table>

Hospital day #8

#1 Pancreatic tail mass with multiple lymph nodes
#2 Multiple hepatic nodule

O)

Liver Biopsy 시행
〈H&E stain ×400〉

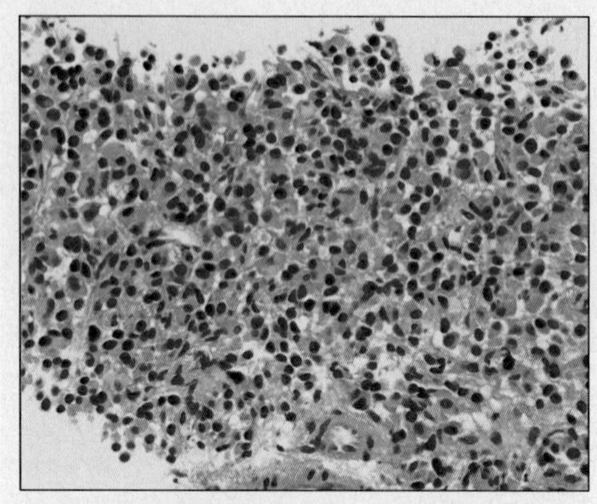

전반적으로 round and ovoid nuclei를 보이는 조직이며, mitotic index 〈 1/10HPFs로 보이는 부위에서는 mitosis하는 cell은 관찰되지 않는다.

〈Synatophysin stain ×100〉

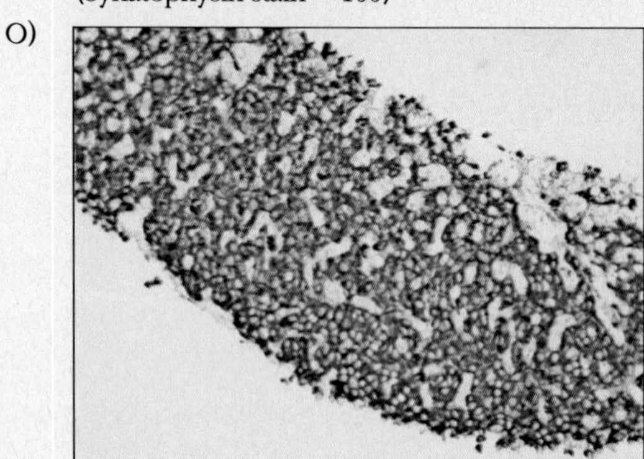

synaptophysin에 염색이 되며, 이는 neuroendocrine and neural tissue에서 보이는 면역형광염색이다.

Well-Differentiated Neuroendocrine tumor
Synaptophysin (+) chromogranin (-)
Mitotic index 〈 1/10 HPFs

Chromogranin A : 66.83 ng/mL (27~94)

Chromogranin A: neuroendocrine secretory protein, contained in the neurosecretory vesicles of neuroendocrine tumor cells, NET를 가진 환자에서 배출되며 plasma chromogranin A level은 tumor response와 prognositic value를 가진다.

〈UPTODATE, Metastatic gastroenteropancreatic neuroendocrine tumors〉

A) Well differentiated neuroendocrine tumor, pancreas with multiple metastasis

P) 임상적으로 증상 경미하고 환자와 치료에 대해 상의 후 외래에서 경과관찰 하기로 하고 퇴원하기로 계획했다.

Clinical Course

이후 환자는 외래에서 2개월 단위로 경과관찰 하였다. Eastern Cooperative Oncology Group Performance scale: 0~1로 간헐적인 왼쪽 옆구리의 통증은 있었으나 낮은 용량의 진통제에서 잘 조절되었다.
또한 확인한 복부 컴퓨터 단층촬영에서 종양의 크기 변화 없어 병의 상태도 stable disease로 2년째 경과관찰 중이다.

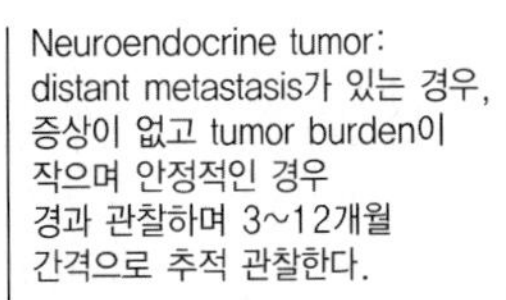
Neuroendocrine tumor: distant metastasis가 있는 경우, 증상이 없고 tumor burden이 작으며 안정적인 경우 경과 관찰하며 3~12개월 간격으로 추적 관찰한다.

〈NCCN guidelines version 2014.1〉

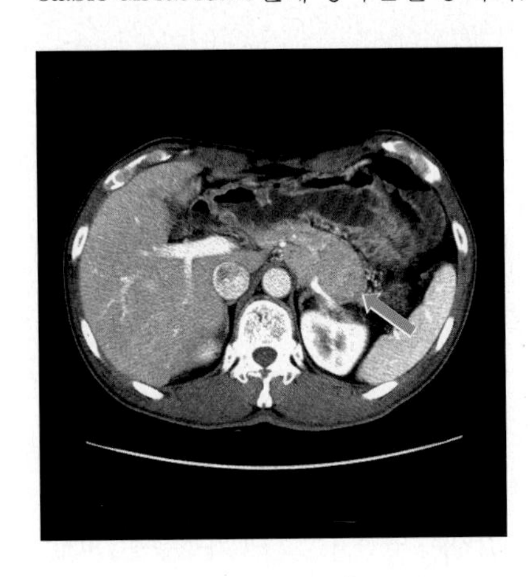

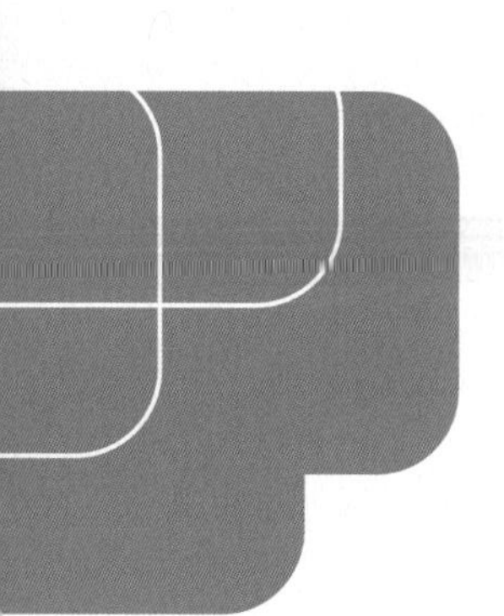

CASE 15-2 5일 전 시작된 황달로 내원한 69세 남자

Chief Complaints

Gall bladder mass, detected 1 day ago

Present Illness

간질환 병력 없었던 남자로 일주일 전부터 소변이 진하게 나왔다. 하루 전 얼굴에 황달이 생겼으나, 발열, 복통, 체중감소는 없었고, 그 외 가려움증, 피로감, 복부팽만감도 없었다. 타원에서 복부 컴퓨터 단층촬영을 시행하였고 담낭의 종괴가 의심되었다. 이후 본원에서 치료 원하여 내원하였다.

Past History

diabetes (-)
hypertension (-)
tuberculosis(-)
hepatitis (-)

기타 :

Left inguinal hernia
s/p Left herniorrhaphy (51세에 수술하였다.)

Abdominal aneurysm of aorta
s/p repairment (62세에 발견되어 수술하였다.)

Rt. Internal iliac artery aneurysm
s/p coil embolization (69세에 시술 받았다)

Family History

diabetes (-)
hypertension (-)
tuberculosis (-)
malignancy (-)
stroke (+): 어머니

Social History

smoking: 40 pack-years, ex-smoker (3년 전 중단)
alcohol: (-)

Review of Systems

General

dizziness (-)	easy fatigability (+)

Skin

purpura (-)	erythema (-)

Head / Eyes / ENT

headache (-)	hearing disturbance (-)
dry eyes (-)	tinnitus (-)
rhinorrhea (-)	oral ulcer (-)
sore throat (-)	dizziness (-)

Respiratory

dyspnea (-)	hemoptysis (-)
cough (-)	sputum (-)

Cardiovascular

chest pain ( )	palpitation (-)
orthopnea (-)	dyspnea on exertion (-)

Gastrointestinal

anorexia (-)	nausea (-)
vomiting (-)	constipation (-)
diarrhea (-)	white stool (-)
hematochezia (-)	melena (-)

Genitourinary

flank pain (-)	gross hematuria (-)
genital ulcer (-)	

Neurologic

seizure (-)	cognitive dysfunction (-)
psychosis (-)	motor-sensory change (-)

Musculoskeletal

tingling sense (-)	muscle pain (-)
back pain (-)	

Physical Examination

height 172.8 cm, weight 67.7 kg

body mass index 22.7 kg/cm^2

Vital Signs

BP 106/76 mmHg - HR 66 /min - RR 20 /min - BT 36.0℃

General Appearance

chronic ill - looking	alert
oriented to time, person, place	

Skin

skin turgor : normal	ecchymosis (-)
rash (-)	purpura (-)

Head / Eyes / ENT

visual field defect (-)	pale conjunctiva (-)
icteric sclera (+)	palpable lymph nodes (-)

Chest

symmetric expansion without retraction	normal tactile fremitus
percussion : resonance	clear breath sound without crackle

Heart

regular rhythm	normal hearts sounds without murmur

Abdomen

soft and flat abdomen	normoactive bowel sound
abdominal tenderness (-)	rebound tenderness (-)
murphy's sign (-)	hepatomegaly (-)
no palpable mass	

Back and extremities

pretibial pitting edema (-/-)	costovertebral angle tenderness (-/-)
flapping tremor (-)	

Neurology

motor weakness (-)	sensory disturbance (-)
gait disturbance (-)	neck stiffness (-)

Initial Laboratory Data

CBC

WBC (4~10 × 10^3/mm^3)	6,000	Hb (13~17g/dl)	13.9
MCV (81~96 fl)	93.6	MCHC (32~36 g/dl)	33.9
WBC differential count	neutrophil 61.9% lymphocyte 23.2% monocyte 11.6%	platelet (150~350 × 10^3/mm^3)	262

Chemical & Electrolyte battery

Ca (8.3~10mg/dL) / P (2.5~4.5mg/dL)	9.3/3.3	glucose (70~110 mg/dL)	102
protein (6~8 g/dL) / albumin (3.3~5.2 g/dL)	7.1/3.6	aspartate aminotransferase (AST) (~40 IU/L) / alanine aminotransferase (ALT) (~40 IU/L)	89/217
alkaline phosphatase (ALP) (40~120 IU/L)	296	gamma-glutamyl transpeptidase (r-GT) (11~63 IU/L)	253
total bilirubin (0.2~1.2 mg/dL)	13.2	direct bilirubin (~0.5 mg/dL)	11.5
BUN (10~26 mg/dL) / Cr (0.7~1.4 mg/dL)	16/0.82	estimated GFR (≥ 60 ml/min/1.7 m^2)	90
C-reactive protein (~0.6 mg/dL)	1.53	cholesterol	199
Na (135~145 mmol/L) / K (3.5~5.5 mmol/L) / Cl (98~110 mmol/L)	140/4.6/102	total CO_2 (24~31 mmol/L)	21.9

Coagulation battery

prothrombin time (PT) (70~140%)	72.3%	PT(INR) (0.8~1.3)	1.19
activated partial thromboplastin time (aPTT) (25~35sec)	28.6 sec		

Urinalysis

specific gravity (1.005~1.03)	1.020	pH (4.5~8)	5.0
albumin (TR)	(Trace)	glucose (-)	(-)
ketone (-)	(Trace)	bilirubin (-)	(+++)
occult blood (-)	(-)	nitrite (-)	(+)
Urobilinogen	(++)	WBC(-)	(+)

Chest PA

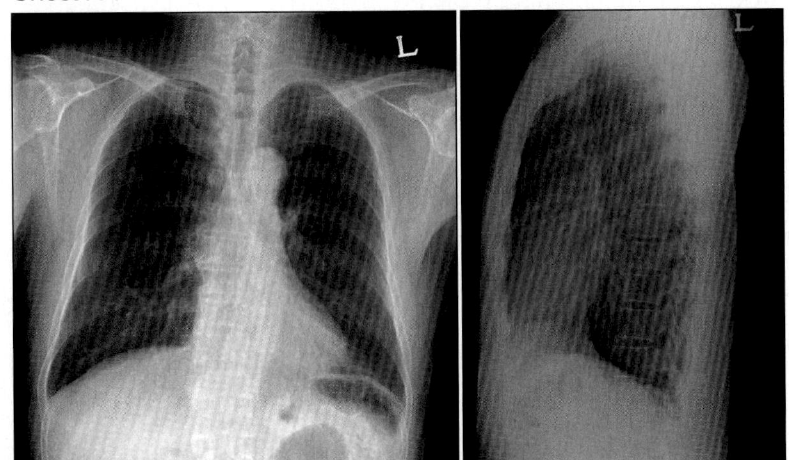

| 정상 chest X-ray 소견이다.

Abdomino-pelvic CT, with enhance

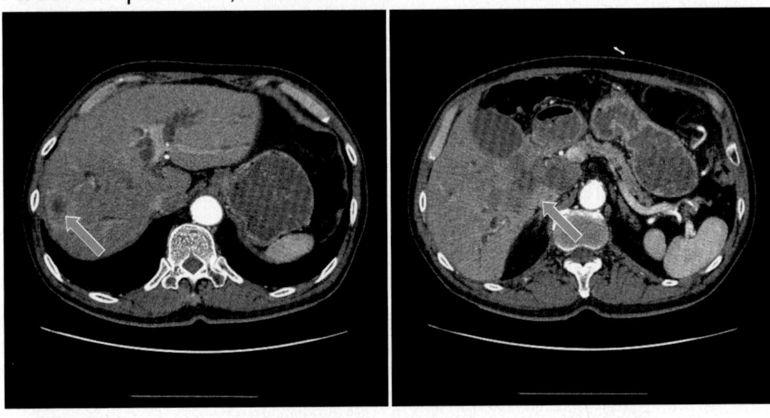

왼쪽 사진
Bile duct dilatation이 보이며, wall enhancement를 보이는 3 cm 크기의 hepatic mass 관찰된다.(화살표)

오른쪽 사진
Liver hilum과 GB neck 및 인접한 liver parenchyma를 침범하는 large irregular low attenuation mass가 있다. 외부병원 판독으로는 담낭종괴라고 판단하였으나, 담낭종괴보다는 perihilar mass가 담낭에 인접한것으로 판단하였다.(화살표)

Initial Problem List

#1 s/p left herniorrhaphy (18 years ago)

#2 s/p abdominal aneurysm of aorta repairment (7 years ago)

#3 s/p coil embolization at right internal iliac artery aneurysm (1 years ago)

#4 Obstructive jaundice

#5 Perihilar mass with lymphadenopathy

#6 Pancreatic mass

Assessment and Plan

#4 Obstructive jaundice
#5 Perihilar mass with lymphadenopathy
#6 Pancreatic mass

A)	Cholangiocarcinoma with gall bladder invasion and liver metastasis Gall bladder cancer with liver invasion
P)	Diagnostic plan 〉 1. Endoscopic retrograde cholangiopancreatography (ERCP) with biopsy Treatment plan 〉 ERCP with drainage procedure 만약 실패할 경우 percutaneous biliary drainage procedure를 고려

Hospital day #1-6

#4 Direct bilirubinemia
#5 Perihilar mass, causing bile duct obstruction with multiple liver, lymph nodes and peritoneal metastasis

S) 아프고 불편한 곳은 없습니다. 아직도 얼굴은 좀 노랗네요.

O) ERCP with endoscopic retrograde biliary drainage insertion (HD#6)

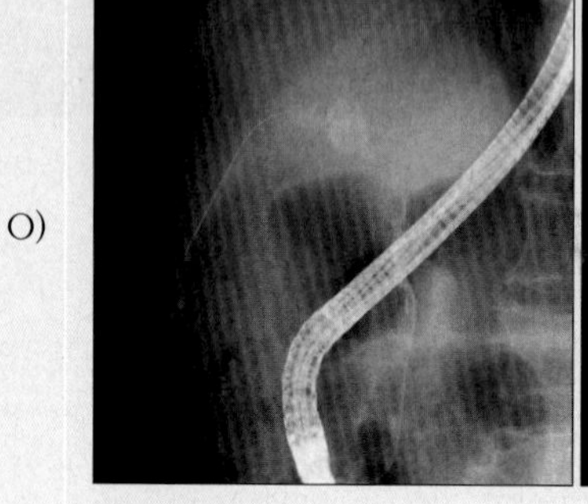

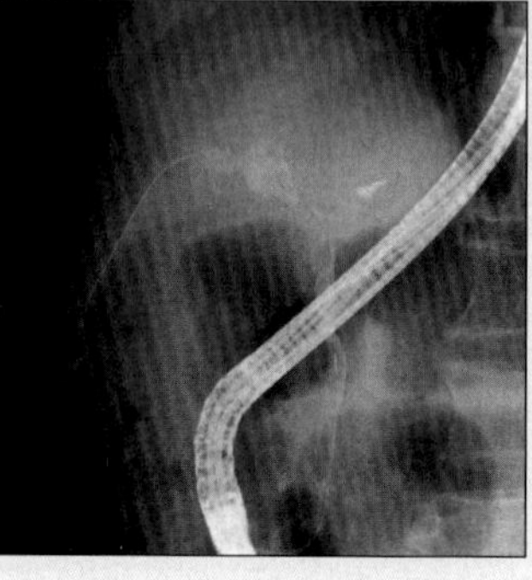

HD #1 ENBD

HD #6 ERBD(metal stent

왼쪽 그림
HD 1일째, ERCP를 통하여 ENBD insertion하는 장면이다.

오른쪽 그림
HD 6일째, bilirubin 감소가 낮아 ERBD insertion을 하는 장면이다.

O)

〈H&E stain ×400〉

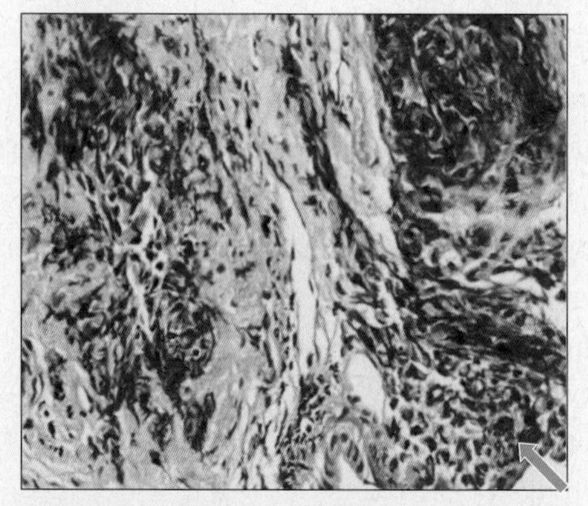

〈Synaptophysin stain ×100〉

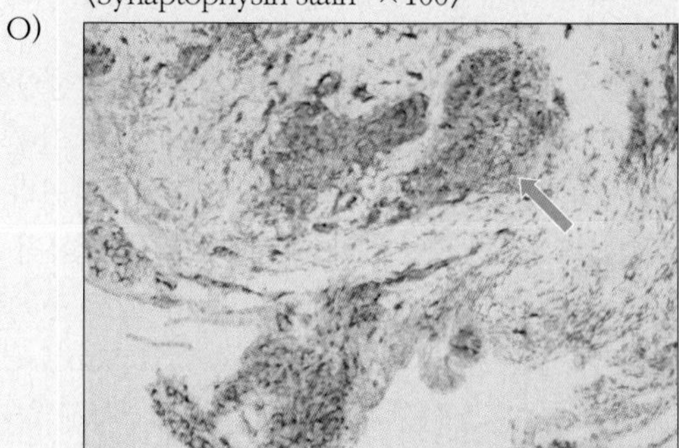

Endoscopic biopsy: poorly differentiated carcinoma,
favor neuroendocrine carcinoma, small cell type
- synaptophysin (+)
- mitosis cannot be assessed d/t crushing artifact

A) Neuroendocrine carcinoma, small cell type, poorly differentiated

P) 폐쇄성 황달 조절되는 대로 systemic chemotherapy (etoposide + cisplatin)

Poorly differentiated carcinoma 소견을 보이고 있으며, 전반적으로 핵을 관찰하기엔 조직의 분쇄가 많고 hyperchromatic 한 nuclei를 보이고 있다(화살표). 이러한 특징은 small cell type의 tumor에서 관찰되는 소견이다.

synaptophysin에 염색이 되는 조직이다. 이는 neuroendocrine and neural tissue에서 보이는 면역형광염색이다.(화살표)

Neuroendocrine tumor treatment in distant metastasis
증상이 있고 tumor burden이 임상적으로 상당량이 된다고 평가된다면 targeted agent or cytotoxic agent를 사용한다.

〈NCCN guidelines version 2014.1〉

Updated problem list

#1 s/p left herniorrhaphy (18 years ago)
#2 s/p abdominal aneurysm of aorta repairment (7 years ago)
#3 s/p coil embolization at right internal iliac artery aneurysm (1 years ago)
#4 Direct bilirubinemia ➞ see #5
#5 Perihilar mass, causing bile duct obstruction with multiple liver, lymph nodes and peritoneal metastasis
➞ Neuroendocrine carcinoma, small cell type metastatic

Clinical Course

1차 입원 당시 폐쇄성 황달은 스텐트 삽입 이후 호전되었으며, 임상양상 호전되어 퇴실하였고, 2주뒤 외래 방문하였으며 암의 진행에 의한 stent malfunction으로 스텐트 재 삽입하였으며 1개월째 EP항암 시작하였다.
이후 3주 간격으로 항암치료 시행하였으며 암 자체의 크기는 작아진 크기로 유지되었으며, ECOG performance scale: 0~1상태로 유지되었고 총 8차 항암까지 유지하였으며 마지막 항암 후 병기는 stable disease on partial response였다. 이후 항암제 독성 고려하여 그 이상의 항암치료는 시행하지 않기로 하고 외래 경과관찰 하였다.
한달 뒤(진단 후 9개월째) 응급실 통해 입원 하였으며, 폐쇄성 담관염 발생하였고 암은 이전에 비해 더 진행하여 담관을 폐쇄하고 있었다. 이에 외부배액술(PTBD)시행하였고, 항생제 사용하였으나 10개월째, 암의 진행으로 악성복수, 간부전 진행하였으며 진단 후 11개월째 환자 사망하였다.

1. PTBD - percutaneous transhepatic biliary drainage

CASE 15-3 3주 전 시작 된 황달로 내원한 47세 남자

Chief Complaints

Jaundice, started 3 weeks ago

Present Illness

3주전부터 황달, 체중감소, 전신 무력감, 소변색깔 진해지는 증상 있어, OO 병원 방문하였다(발열, 의식저하는 없었다).
CT 촬영하였고 췌장 두부암 및 간 전이 의심되어 16일전 ERCP (Endoscopic retrograde cholangiopancreatography) with ERPD (Endoscopic retrograde pancreatic drainage) insertion 및 biopsy 시행하였다. 임상적으로 악성 종양이 의심되나 조직검사에서 chronic inflammatory cell 확인되어 re-biopsy 고려 중 환자 원하여 내원하였다.

Past History

diabetes (-)
hypertension (-)
tuberculosis(-)
hepatitis (-)

- 37세 hypercalcemia와 동반된 재발성 ureter, renal stone으로 ESWL × 2회 시행함
- 같은 시기에 hypercalcemia를 일으키는 parathyroid adenoma 발견되어 Right upper parathyroidectomy 시행함
- 46세(1년 전) 반대편에서 재발소견 발견되어 left inferior parathyroid ectomy를 시행함
- 또한 매일 소주 1병씩을 마신 chronic alcoholic로 46세에 acute alcoholic pancreatitis

ESWL: extracorporeal shock wave lithotripsy.

Family History

diabetes (-)
hypertension (-)
tuberculosis (-)
malignancy (+)
아버지: hepatocelluar carcinoma
어머니: ovarian cancer

Social History

smoking: 20 pack-years, current smoker
alcohol: chronic alcoholics (소주 1병 × 7days/weeks, 10년간)

Review of Systems

General

dizziness (-)	weight loss (-)

Skin

purpura (-)	erythema (-)

Head / Eyes / ENT

headache (-)	hearing disturbance (-)
dry eyes (-)	tinnitus (-)
rhinorrhea (-)	oral ulcer (-)
sore throat (-)	dizziness (-)

Respiratory

dyspnea (-)	hemoptysis (-)
cough (-)	sputum (-)

Cardiovascular

chest pain (-)	palpitation (-)
orthopnea (-)	dyspnea on exertion (-)

Gastrointestinal

anorexia (-)	nausea (-)
vomiting (-)	constipation (-)
diarrhea (-)	white stool (-)
hematochezia (-)	melena (-)
abdominal pain (-)	dyspepsia(-)
frequent stool (-)	hematemesis(-)

Genitourinary

flank pain (-)	gross hematuria (-)
genital ulcer (-)	

Neurologic

seizure (-)	cognitive dysfunction (-)
psychosis (-)	motor- sensory change (-)

Musculoskeletal

muscle pain (-)	tingling sense (-)
back pain (-)	

Physical Examination

height 171.2 cm, weight 63.1 kg
body mass index 21.5 kg/cm^2

Vital Signs

BP 106/70 mmHg - HR 69 /min - RR 20 /min - BT 36.2℃

General Appearance

chronic ill - looking	alert
oriented to time, person, place	

Skin

skin turgor: normal	ecchymosis (-)
rash (-)	purpura (-)

Head / Eyes / ENT

visual field defect (-)	pale conjunctiva (-)
icteric sclera (+)	palpable lymph nodes (-)

Chest

symmetric expansion without retraction	normal tactile fremitus
percussion : resonance	clear breath sound without crackle

Heart

regular rhythm	normal hearts sounds without murmur

Abdomen

soft and flat abdomen	normoactive bowel sound
abdominal tenderness (-)	rebound tenderness (-)
murphy's sign (-)	hepatomegaly (-)

Back and extremities

pretibial pitting edema (-/-)	costovertebral angle tenderness (-/-)
flapping tremor (-)	

Neurology

motor weakness (-)	sensory disturbance (-)
gait disturbance (-)	neck stiffness (-)

Initial Laboratory Data

CBC

WBC ($4\sim10\times10^3/mm^3$)	8,900	Hb (13~17g/dl)	14.5
MCV (81~96 fl)	94.5	MCHC (32~36 g/dl)	32.2
WBC differential count	neutrophil 70.5% lymphocyte 19.7% monocyte 8.8%	platelet ($150\sim350\times10^3/mm^3$)	220

Chemical & Electrolyte battery

Ca (8.3~10mg/dL) / P (2.5~4.5mg/dL)	10.7/3.3	glucose (70~110 mg/dL)	253
protein (6~8 g/dL) / albumin (3.3~5.2 g/dL)	6.9/4.5	aspartate aminotransferase (AST) (~40 IU/L) / alanine aminotransferase (ALT) (~40 IU/L)	77/200
alkaline phosphatase (ALP) (40~120 IU/L)	332	gamma-glutamyl transpeptidase (r-GT) (11~63 IU/L)	186
total bilirubin (0.2~1.2 mg/dL)	5.0		
BUN (10~26 mg/dL) / Cr (0.7~1.4 mg/dL)	14/0.5	estimated GFR (≥ 60 ml/min/1.7 m^2)	90
C-reactive protein (~0.6 mg/dL)	1.40	cholesterol	163
Na (135~145 mmol/L) / K (3.5~5.5 mmol/L) / Cl (98~110 mmol/L)	136/4.6/102	total CO_2 (24~31 mmol/L)	26.6

Coagulation battery

prothrombin time (10~13sec)	112.0%	PT(INR) (0.8~1.3)	0.95
activated partial thromboplastin time (aPTT) (25~35 sec)	28.4 sec		

Urinalysis

specific gravity (1.005~1.03)	1.035	pH (4.5~8)	7.0
albumin (TR)	(-)	glucose (-)	(+++)
ketone (-)	(-)	bilirubin (-)	(-)
occult blood (-)	(-)	nitrite (-)	(-)
Urobilinogen	(-)	WBC(-)	(-)

Tumor marke (외부병원 시행)

Carcinoembryonic antigen (0~6 ng/mL)	3.6	CA 19-9 (0~37U/mL)	65.0

| 정상 chest X-ray 소견이다.

Chest PA

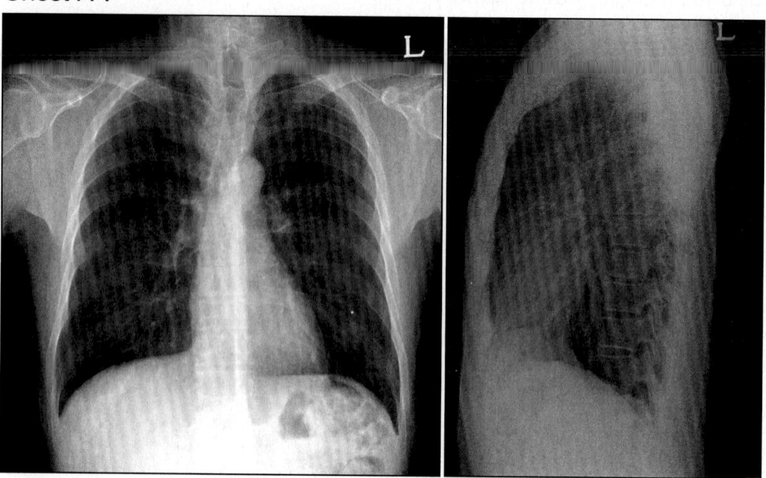

Abdomino-pelvic CT

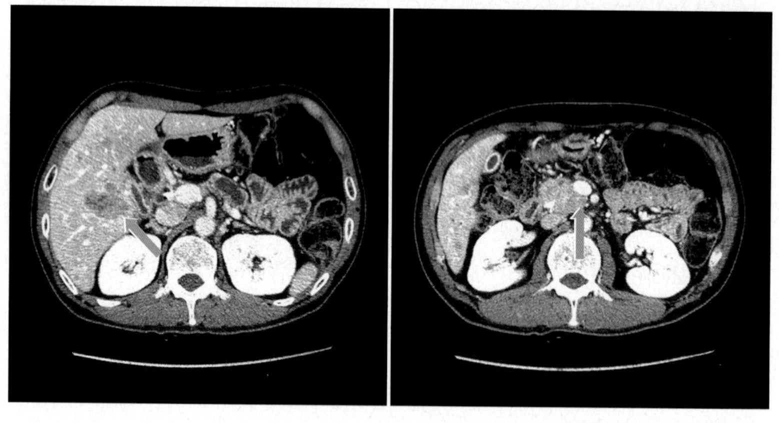

왼쪽 사진
liver에 multifocal lesion들이 관찰되며, perihilar mass가 찰되고 있다.(화살표)

오른쪽 사진
pancreas head부위에 조영 증강되는 mass보이고 있으며, pancreatic duct 및 biliary duct를 막고 있다.(화살표)

Initial Problem List

#1 H/O Recurrent urinary stone due to hyperparathyroidism
 s/p ESWL x 2 (10~4 years ago)

#2 H/O hyperparathyroidism due to parathyroid adenoma
 s/p Rt. upper parathyroidectomy (10 years ago)
 s/p Lt inferior parathyroidectomy (1 year ago)

#3 Acute alcoholic pancreatitis (1 year ago)

#4 Pancreatic head mass with multiple liver mass

#5 Hyperbilirubinemia

#6 Elevated CA 19-9

#7 Hyperglycemia and glucosuria

Assessment and Plan

#4 Pancreatic head mass with multiple liver mass
#5 Hyperbilirubinemia
#6 Elevated CA 19-9

A)	Pancreatic neuroendocrine carcinoma with liver metastasis Pancreatic ductal adenocarcinoma with liver metastasis
P)	Diagnostic plan 〉 EUS guided fine needle biopsy EUS-FNA fail ➡ consider liver biopsy Treatment plan 〉 ERCP with ERBD insertion (for hyperbilirubinemia) Systemic chemotherapy depend on pathology

#2 H/O hyperparathyroidism due to parathyroid adenoma
s/p Rt. upper parathyroidectomy (10 years ago)
s/p Lt inferior parathyroidectomy (1 year ago)
#4 Pancreatic head mass with liver multiple mass
#7 Hyperglycemia and glucosuria

A)	1. Multiple Endocrine Neoplasia type 1 (MEN type 1) 2. Diabetes mellitus related with #4
P)	Diagnostic plan 〉 Pancreatic tumor function test - gastrin, glucagon - diabetes mellitus work up (Hemoglobin A1C, 8 hour fasting glucose) Intact PTH, calcium Pituitary hormone level check - prolactin, LH, FSH, testosterone, IGF-1 MR, sella with enhance MEN1 gene analysis Treatment plan 〉 Treatment the newly diagnosed endocrinopathy

MEN (multiple endocrine neoplasia) 1 :
pituitary, para thyroid, pancreas에 neoplasm이 생기는 병으로 pancreas에는 islet cell tumor, parathyroid – hyper thyroidism, pituitary – prolactinoma or GH를 분비하는 종양이 발생할 수 있다.

〈uptodate : MEN1 : clinical manifestations and diagnosis〉

Hospital day #1-6

#4 Pancreatic head mass with multiple liver mass
#5 Hyperbilirubinemia
#6 Elevated CA 19-9

> Ki-67 index
> Ki 67 protein은 G1, S, G2, M phase에서 expression 되는것으로 알려져 있으며, Ki-67 stain이 조직에서 증가한 것은 NET의 나쁜 예후와 연관이 있다고 알려져 있다.
>
> 〈UPTODATE : grading of neuroendocrine tumor〉

S) 특별히 힘든건 없습니다.

O)

Outside biopsy tissue: liver
- Well differntiated neuroendocrine carcinoma
  synaptophysin (+), chromogranin (+), Ki-67 index (30%)

EUS-FNAB, Pancreas, head

〈H&E stain ×400〉

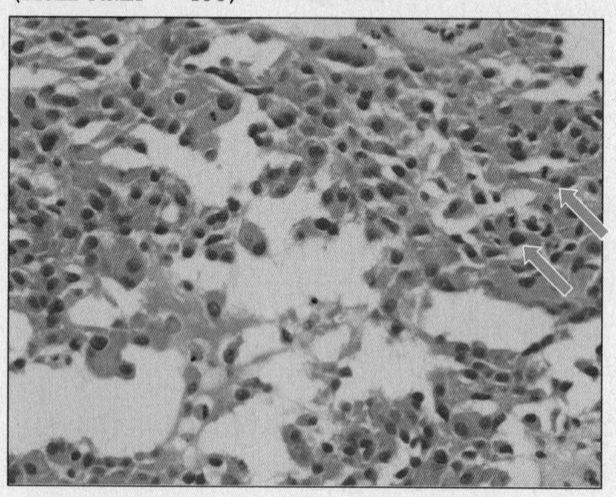

> Chromatin을 포함한 ovoid cell들이 관찰되고 있다. 현재 보이는 field에서도 mitosis 2개 관찰(화살표) 보이는 정도 높은 분화력을 보이고 있다.

〈Synatophysin stain ×100〉

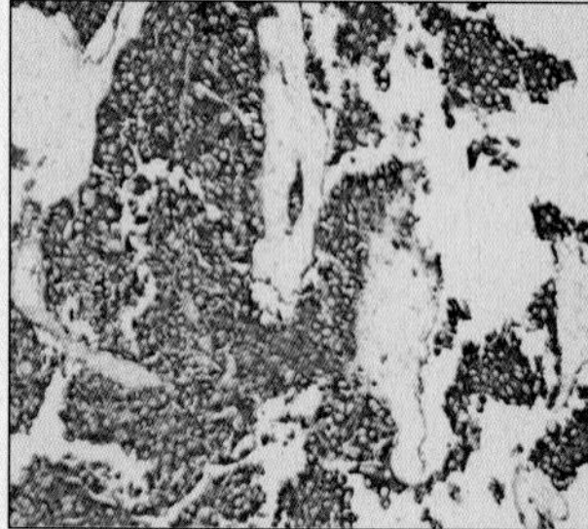

〈Ki-67 index〉

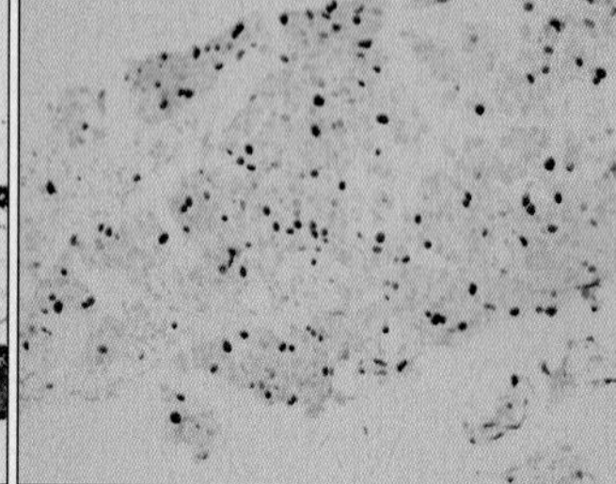

> Synaptophysin (왼쪽) 및 Ki-67 염색(오른쪽)에서 높은 반응성을 보이고 있다.

Pancreas biopsy:
Many round to ovoid cells with fine chromatin, suggestive of well differentiated endocrine tumor

A) Neuroendocrine carcinoma, well differentiated

P)

Systemic chemotherapy
Consider hormonal therapy & targeted agent
- Octereotide (somatostatin analog)
- Sunitinib (multi-targeted receptor tyrosine kinase)

#2 H/O hyperparathyroidism due to parathyroid adenoma
s/p Rt. upper parathyroidectomy (10 years ago)
s/p Lt inferior parathyroidectomy (1 year ago)
#4 Pancreatic head mass with liver multiple mass
#7 Hyperglycemia and glucosuria

S) 특별히 힘든건 없습니다.

O) MR, sellar - Left pituitary gland 8 mm mass

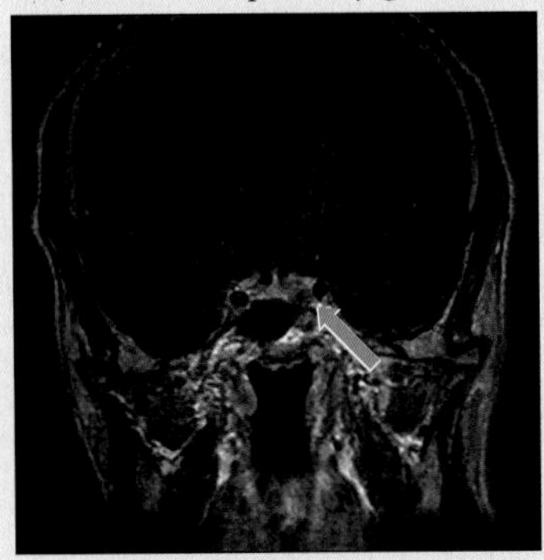

Left pituitary gland에 8 mm 크기의 지연성 조영증강을 보이는 덩이가 관찰되고 있으며, Left cavernous internal carotid artery를 측면으로 밀어내고 있다.(arrow)

Hormone status

Prolactin (1.8~15.9 ng/mL)	90.5 ng/ml
LH (0 ~ 1.4 mIU/mL)	3.2 mIU/mL
FSH	8.2 mIU/mL
testosterone (2.6~15.9 ng/mL)	2.6 ng/mL
IGF-1	238 ng/mL
TSH (0.4~5.0 μU/mL)	1.6 μU/mL
Free T4 (0.8~1.9 ng/dL)	1.0 ng/dL
Cortisol (5~25 μg/dL)	28.6 μg/dL
PTH - intact (10~65 pg/mL)	56.6 pg/mL

Pancreatic NET function test

Gastrin (0~90 pg/mL)	29.3 pg/mL
Glucagon (59~177 pg/mL)	36.1 pg/mL

Pancreas tumor로 islet cell tumor는 gastrin을 분비하며 islet cell tumor의 일부는 glucagonoma로 glucagon을 분비한다. 따라서 위 호르몬 검사를 시행하였다.

MEN gene mutation 11q13:
c.378G 〉 A (p.Trp126X) heterozygote

MEN gene mutation test: MEN1 syndrome일 때 가족력이 있음이 의심될 때 시행하는 검사로 양성 시 가족의 mutation검사를 시행한다.

Hemoglobin A1C: 7.6%
8 hour fasting glucose: 189 mg/dL

A) MEN type 1 with pituitary microadenoma, pancreatic NEC
Diabetes mellitus

P) Hyperprolactenemia with non functioning tumor
- cabergoline (dopamine agonist)
Diabetes - glimepiride 4 mg, metformin 500 mg
Family Genetic counseling

Family Genetic counseling: 위 검사에서 양성으로 가족 DNA test를 해서 양성일 경우 MEN1으로 침범할 수 있는 기관들을 검사한 뒤 추후 발생할 질병의 발병을 예방할 수 있다.

〈UPTODATE: MEN 1: clinical manifestation and diagnosis〉

Updated problem list

#1 H/O Recurrent urinary stone due to hyperparathyroidism
  s/p ESWL x 2 (10~4 years ago)
#2 H/O hyperparathyroidism due to parathyroid adenoma
  s/p Rt. upper parathyroidectomy (10 years ago)
  s/p Lt inferior parathyroidectomy (1 year ago)
#3 Acute alcoholic pancreatitis (1 year ago)
#4 Pancreatic head mass with multiple liver mass
  ➜ Pancreatic neuroendocrine carcinoma with liver metastasis as part of MEN type 1
#5 Hyperbilirubinemia ➜ see #4
#6 Elevated CA 19-9 ➜ see #4
#7 Hyperglycemia and glucosuria ➜ Diabetes mellitus

Clinical course

진단 후 1달 뒤 병의 진행에 의한 급성 담관염으로 ERCP 시행하였고 호전되어 외래 경과관찰하였으며, 증상 발생하는 병변에 대하여 환자와 상의하였으며, 부작용 가장 적은 octereotide로 치료 시작하기로 하였다. 치료한지 2개월째에는 시행한 CT상에서 일부 반응 있었으나, 4개월째 CT상에서 악화된 소견 보였다.
환자는 ECOG performance scale: 1(일상생활에 약간의 불편감 있으나 치료요하지 않는 정도)로 지내어 약물치료 없이 경과관찰하였고, 이후 암의 경과는 더 악화되는 소견으로 sunitinib 치료를 시작하기로 하였다. 2개월 단위로 경과관찰 하였으며 치료에 대한 반응성은 좋았고, 임상 증상 없는 상태 유지되었다.
치료 시작 12개월째까지 stable disease state유지하였으나, 13개월째 시행한 CT상에서 암은 악화되며 폐쇄성 황달 발생하였고 ERCP시행하였으며 항암치료는 환자 거부하여 시행하지 못하였다.
환자는 보존적 치료하며 ECOG performance scale: 2(증상들은 치료를 요하며, 일상생활의 50% 정도 할 수 있음) 정도로 호전되었고, 이후 요양병원 치료 원하여 전원하였다. 그리고 더 이상 외래 방문하지 않았다.
한편 시행한 가족검사에서 딸은 prolactinoma가 있는 것으로 밝혀졌다.

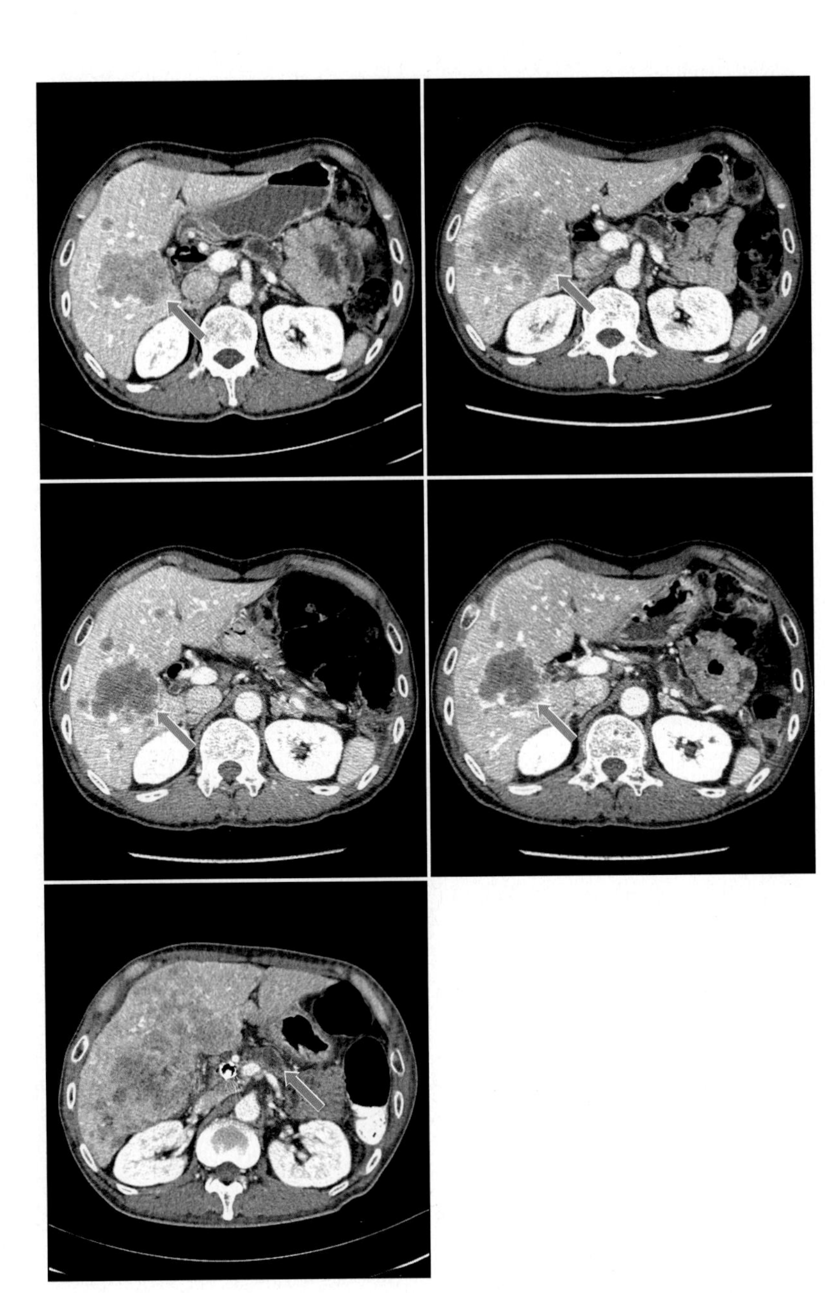

Response Evaluation Criteria in solid Tumor (RECIST)의 기준을 따라 cancer response를 평가하였다.

진단 5개월째(왼쪽) 8개월째(오른쪽) perihilar mass의 크기는 더 증가한 것을 볼 수 있다.

왼쪽.
10개월째, perihilar mass의 크기는 감소하여 partial response로 평가하였다.

오른쪽.
12개월째로 크기는 더 감소하였으나 평가기준에 따라, stable disease on partial response로 평가하였다.

암은 이전보다 병변 더 진행하였으며, 동반하여 pancreatic duct dilation (화살표) 관찰되고 있다. 또한 cancer는 cystic portion보다 solid portion이 더 증가하였는데, density에 따라 cancer response를 평가할 수 있다는, 논문에 따르면 병변이 더 진행한 것으로 평가할 수 있다.

출처: Imaging response in neuroendocrine tumors treated with targeted therapies: the experience of sunitinib Sandrine et al., Targ oncol (2012) 7: 127-133

Lesson

세 케이스 모두 진단 당시 전이성 병변을 가진 neuroendocrine tumor였다. 과거 TNM stage에 의하면 모두 metastatic이므로 stage 4에 해당하는 단계이나, 각 케이스별 예후는 상당히 차이가 난다.
이에 최근 Neuroendocrine tumor에 대하여 mitosis의 양상과 Ki - 67을 통한 Proliferative Index를 통하여 예후측정에 도움을 주고 있다. 또한 적절한 예후를 제시함으로써, 환자의 치료방침 결정에 도움이 될 수 있다.

CASE 16 5년 전 시작된 양측 하지 부종으로 내원한 53세 여성

Chief Complaints

Swelling at both lower extremities, started 5 years ago

Present Illness

20년 전부터 서서히 체중이 늘어 90 kg대로 유지되었으며, 5년 전부터 반복적으로 양측 하지 부종이 발생 하였다. 1년 전 양측 하지 부종 악화 되어 타 3차 의료기관에서 lymphedema와 cellulitis 진단 받고 항균제 치료 받은 적이 있고, 4개월 전 하지부종 악화와 양측 하지의 발적이 생겼다. 2개월 전 전신 근육통, 양측 하지 통증이 생겼고, 전신 상태가 악화되어 본원 응급실로 내원하였다. Cellulitis에 의한 septic shock으로 중환자실 자리가 부족하여 OO병원 중환자실로 전원 되었다.

OO병원에서 시행한 Lymphangiosyntigraphy와 doppler US에서 primary lymphedema 진단되었고, deep vein thrombosis는 없었다. 다양한 경험적 항균제를 3주간 사용 하다가 cellulitis 병변과 혈액 배양 결과에서 methicillin-resistant *Staphylococcus epidermidis* 분리 되어vancomycin을 총 3주간 사용하였고, *Klebsiella pneumoniae*에 의한 요로감염으로 2주간 meropenem 사용 하다가 중단 하였으나, 이후에도 하지 부종의 호전이 없어 외래 경유 입원하였다.

Past History

hypertension (+): 10년 전 진단, 2개월 전까지 항고혈압제 복용
atrial fibrillation (+): 2개월 전 진단, verapamil에 효과 없어
amiodarone, beta-blocker 복용 중
herbal medicine (+): 1년 전부터 6개월간 성분 미상의 한약 복용
diabetes (-)
hepatitis (-)
tuberculosis (-)

Family History

diabetes (-)
hypertension (-)
tuberculosis (-)
malignancy (-)

Social History

occupation: 주부

Review of Systems

General

generalized edema (-)	general weakness (+)
dizziness (-)	weight loss (-)

Head / Eyes / ENT

headache (-)	hearing disturbance (-)
dry eyes (-)	tinnitus (-)
rhinorrhea (-)	oral ulcer (-)
sore throat (-)	dry mouth (-)

Respiratory

dyspnea (+)	hemoptysis (-)
cough (-)	sputum (-)

Cardiovascular

chest pain (-)	palpitation (-)

Gastrointestinal

anorexia (-)	nausea (-)
vomiting (-)	constipation (-)
diarrhea (-)	abdominal pain (-)
melena (-)	hematochezia (-)

Genitourinary

flank pain (-)	gross hematuria (-)
genital ulcer (-)	

Neurologic

seizure (-)	cognitive dysfunction (-)
psychosis (-)	Motor- sensory change (-)

Musculoskeletal

tingling sense (-)	back pain (-)

Physical Examination

height 158.0 cm, weight 101.5 kg

body mass index 40.7 kg/cm²

Vital Signs

BP 160/110 mmHg - HR 128 beats /min - RR 40 times/min - BT 36.6℃

General Appearance

looking chronically ill	alert
oriented to time, person and place	

Skin

erythematous swollen ulcerative lesions (+); left ankle & both buttocks

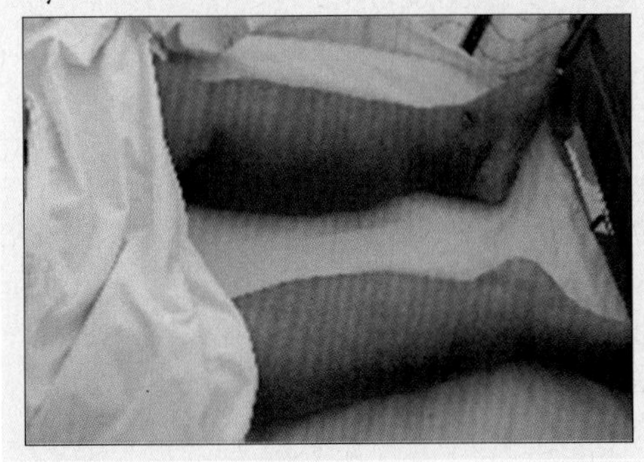

rash(-)	purpura(-)

Head / Eyes / ENT

visual field defect (-)	pinkish conjunctiva (+)
icteric sclera (-)	palpable lymph nodes (-)

Chest

coarse breathing sound in entire lung fields

Heart

regular rhythm	normal hearts sounds without murmur

Abdomen

soft & distended abdomen	normoactive bowel sound
tenderness (-)	rebound tenderness (-)

Musculoskeletal

pretibial pitting edema (4+/4+)

Initial Laboratory Data

Pitting edema 측정법
1+ : 손가락으로 누른 자국이 간신히 보일 정도
2+ : 약간 눌리고 15초 후 정상화
3+ : 깊게 눌리고 30초 이내에 정상화
4+ : 30초 이상 걸려야 정상화 되는 경우

References
O'Sullivan, S.B. and Schmitz T.J. (Eds.). (2007). Physical rehabilitation: assessment and treatment (5th ed.). Philadelphia: F. A. Davis Company. p.659

CBC

WBC ($4\sim10\times10^3/mm^3$)	14,400	Hb (13~17g/dl)	10.0
WBC differential count	neutrophil 67.1% lymphocyte 17.6% monocyte 8.0%	platelet ($150\sim350\times10^3/mm^3$)	229

Chemical & Electrolyte battery

Ca (8.3~10mg/dL) /P (2.5~4.5mg/dL)	9.0/2.9	glucose (70~110 mg/dL)	90
protein (6~8 g/dL)/ albumin (3.3~5.2 g/dL)	5.9/2.2	aspartate aminotransferase (AST) (~40 IU/L) alanine aminotransferase (ALT) (~40 IU/L)	33/13
alkaline phosphatase (ALP) (40~120 IU/L)	101	total bilirubin (0.2~1.2 mg/dL)	1.1
BUN(10~26mg/dL) /Cr (0.7~1.4mg/dL)	4/0.9	estimated GFR ($\geq$ 60ml/min/1.7m²)	> 60
C-reactive protein (~0.6 mg/dL)	11.17	cholesterol	127
Na (135~145 mmol/L) / K (3.5~5.5 mmol/L) / Cl (98~110 mmol/L)	140/3.9/105	total CO_2 (24~31 mmol/L)	30.7
BNP (0~100 pg/mL)	1359		

Coagulation battery

prothrombin time (PT) (70~140%)	85.6	PT(INR) (0.8~1.3)	1.08
activated partial thromboplastin time (aPTT) (25~35sec)	23.2		

Urinalysis

specific gravity (1.005~1.03)	1.020	pH (4.5~8)	5.0
albumin (TR)	(-)	glucose (-)	(-)
ketone (-)	(-)	bilirubin (-)	(-)
occult blood (-)	(-)	nitrite (-)	(-)

ABGA

FiO_2 (%)	44	pH	7.420
pCO_2 (35-45 mmHg)	(-)	pO_2 (80-90 mmHg)	75
base excess (mmEq/L)	6.0	bicarbonate (23~29 mmEq/L)	30.7

EKG

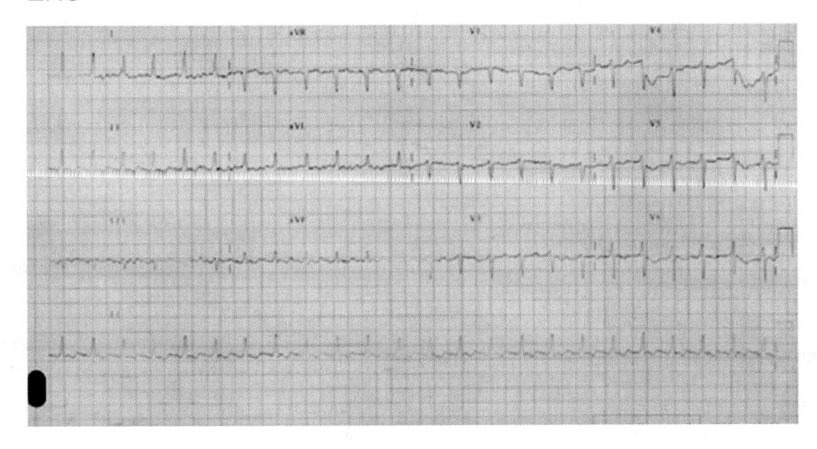

Rate 146회, prominent하게 negative saw tooth wave를 보이는 2:1 conduction의 atrial flutter 이다.

Supine 상태에서 촬영한 Chest AP 사진이다. 내원 2개월 전과 비교할 때 양측에 diffuse radiopacity가 있다. Cardiac border가 명확하지 않지만 전반적인 cardiac shadow가 커져있어 cardiomegaly가 의심된다.

Chest X-ray

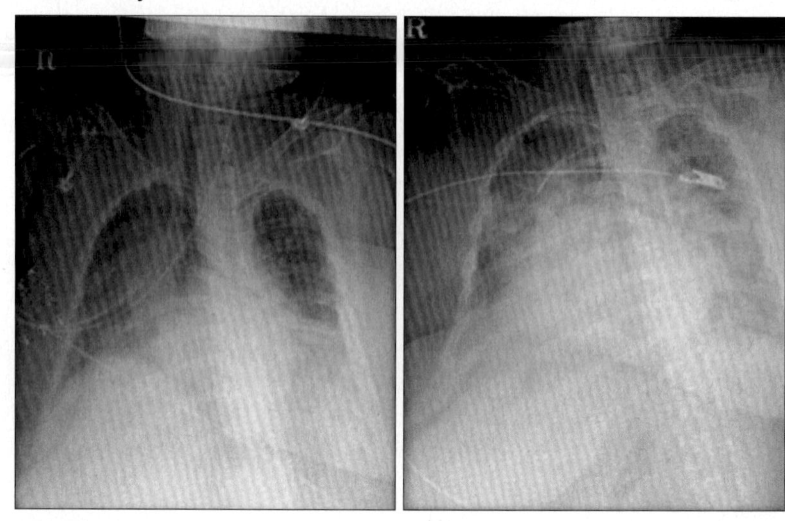

내원 2개월 전 내원 시

내원 2개월 전 외부에서 촬영한 HRCT로 양쪽 폐 하부에 subsegmental atelectasis가 있다.

Truncal fat proliferation이 심하고, thoracic muscle atrophy가 두드러져 있다.

외부병원 HRCT

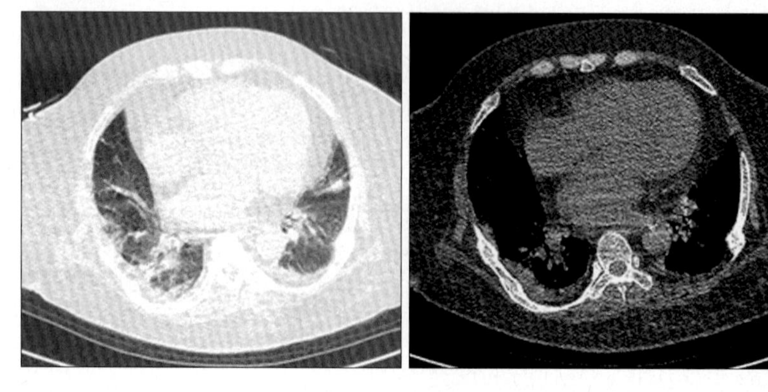

Initial Problem List

#1 Recurrent cellulitis of both legs

#2 Lymphedema of both lower extremities by history

#3 Tachypnea with hypoxemia

#4 Elevated BNP

#5 Bilateral diffuse radioopacity on chest x-ray

#6 Cardiomegaly on chest x-ray

#7 Atrial flutter with 2:1 conduction

#8 Morbid obesity (BMI 〉 40 kg/m^2)

#9 Hypertension

Assessment and Plan

#1 Recurrent cellulitis of both legs
#2 Lymphedema of both lower extremities by history
#4 Elevated inflammatory markers (leukocytes & CRP)
#8 Morbid obesity (BMI 〉 40 kg/m²)

A)	Recurrent cellulitis due to lymphedema Lymphedema, associated with morbid obesity
P)	Diagnostic plan 〉 repeated culture from wound serologic test for filariasis Therapeutic plan 〉 antibiotics (vancomycin) weight reduction

#3 Tachypnea with hypoxemia
#4 Elevated BNP
#5 Bilateral diffuse radiopacity on chest x-ray
#6 Cardiomegaly on chest x-ray
#7 Atrial flutter with 2:1 conduction
#9 Hypertension

A)	Pulmonary edema due to heart failure Atrial flutter Atelectasis Hospital-acquired pneumonia
P)	Diagnostic plan 〉 2D-echocardiography sputum culture Therapeutic plan 〉 oxygen supply, diuretics angiotensin converting enzyme inhibitor

#11 morbid obesity (BMI 〉 40 kg/m²)

A)	Obesity
P)	Diagnostic plan 〉 detailed history & P/Ex rapid ACTH stimulation test consult an endocrinologist

1년 전 한약을 복용하였던 병력이 있고, 오래 전부터 morbid obesity가 있었기 때문에, 비만의 2차적인 원인도 고려할 필요가 있다고 판단 하여 자세한 병력청취와 physical exam, iatrogenic cushing syndrome과 동반된 adrenal insufficiency 가능성에 대하여 rapid ACTH stimulation test를 시행 하였고, 감별진단에 도움을 얻고자 내분비내과로 의뢰 하였다.

Hospital day #1-7

#4 Elevated inflammatory markers (leukocytes & CRP)
#8 Morbid obesity (BMI 〉 40 kg/m^2)

S)	많이 좋아졌습니다.
O)	Cellulitis로 생각되는 병변의 swelling과 erythema의 호전 보임 WBC 14,400 ➡ 16,000 ➡ 12,800 CRP 11.17 ➡ 8.20 ➡ 1.13 swab culture from wounds: MRCoNS serum Filaria test: negative
A)	Cellulitis due to lymphedema, improving Lymphedema associated with morbid obesity
P)	Therapeutic plan 〉 1주일 동안 vancomycin 사용 후 병변 정상화 되어 antibiotics 중단하였고 재발하지 않음.

Hospital day #1-3

#3 Tachypnea with hypoxemia
#4 Elevated BNP
#5 Bilateral diffuse radioopacity on chest x-ray
#6 Cardiomegaly on chest x-ray
#7 Atrial flutter with 2:1 conduction
#9 Hypertension

S) 가슴 답답함은 훨씬 덜해요.

O)

O_2 requirement: NP 6 1 L/min ➡ 1 L/min
BW: 101.5 kg ➡ 92.3 kg

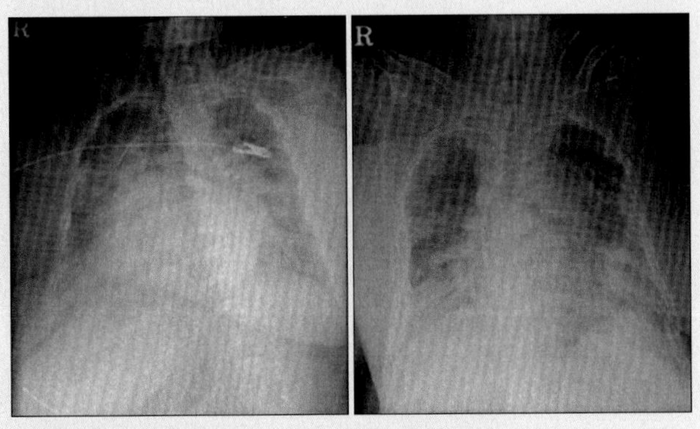

〈내원 당시〉 〈HD #3〉

Chest x-ray: improved GGO at both lung fields
remaining suspicious pleural effusion, both

Sputum culture: normal flora

외부 HR CT review: multifocal atelectasis, increased pericardial fat, cardiomegaly

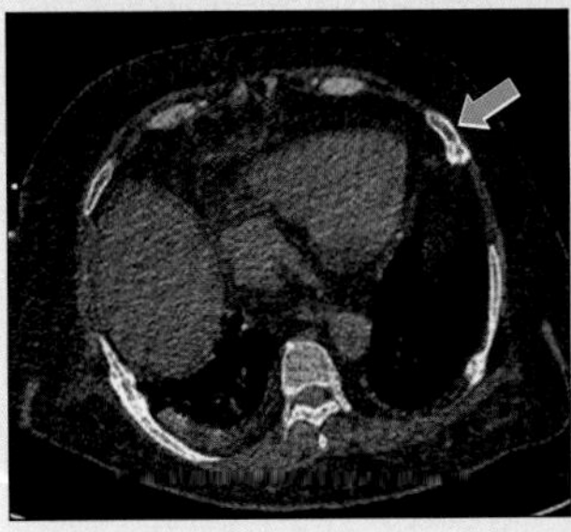

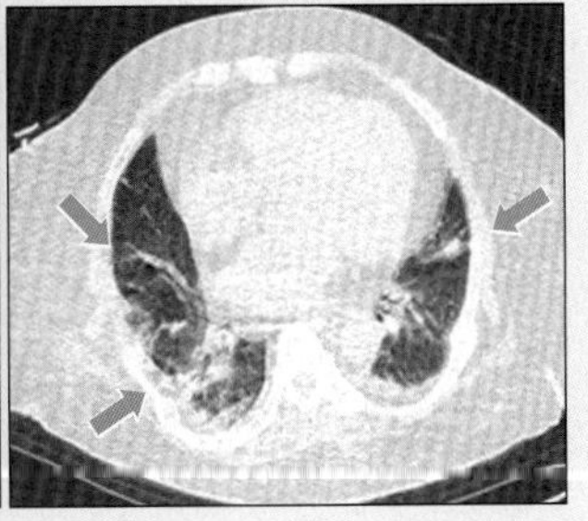

TTE: A-fib with RVR (LV ejection fraction = 31%)
1. Concentric LVH with severe LV systolic dysfunction
2. Severe RV dysfunction with severe TR
and mild resting pulmonary HTN

A)	Pulmonary edema, associated with heart failure Atrial flutter
P)	diuretics consider adding beta-blockers

#11 Morbid obesity (BMI 〉 40 kg/m^2)

S) 하도 기운이 없어서 1년 전 6개월 동안 한약을 먹었었어요.

O)

Detailed history & physical examinations

- ROS: easy fatigability (+), easy bruisability (-)
- P/Ex: moon face (+), facial plethora(+), buffalo hump (+)
  skin striae (white) at abdomen (+), skin atrophy (+)
  hyperpigmentation (-)

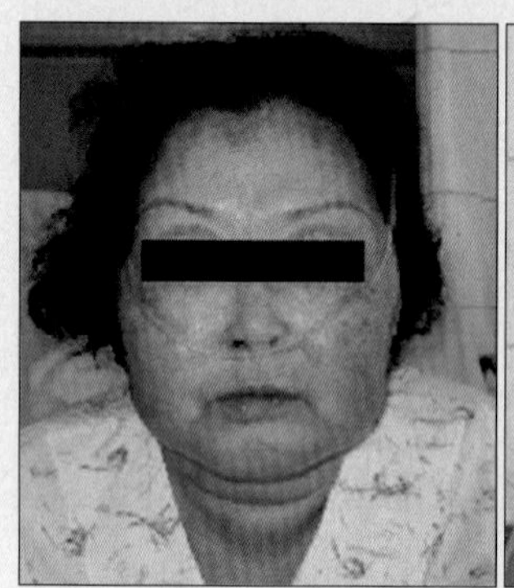

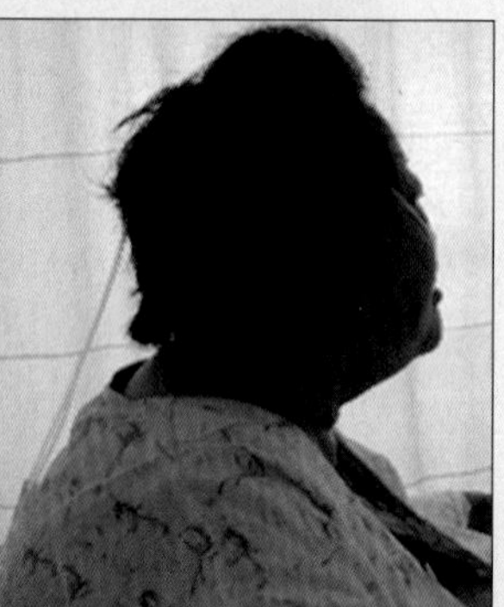

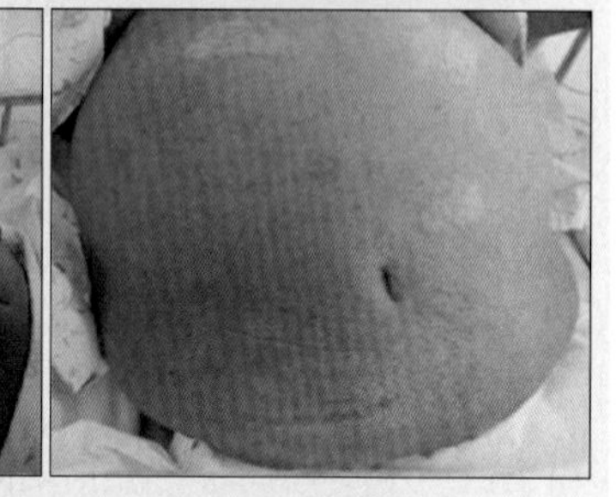

Rapid ACTH stimulation test (8am)

- ACTH 3.3 pg/mL
- Cortisol at 0 min: 30.7 ug/dL
- Cortisol at 30 min: 49.8 ug/dL
- Cortisol at 60 min: 50.0 ug/dL

감염이 호전 된 후에 시행한 검사 인데도, basal cortisol level이 높고 신체적으로는 iatrogenic cushing syndrome에 합당한 소견을 보였다.

Cushing syndrome의 원인 병소를 감별하기 위하여 midnight cortisol level, dexamethasone suppression test, 24-hour urine cortisol level을 측정 하기로 하였다.

Abdominal CT

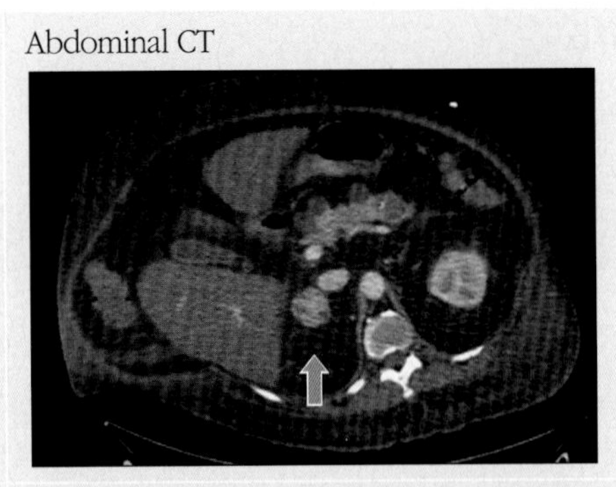

Basal cortisol level에 비해 ACTH가 suppression 되어 있어 adrenal origin에 의한 cushing syndrome이 의심 되었다. 외부 병원에서 촬영해온 APCT를 review한 결과, right adrenal gland의 mass (화살표)가 확인 되었다.

A) ACTH-independent Cushing's syndrome, due to adrenal adenoma

P) Therapeutic plan 〉
Consult surgeon for adrenalectomy
Ketoconazole

steroid synthesis inhibition을 위해 ketoconazole을 투약 하였다.

Algorithm for Management of the patients with suspected Cushing's syndrome

Clinical suspicion of Cushing's
(Central adiposity, proximal myopathy, striae, amenorrhea, hirsutism, impaired glucose tolerance, diastolic hypertension, and osteoporosis)

↓

Screening/confirmation or diagnosis
- 24-hr urinary free corrtisol excretion increased above normal (3x)
- Dexamethasone overnight test (Plasma cortisol > 50 nmol/L at 8-9 a.m. after 1 mg dexamethasone at 11 p.m.)
- Midnight plasma (or salivary) cortisol > 130 nmol/L

If further confirmation needed/desired:
- Low dose DEX test (Plasma cortisol > 50 nmol/L after 0.5 mg dexamethasone q6h for 2 day)

Positive ↓ → Nogative

Differential diagnosis 1 : Plasma ACTH

ACTH normal or high >15 pg/ml → **ACTH-dependent Cushing's**

ACTH suppressed to >5 pg/ml → **ACTH-independent Cushing's**

ACTH-dependent Cushing's →

Differential diagnosis 2
- MRI pituitary
- CRH test (ACTH increase > 40% at 15-30 min + cortisol increase > 20% at 45-60 min after CRH 100 μg IV)
- High dose DEX test (Cortisol suppression > 50% after 96h 2 mg DEX for 2 days)

CRH test and high dose DEX positive → Cushing's disease → Trans-sphenoidal pituitary surgery

Equivocal results → Inferior petrosal sinus sampling (petrosal/peripheral ACTH ratio > 2 at baseline, > 3 at 2-5 min after CRH 100 μg i.v.)

CRH test and high dose DEX negative → Ectopic ACTH production → Inferior petrosal sinus sampling

Inferior petrosal sinus sampling: Pos. → Trans-sphenoidal pituitary surgery; Neg. → Locate and remove ectopic ACTH source → Neg. → Bilateral adrenal-ectomy

ACTH-independent Cushing's → Unenhanced CT adrenals
- → Bilateral micronodular or micronodular adrenal hyperplasia → Bilateral adrenal-ectomy
- → Unilateral adrenal mass → Adrenal tumor workup → Unilateral adrenal-ectomy

왼쪽 도표는 쿠싱증후군이 의심되는 환자의 진단 알고리즘이다. 쿠싱이 의심되는 환자에서 24hr urine free cortisol, overnight dexamethasone test, midnight plasma cortisol level로 선별검사를 하며, 검사 결과가 애매할 때 low dose dexamethasone test로 확진 가능하다.

쿠싱증후군의 원발병소를 찾기 위하여 먼저 혈장 ACTH를 측정, 상승한 경우는 ACTH를 생성하는 뇌하수체 또는 ectopic tumor를 의심하여야 하며, 이번 케이스와 같이 혈장 ACTH가 낮은 경우는, cortisol을 분비하는 기관인 부신에 초점을 맞추어 검사를 진행하게 된다.

Reference: Harrison's Principles of Internal Medicine, 18th edition

Hospital day #4-27

#11 Morbid obesity (BMI 〉 40 kg/m²)

O)

	8AM	MN	8AM after overnight DXM	8AM Low-dose DXM
ACTH	3.3	3.1	4.7	-
Cortisol	30.7	20.6	24.4	29.2

24hr urine test

	Cortisol (mcg/day)	Cr (g/day)	Urine vol. (ml)
Baseline	372	0.4	1080
Low-dose DXM	108	0.5	1500

Thyroid function test

	TSH	FT4	T3
HD #2	3.4	0.77	29.2
HD #9	4.6	0.93	32.7

검사 결과 cortisol 분비량이 가장 적어야 하는 자정에 cortisol이 20.6으로 높았고, overnight, low-dose dexamethasone (DXM) suppression test에서 모두 cortisol level이 감소하지 않았다.

A) ACTH-independent Cushing's syndrome, due to adrenal adenoma s/p right adrenalectomy (HD #28)

ACTH-independent Cushing syndrome에 의하여 ACTH level은 지속적으로 낮아져 있었고, hypercortisolemia에 의한 pituitary function의 mild suppression으로 TSH, free T4, T3 농도가 모두 감소되었다.

P) Therapeutic plan 〉
hydrocortisone replacement & tapering

Hospital day #28

#11 Morbid obesity (BMI 〉 40 kg/m²)

O)

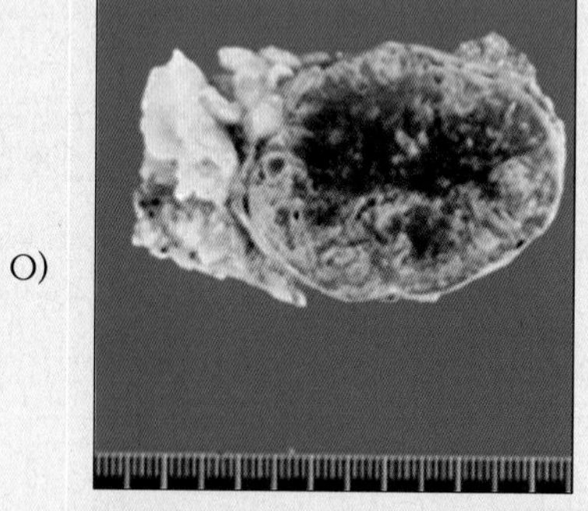

HD #28: Right adrenalectomy 시행 받음.

A) ACTH-independent Cushing's syndrome, due to adrenal adenoma s/p right adrenalectomy (HD #28)

P) Therapeutic plan 〉
hydrocortisone replacement & tapering

Updated problem list

#1 Recurrent cellulitis of both legs ➡ recurrent infection d/t #8
#2 Lymphedema of both lower extremities by history ➡ see #1
#3 Tachypnea with hypoxemia ➡ Heart failure d/t #8 with pleural effusion
#4 Elevated BNP ➡ see #3
#5 Bilateral diffuse radioopacity on chest x-ray ➡ see #3
#6 Cardiomegaly on chest x-ray ➡ see #3
#7 Atrial flutter with 2:1 conduction
#8 Morbid obesity (BMI 〉 40 kg/m^2)
➡ Cushing's syndrome d/t right adrenal adenoma
with multiple complications
s/p right adrenalectomy (HD #28)
#9 Hypertension
#10 Cushingoid physical features ➡ see #8
#11 Abnormal serum ACTH & cortisol levels ➡ see #8
#12 Right adrenal mass ➡ see #8

Clinical course HD #29-125

장기간 hypothalamus-pituitary-adrenal axis 억제로 인하여 수술 후 스테로이드 용량을 줄일 때 마다 전신 무력감과 메스꺼움을 호소하였고, proximal muscle weakness와 횡격막 기능 약화로 인해 자발 호흡과 근력 회복에 어려움이 있었다. 입원 58일째에 갑자기 호흡곤란, 산소포화도 저하 발생, pulmonary embolism CT에서 폐색전증을 발견하여 tissue plasminogen activator (tPA)를 투약 후 중환자실 치료 하였다.
이후 심기능이 완전히 정상화 되었으며, 폐렴, 요로감염, C. difficile-associated colitis로 치료를 받았다. 골다공증으로 인한 늑골 골절로 bisphosphonate를 사용 하였으며, 2개월이 지나도 hydrocortisone 요구량이 높아 50 mg QD 유지하며 재활 치료를 위해 타원으로 전원 하였다.

Lesson of the case

Long-standing Cushing's syndrome에 의한 다양한 합병증에 대한 장기간의 치료가 필요 하였던 증례로, 원인을 모르는 고도비만 환자에서 Cushing syndrome을 감별 질환으로 생각 하어야 하겠다.

CASE 17 1주일 전 시작된 호흡곤란으로 내원한 22세 남자

Chief Complaints

Dyspnea, started 1 week ago

Present Illness

2년 전 우측 어깨 통증으로 OO병원 내원하여 chest X-ray에서 우측 흉수가 확인되었다. Pleural fluid analysis에서 ADA 65 U/L, WBC 4,050 /μL (Lymp 15%) 확인되었고, AFB stain/culture에서 분리된 균은 없었으나 결핵성 늑막염으로 추정 하고 1년 동안 결핵 4제 요법 치료 후 방사선 사진 추적 검사에서 우측 흉수 호전되어 완치 판정 받았다.

이후 OO병원에서 외래 추적 중에 백혈구 감소증이 지속되었고, anti-ds DNA 36 IU/mL (참고치: 〈 7.0 IU/mL)로 상승되고 p-ANCA 양성 확인되었으나 경과 관찰 하였다.

6주 전부터 기침, 가래, 오한을 동반한 발열 발생하였고 간헐적으로 감기약을 처방받아 복용하였으나 4주 전 증상의 호전이 없어 국군 수도 병원 입원하였다. 폐렴에 의한 패혈증으로 생각하고 치료 받았고 가래 및 혈액에서 동정된 균은 없었다. 1주 전 다시 발열과 NYHA Class IV의 호흡곤란이 발생하였다. 전흉골하의 묵직한 양상의 통증이 동반되었고 움직이거나 기침 시 악화되었다. 추적 chest X-ray에서 심장 비대증 보였고 심초음파에서 다량의 심낭액이 확인되어 전원 되었다. 내원 시에는 발열은 없었으며, 기침과 가래 증상을 보였다.

결핵성 늑막염은 일반적인 폐결핵과 같이 6-9개월 치료 하나 환자가 감기약으로 생각하고 중간 3개월간 복용을 중단하여 1년간 복용 하였다.

Past History

diabetes (-)
hypertension (-)
hepatitis (-)

Family History

diabetes (-)
hypertension (-)
tuberculosis (-)
hepatitis (-)
malignancy (-)

Social History

occupation: 군복무중
smoking: never smoker
alcohol: non drinker

Review of Systems

General

generalized edema (-)	easy fatigability (-)
dizziness (-)	weight loss (-)

Skin

purpura (-)	erythema (-)
alopecia (+)	

Head / Eyes / ENT

headache (-)	hearing disturbance (-)
dry eyes (-)	tinnitus (-)
rhinorrhea (-)	oral ulcer (-)
sore throat (-)	dry mouth (-)

Respiratory

cough (-)	sputum (-)

Cardiovascular

palpitation (-)	Raynaud's phenomenon (-)

Gastrointestinal

anorexia (-)	dyspepsia (-)
nausea (-)	vomiting (-)
diarrhea (-)	abdominal pain (-)

Genitourinary

flank pain (-)	gross hematuria (-)

Neurologic

seizure (-)	cognitive dysfunction (-)
psychosis (-)	motor-sensory change (-)

Musculoskeletal

arthralgia (-)	tingling sense (-)
back pain (-)	myalgia (-)

Physical Examination

height 178 cm, weight 70 kg, body mass index 22.0 kg/m^2

Vital Signs

BP 120/66 mmHg - HR 110 /min - RR 22 /min - BT 36.3℃

General Appearance

looking acutely ill	alert
oriented to time, place, and person	

Skin

skin turgor: normal	purpura (-)
malar rash (+)	alopecia (+) top of head, 2-3 cm

* Malar rash

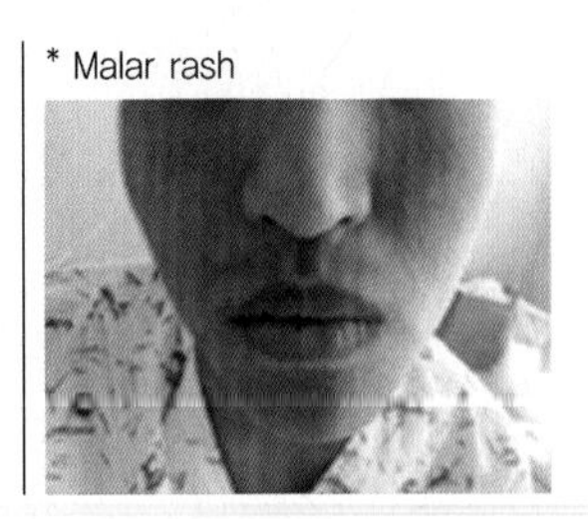

Head / Eyes / ENT

visual field defect (-)	pinkish conjunctivae
anicteric sclera	palpable lymph nodes site: both supraclavicular size: 1-2 cm consistency: soft tenderness (-) fixation (-)

Chest

symmetric expansion without retraction	increased tactile fremitus in right lung field
percussion: dullness in right lung field	crackles on right lung field

Heart

regular rhythm	normal heart sounds without murmur

Abdomen

soft & flat abdomen	hyperactive bowel sound
tenderness/ rebound tenderness (-/-)	hepatomegaly/splenomegaly (-/+) 2 finger breadths

Neurology

motor weakness (-)	sensory disturbance (-)
gait disturbance (-)	neck stiffness (-)

Initial Laboratory Data

CBC

WBC ($4\sim10\times10^3/mm^3$)	2,800	Hb (13~17g/dl)	9.5
WBC differential count	neutrophil 74.0% lymphocyte 14.2% eosinophil 2.5%	platelet ($150\sim350\times10^3/mm^3$)	166

Chemical & Electrolyte battery

Ca (8.3~10 mg/dL)	7.9	glucose (70~110 mg/dL)	104
protein (6~8 g/dL) / albumin (3.3~5.2 g/dL)	6.5/2.5	aspartate aminotransferase (AST) (~40 IU/L) / alanine aminotransferase (ALT) (~40 IU/L)	21/19
alkaline phosphatase (ALP) (40~120 IU/L)	51	gamma-glutamyl transpeptidase (r-GT) (11~63 IU/L)	13
total bilirubin (0.2~1.2 mg/dL)	0.5	direct bilirubin (~0.5 mg/dL)	0.2
BUN (10~26 mg/dL) / Cr (0.7~1.4 mg/dL)	12/0.71	estimated GFR (≥ 60 ml/min/1.7 m^2)	88
C-reactive protein (~0.6 mg/dL)	12.97	cholesterol	68
Na (135~145 mmol/L) / K (3.5~5.5 mmol/L) / Cl (98~110 mmol/L)	136/4.3/106	total CO_2 (24~31 mmol/L)	23.7

Coagulation battery

prothrombin time (PT) (70~140%)	66.3%	PT(INR) (0.8~1.3)	1.23
activated partial thromboplastin time (aPTT) (25~35sec)	32.0		

Urinalysis with microscopy

specific gravity (1.005~1.03)	1.015	pH (4.5~8)	6.0
albumin (TR)	(TR)	glucose (-)	(-)
ketone (-)	(-)	bilirubin ( )	( )
occult blood (-)	(++++)	nitrite (-)	(-)
RBC (0~2/HPF)	11-20	WBC (0~2/HPF)	0
squamous cell (0~2/HPF)	0		

Chest X-ray

Scapula가 lung field 안쪽으로 들어온 chest AP view이며 spinous process가 가운데 위치한 rotation이 없는 사진이다. Cardiomegaly가 있고 both CPA blunting과 right lung의 minor firssure를 따라 effusion이 보인다.

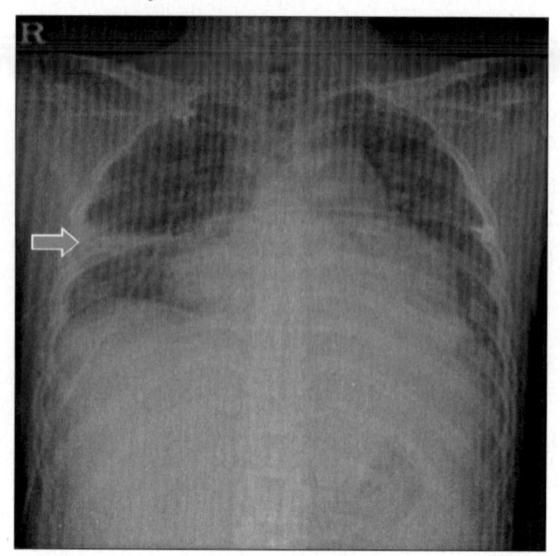

EKG

맥박수 102회로 sinus tachycardia이다

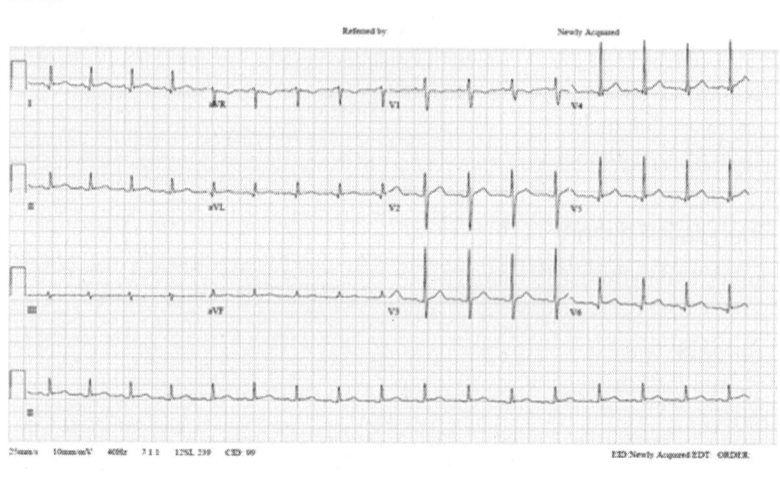

Transthoracic echocardiography

<parasternal long axis view> < parasternal short axis view>

TTE에서 심장을 둘러싸는 대량의 흉수가 관찰되며, IVC plethora가 있어 hemodynamic significance가 있는 것으로 판단 하였다. 호흡곤란과 빈맥이 있어 cardiac tamponade로 판단하고 pericardiostomy를 시행하였다. (화살표: pericardial effusion)

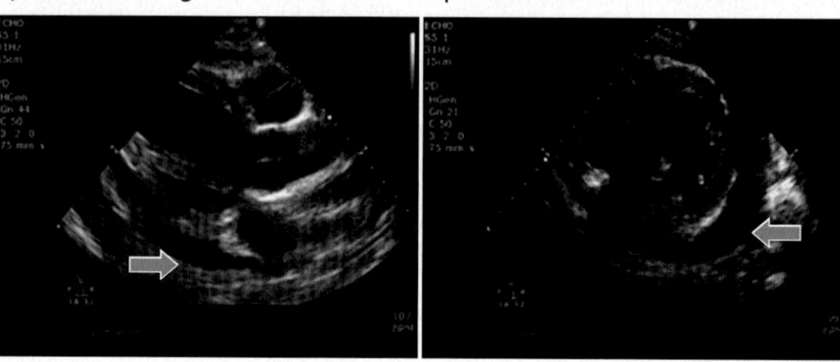

Initial Problem List

#1 Pericardial effusion and pleural effusion, both
#2 Both supraclavicular lymphadenopathy
#3 Splenomegaly
#4 Anemia, leukocytopenia
#5 h/o Anti ds-DNA positive
#6 h/o p-ANCA positive
#7 Hematuria
#8 Alopecia
#9 h/o Tb pleurisy, Rt.

Management of pericardial effusion

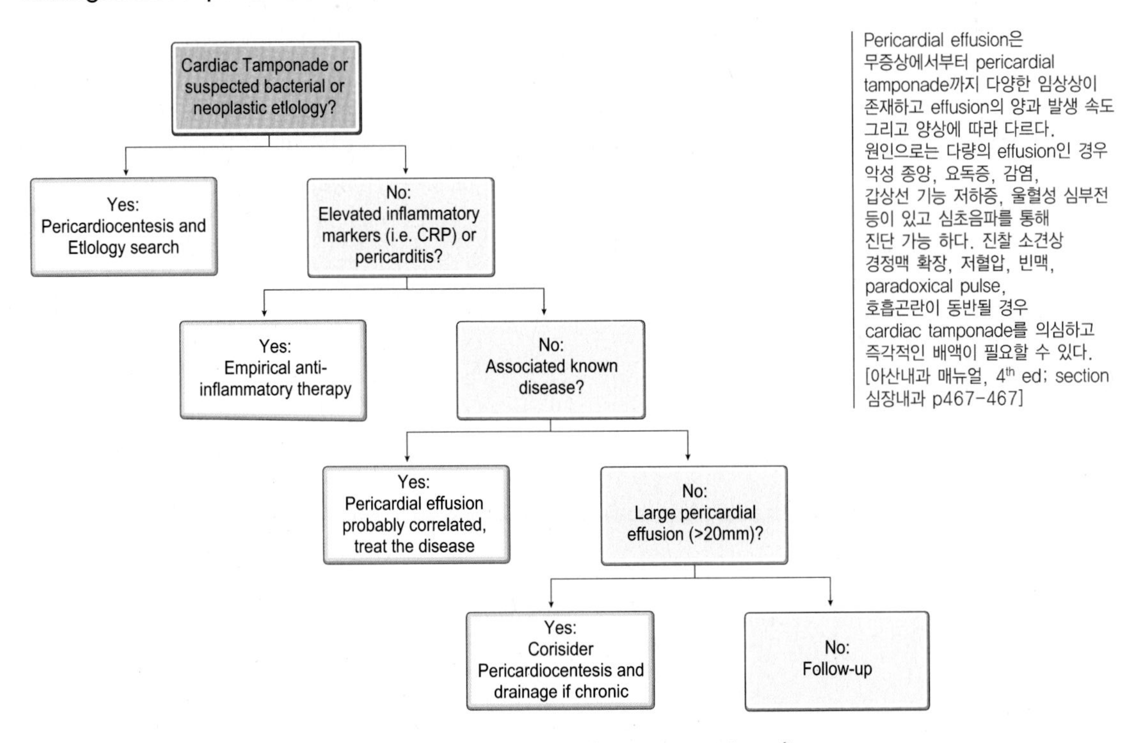

[Eur Heart J;34:1186]

Pericardial effusion은 무증상에서부터 pericardial tamponade까지 다양한 임상상이 존재하고 effusion의 양과 발생 속도 그리고 양상에 따라 다르다. 원인으로는 다량의 effusion인 경우 악성 종양, 요독증, 감염, 갑상선 기능 저하증, 울혈성 심부전 등이 있고 심초음파를 통해 진단 가능 하다. 진찰 소견상 경정맥 확장, 저혈압, 빈맥, paradoxical pulse, 호흡곤란이 동반될 경우 cardiac tamponade를 의심하고 즉각적인 배액이 필요할 수 있다. [아산내과 매뉴얼, 4th ed: section 심장내과 p467-467]

Assessment and Plan

#1 Pericardial effusion and pleural effusion, both
#2 Both supraclavicular lymphadenopathy
#3 Splenomegaly
#4 Anemia, leukocytopenia
#5 H/O Anti ds-DNA positive
#6 H/O p-ANCA positive
#7 Hematuria
#8 Alopecia
#9 h/o Tb pleurisy, Rt.

A)	Serositis associated with autoimmune disease, such as SLE Viral or Tb infection Malignancy, such as lymphoma
P)	Diagnostic plan 〉 Pericardial effusion analysis ADA & Tb PCR Check autoantibody (ANA, ANCA, etc.) Lymph node excisional biopsy Bone marrow aspiration and biopsy Therapeutic plan 〉 Pericardiostomy

Hospital Day #1

#1 Pericardial effusion and pleural effusion, both
#2 Both supraclavicular lymphadenopathy
#3 Splenomegaly
#4 Anemia, leukocytopenia
#5 H/O Anti ds-DNA positive
#6 H/O p-ANCA positive
#7 Hematuria
#8 Alopecia
#9 h/o Tb pleurisy, Rt.

O)

s/p TTE-guided pericardiostomy

- Pericardial fluid analysis

c	Blood tinged	
Turbidity	Mild turbid	
RBC	28500	/uL
WBC	1350	/uL
Neutrophil	70	%
Lymphocyte	7	%
Histiocyte	22	%
Basophil	1	%
ADA	61.2	U/L

Pericardial catheter drainage: 100cc/day

A)

Infectious pericarditis such as viral etiology
Autoimmune disease related pericardial effusion

P)

Pericardial catheter drainage 유지 및 f/u TTE 시행
Tb PCR 및 AFB culture 결과 확인
Autoantibody 확인

ADA (adenosine deaminase)는 결핵성 늑막 저류, 복수, 뇌척수액, 심낭 삼출액에서 활성도가 증가하여 결핵의 진단에 도움을 줄 수 있다. 특히 높은 진단적 감수성과 특이성으로 폐 외 결핵 진단에 유용한 표지자로 알려져 있다. 심장액에서 ADA는 cut off value는 40U/L로 87%의 민감도와 89%의 특이도를 보이지만 위음성이 가능하여 결핵성 심낭염 진단 시 PPD test 및 chest x-ray, TB PCR 등의 확인이 진단에 도움이 된다. [Oxford journal 2006; 99: 827]

환자의 Pericardial fluid analysis는 bloody한 양상으로 neutrophil dominant하며 ADA가 61.2U/L로 상승되어 있다.

Hospital Day #2-8

ANA는 SLE 환자에서 98% 이상 양성이며 환자에서는 ANA titer는 1:40으로 역가가 낮은 편이다. 그러나 약 80%의 SLE 환자에서 양성이며 거의 100%의 특이도를 보이는 Anti-ds-DNA가 686IU/mL로 강양성이고 C3/C4감소가 동반되어 SLE의 finding에 합당함을 알 수 있다. [Guidelines for clinical use of the antinuclear antibody test and tests for specific autoantibodies to nuclear antigens. American College of Pathologists 2000; 10; 1043]

ANCA는 SLE 환자의 약 1/3에서 양성이며 대부분이 p-ANCA로 확인되었다. 현재 ANCA의 SLE에서 role은 불분명 하다. [Anti-neutrophil Cytoplasmic Antibodies (ANCA) in Systemic Lupus Erythematosus: Prevalence, Clinical Associations and Correlation with Other Autoantibodies 2004:52;533]

#1 Pericardial effusion and pleural effusion, both
#2 Both supraclavicular lymphadenopathy
#3 Splenomegaly
#4 Anemia, leukocytopenia
#5 h/o Anti ds-DNA positive
#6 h/o p-ANCA positive
#7 Hematuria
#8 Alopecia
#9 h/o Tb pleurisy, Rt.

O)

Autoantibody & complement

		참고치
ANA	Homog,1:40	< 1:40 titer
Histone Ab	Positive	< 40 S/C ratio
Anti-ds-DNA	Positive 686	0~7 IU/mL
ANCA IF	P type	negative
C3	43.6	8~201 mg/dL
C4	8.1	16~47 mg/dL
CH50	32.5	23~46 U/mL

Pericardial effusion AFB stain/Tb PCR: negative

Bone marrow biopsy:
negative neoplastic lymphoid cells
Lt.SCN excisional biopsy:
reactive lymphoid hyperplasia

Pericardial catheter drainage:
10 cc/day (HD #2) ➡ 1 cc/day (HD #3~4)

A) Serositis associated with SLE

P) Start methylprednisolone 1 mg/kg
Remove pericardial catheter as decreased drainage

Updated Problem List

#1 Pericardial effusion and pleural effusion, both

➡ Serositis associated with SLE

#2 Both supraclavicular lymphadenopathy ➡ see # 1

#3 Splenomegaly ➡ see # 1

#4 Anemia, leukocytopenia ➡ see # 1

#5 h/o Anti ds-DNA positive

➡ Anti ds-DNA positive ➡ see # 1

#6 h/o p-ANCA positive

➡ p-ANCA positive ➡ see # 1

#7 Hematuria ➡ see # 1

#8 Alopecia ➡ see # 1

#9 h/o Tb pleurisy, Rt.

* American college of rheumatology criteria for classification of SLE

1. Malar rash
2. Discoid rash
3. Photosensitivity
4. Oral ulcer
5. Non-erosive arthritis
6. Pleuritis or pericarditis
7. Renal disorder (persistent proteinuria 〉 0.5 g/day or 3+)
8. Neurologic disorder (seizure, psychosis)
9. Hematologic disorder (hemolytic anemia, luekopenia 〈 4,000 /mm^3, lymphopenia 〈 1,500 /mmm^3, thrombocytopenia 〈 1000,000 /mm^3)
10. Immunologic disorder (anti-DNA, anti-Sm, positive finding of antiphopholipid Ab)
11. Positive antinuclear antibody

→ 결론적으로 Malar rash, serositis, bicytopenia, immunologic disorder, antinuclear antibody 양성으로 4개 이상 기준 만족하여 임상적으로 SLE 진단할 수 있었다

Hospital Day #12

#3 Chronic kidney disease, stage 5, associated with diabetes
#5 Dyspnea,orthopnea and pulmonary edema
#6 Multiple regional cardiac wall motion abnormality
#7 Elevated cardiac enzyme, EKG abnormality

스테로이드를 쓰던 중에 발열이 다시 발생하여 감염 혹은 결핵에 의한 발열을 배재해야 했고, Chest X-ray는 호전 추세로 폐렴의 가능성은 적다고 판단하였다. 결핵에 대한 추가적인 검사를 시행하였고, SLE 악화로 인할 가능성도 있어 hyroxychloroquine을 추가하였다.

*Blood T-SPOT
결핵 진단에 사용되는 ELISPOT으로 Interferon-gamma release assay의 한 종류이다. Interferon gamma를 생성하는 anti-mycobacterial effector T- cell을 검출 하여 결핵을 진단 한다

S) 열이 나서 힘들어요.

O) V/S: 91/62 mmHg - 110회/min - 22회/min -39.8 ℃
Chest X-ray: decreased pleural effusion

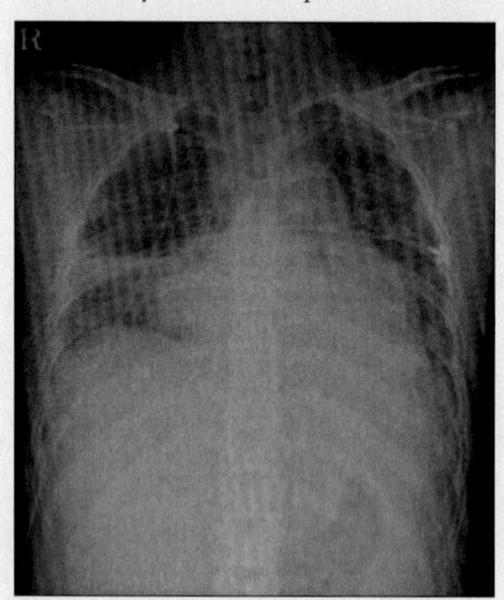

Initial chest X-ray

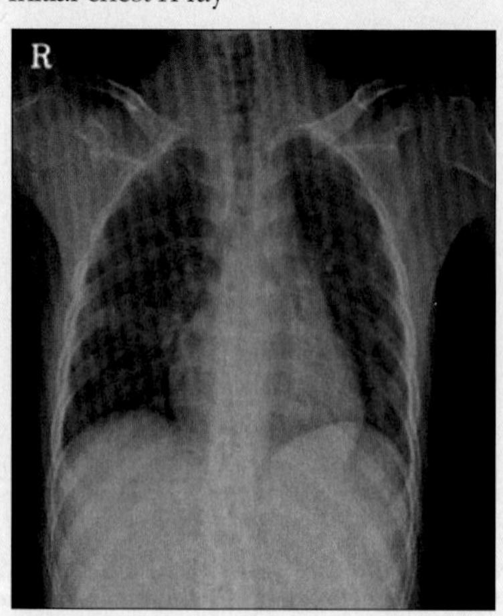

HD #12

Sputum Gram stain/culture: no growth
Sputum AFB stain/culture: negative

지속적인 urine analysis 이상 및 anti-ds DNA 상승, 보체치 감소가 있을 시 SLE renal involve의 가능성이 있고 신장 조직 검사자 진단 및 경과에 중요하다. Proteinuria, hematuria 지속, anti-ds DNA 상승 그리고 complement 감소로 예후 확인 및 치료 약제 결정 위해 신장 검사를 시행하였다.

A)	Fever due to Tb pericarditis or viral infection due to SLE flare up
P)	Diagnostic plan 〉 Sputm AFB stain/culture Tuberculin test Blood T-SPOT Therapeutic plan 〉 Prednisolone 60 mg, hydroxychloroquine

Hospital Day #16

#1 Pericardial effusion due to SLE	
S)	열도 떨어지고 괜찮아요.
O)	V/S 102/70 mmHg - 88회/min - 20회/min -37.0℃ - Tuberculin skin test: negative - Repeat sputum AFB/Culture: negative - Blood T-spot: negative
A)	Fever due to SLE flare up
P)	Keep Prednisolone 60 mg, hydroxychloroquine

#6 Hematuria	
O)	- U/A : albumin/glucose/occult blood/WBC (++/-/++++/-) BUN/Cr 0.67/14 Urine Alb/Cr ratio: 832.6
A)	Hematuria due to lupus nephritis
P)	Kidney biopsy

신장 조직 검사 후 혈압 감소 시 가장 많은 합병증으로는 internal bleeding을 가장 먼저 생각해 볼 수 있으나 CXR에서 폐부종이 명확하게 보여 cardiogenic shock을 먼저 생각 하였다.

Hospital Day #19-20

S) 시술하고 가슴이 답답하고 숨이 차요.

Us guided kidney biopsy was done.
V/S: 90/55 mmHg - 136회/min - 23회/min - 36.9℃
P/E: crackle at RLLZ area
Chest X-ray: pulmonary edema

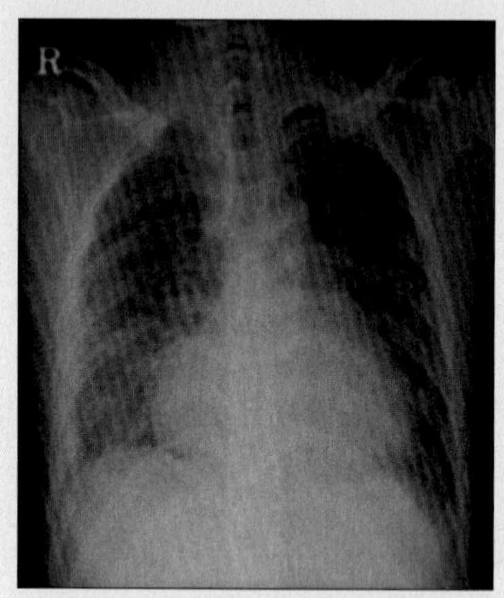

O)

- BUN/Cr 1.20/70 AST/ALT 2022/2617
  CK/CK-MB/TnI 59/6.4/0.424 BNP 2155 pg/ml
  (50~250IU/L / <5 ng/mL / < 1.5 ng/mL) (<100 pg/mL)
- EKG : Newly developed T wave inversion in V 4-6

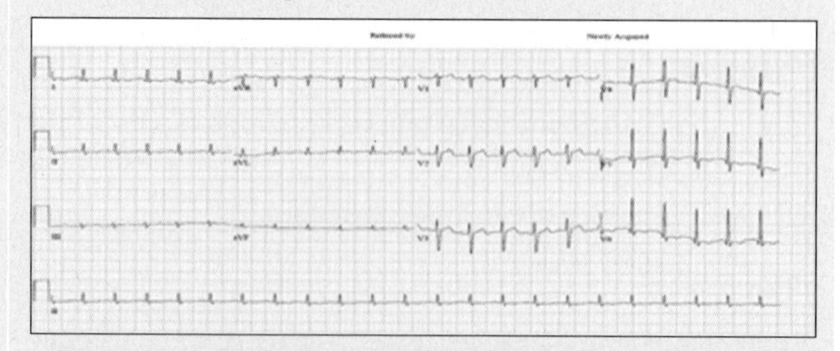

- TTE : EF = 15%, global hypokinesia

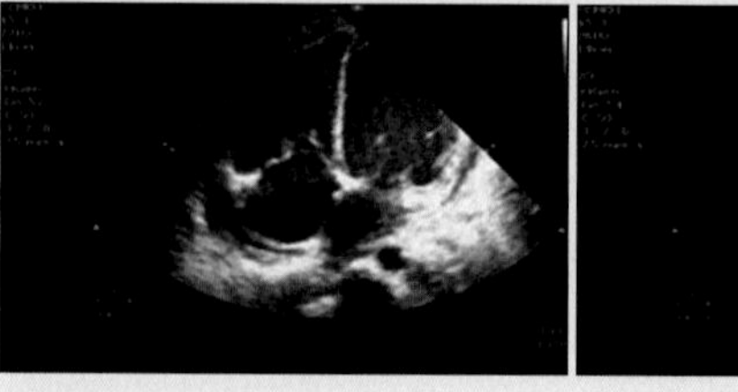
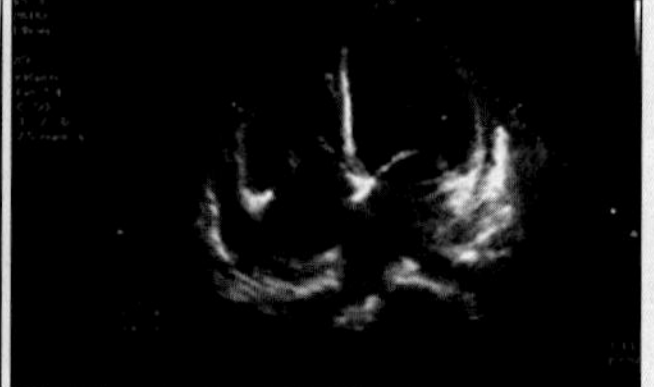

〈Apical 4 chamber view〉

Proposed Mayo Criteria

Stress induced cardiomyopathy 진단을 위한 criteria로 04년 Mayo clinic의 연구원들이 관찰에 근거하여 정립한 기준으로 세부 항목을 살펴 보면 다음과 같다.

- Electrocardiographic abnormalities
- Transient apical and mid-ventricular wall motion abnormalities
- Absence of obstructive coronary artery disease
- Absence of the following
  * Recent significant head trauma
  * Intracranial hemorrhage
  * Pheochromocytoma.

[Clinical characteristics of Takotsubo cardiomyopathy in North America, north American Journal of medical Sciences; 5; 2: 77]

A)	Cardiogenic shock associated with stress-induced cardiomyopathy LFT elevation d/t ischemic hepatitis
P)	Inotropics를 투여하며 coronary care unit (CCU)으로 전동하였다. Diuretics 투약하며 CVP 8-9 mmHg을 목표로 volume control을 하고 SLE medication으로 mPD 60 mg 유지하기로 하였다.

Hospital Day #21

O)	Drowsy mentality V/S: 60/43 mmHg - 136회 /min - 21회 /min -36.3℃ SaO_2: 100% - Dopamine 20 mcg/kg/min Dobutamine 20 mcg/kg/min Norepinephrine 0.16 mcg/kg/min - BUN/Cr 1.91/64 AST/ALT 2346/3622 CK/CK-MB/TnI 52/4.8/0.477 LD 1413
A)	Cardiogenic shock associated with stress-induced cardiomyopathy LFT elevation d/t ischemic hepatitis
P)	intubation & mechanical ventilator inotropics and vasopressors V-A ECMO insertion d/t failure to maintain adequate BP

Clinical courses

Cardiogenic shock 발생 후 1주일이 지나도록 LV contractility의 호전이 없어 ECMO 유지 하였다. Stress induced cardiomyopathy는 대부분 1-4 주간에 걸쳐 서서히 정상화되기 때문에 환자 연령 및 기저 질환 고려 시 2주 이상 ECMO weaning이 힘들면 reversibility가 없을 것으로 판단하고 심장 이식을 고려 하기로 하였지만, HD #30일, ECMO insertion 7일째 TTE상 contractility가 회복되기 시작하여 ECMO weaning에 성공하였고 일반병동 전동 후 퇴원 하였다.

Lesson of the case

Pericardial effusion, pleural effusion의 가능한 원인으로 autoimmune과 관련된 serositis의 가능성을 고려해야 한다. 특히 lymphadenopathy, splenomegaly, hematuria, cytopenia의 증상이 동반될 경우 그 가능성이 높다.

Stress induced cardiomyopathy (SCMP)는 in-hospital mortality가 2% 정도이며 대부분 특별한 치료 없이 호전되나 심할 경우 severe LV dysfunction이 발생하여 혈압이 유지 되지 않는 경우도 있다. SCMP는 대부분 1-4주 내 호전되기 때문에 ECMO는 적절한 bridge method로 이용될 수 있다.

CASE 18 1개월 전 시작된 복부 팽만으로 내원한 66세 남자

Chief Complaints

Abdominal distension, started 1 month ago

Present Illness

40년 간 소주 3병/주 3회 마신 음주력 있는 환자로, 1개월 전 복부 팽만감 발생하였고, 3주 전 연고지 병원 방문하여 복부 전산화 단층촬영 시행 후 복수가 확인되어, 3L씩 두 차례 복수천자 시행하였으나 원인을 밝히지 못하여 악성 종양에 의한 복수의 가능성이 있다고 듣고 복수의 원인 감별 및 치료를 위하여 본원으로 전원되었다.

Past History

hypertension (+): 5년 전 진단받고, amlodipine 5 mg qd 복용 중임
diabetes (-)
hepatitis (-)
tuberculosis (-)

Family History

diabetes (-)
hypertension (-)
hepatitis (-)
tuberculosis (-)
malignancy (-)

Social History

smoking: 40 pack-years, 15년 전 금연
alcohol: 주 3회, 소주 3병/회

Review of Systems

General

generalized weakness (+)	easy fatigability (-)
dizziness (-)	weight loss (-)

Skin

purpura (-)	erythema (-)

Head / Eyes / ENT

headache (-)	hearing disturbance (-)
dry eyes (-)	tinnitus (-)
rhinorrhea (-)	oral ulcer (-)
sore throat (-)	dizziness (-)

Respiratory

dyspnea (-)	hemoptysis (-)
cough (-)	sputum (-)

Cardiovascular

chest pain (-)	palpitation (-)
orthopnea (-)	dyspnea on exertion (-)

Gastrointestinal

anorexia(-)	dyspepsia (-)
nausea (-)	vomiting (-)
Constipation (-)	Diarrhea (-)
abdominal pain (+): epigastric, continous, numeric rating scale 3	

Genitourinary

flank pain (-)	gross hematuria (-)
genital ulcer (-)	costovertebral angle tenderness (-)

Neurologic

seizure (-)	cognitive dysfunction (-)
psychosis (-)	motor- sensory change (-)

Musculoskeletal

pretibial pitting edema (-)	tingling sense (-)
back pain (-)	muscle pain (-)

Physical Examination

height 157.9 cm, weight 63.1 kg

body mass index 25.31 kg/cm²

Vital Signs

BP 95/60 mmHg - HR 66 /min - RR 18 /min - BT 36.8℃

General Appearance

chronic ill - looking	alert
oriented to time, person, place	

Skin

skin turgor: normal	ecchymosis (-)
rash (-)	purpura (-)

Head / Eyes / ENT

visual field defect (-)	pale conjunctiva (-)
icteric sclera (-)	palpable lymph nodes (-)

Chest

symmetric expansion without retraction	normal tactile fremitus
percussion : resonance	clear breath sound without crackle

Heart

regular rhythm	normal hearts sounds without murmur

Abdomen

distended abdomen	decreased bowel sound
splenomegaly (-)	rebound tenderness (-)

Back and extremities

pretibial pitting edema (-/-)	costovertebral angle tenderness (-/-)
flapping tremor (-)	

Musculoskeletal

motor weakness(-)	sensory disturbance (-)
gait disturbance(-)	neck stiffness (-)

Initial Laboratory Data

CBC

WBC ($4\sim10\times10^3/mm^3$)	10,600	Hb (13~17g/dl)	15.2
MCV (81~96 fl)	89.3	MCHC (32~36 g/dl)	34.9
WBC differential count	neutrophil 64.1% lymphocyte 21.3% monocyte 10.3%	platelet ($150\sim350\times10^3/mm^3$)	345

Chemical & Electrolyte battery

Ca (8.3~10mg/dL) / P (2.5~4.5mg/dL)	9.2/4.8	glucose (70~110 mg/dL)	123
protein (6~8 g/dL) / albumin (3.3~5.2 g/dL)	6.0/2.4	aspartate aminotransferase (AST) (~40 IU/L) / alanine aminotransferase (ALT) (~40 IU/L)	16/10
alkaline phosphatase (ALP) (40~120 IU/L)	65	gamma-glutamyl transpeptidase (r-GT) (11~63 IU/L)	13
total bilirubin (0.2~1.2 mg/dL)	0.3	direct bilirubin (~0.5 mg/dL)	0.1
BUN (10~26 mg/dL) / Cr (0.7~1.4 mg/dL)	20/0.96	estimated GFR ($\geq$ 60 ml/min/1.7 m^2)	78
C-reactive protein (~0.6 mg/dL)	6.69	cholesterol	139
Na (135~145 mmol/L) / K (3.5~5.5 mmol/L) / Cl (98~110 mmol/L)	133/4.8/95	total CO_2 (24~31 mmol/L)	24.6

Coagulation battery

prothrombin time (PT) (70~140%)	12.2 %	PT(INR) (0.8~1.3)	1.07
activated partial thromboplastin time (aPTT) (25~35sec)	28.0 sec		

Urinalysis

specific gravity (1.005~1.03)	1.020	pH (4.5~8)	5.0
albumin	(-)	glucose	(-)
ketone	(-)	bilirubin	(-)
occult blood	(-)	nitrite	(-)
urobilinogen	(+)		

Chest X-ray

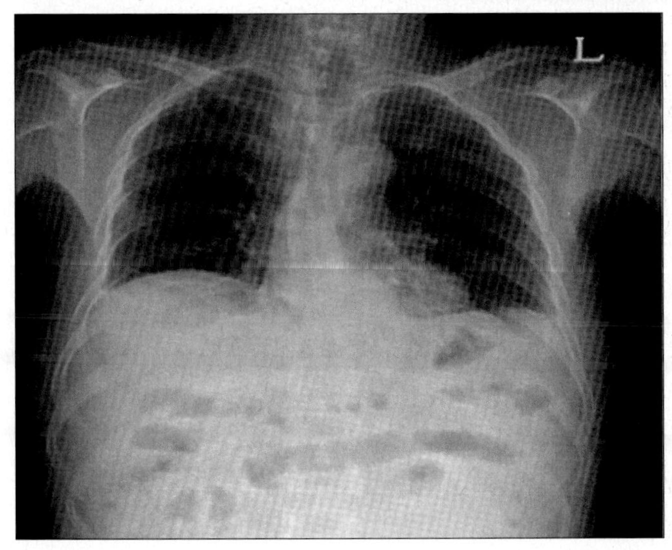

Spinous process가 양측 clavicle head의 중간에서 약간 우측으로 치우쳐 dextrorotation되어 있다. Lung apex가 명확이 관찰되며, scapula가 양측 lung field를 벗어나 있다. Lung field에 관찰되는 rib이 8개로 full inspiration 되지 않았다. 우측의 횡경막 음영이 좌측보다 상승되어 있고, soft tissue abnormality는 관찬되지 않는다 Bony throrax에서도 이상 소견 보이지 않는다. Trachea 음영 및 좌/우 주기관지 음영이 관찰되며, 양측 폐야에 active lung lesion은 관찰되지 않는다. 좌우의 CP angle이 slight하게 blunting 되어 있고, cardiomegaly, medistinum widening 없다.

Initial Problem List

#1 Hypertension (5 years ago) under control with medication
#2 Heavy drinking (주 3회, 소주 3병/회)
#3 Abdominal distension d/t massive ascites
#4 Epigastric pain
#5 Leukocytosis with C-reactive protein elevation
#6 Hypoabluminemia

Assessment and Plan

Ascites의 원인을 감별하기 위하여 먼저 ascitic fluid analysis를 시행해야 한다. Cell count, albumin, total protein 검사는 필수로 진행해야 한다. 이를 통해 serum-ascites albumin gradient를 구한 다음 exudate, transudate를 구별한다. 이후 Gram stain/culture in blood culture bottles, glucose, LDH, amylase 등은 상황에 따라 검사를 시행할 수 있다. 드문 경우에서 cytology나 AFB smear/culture, TB PCR test가 도움이 된다.

환자의 경우 가장 흔한 원인인 liver cirrhosis에 의한 ascites에 대한 감별이 필요하며, abdominal pain도 호소하고 있어 alcoholc liver cirrhosis와 동반된 spontaneous bacterial peritonitis 등을 감별하기로 하였다. 또한 악성 종양에 의한 복수를 감별하기 위하여 외부 병원 복부 전산화 단층촬영 검사를 review하기로 하였고, hidden malignancy 감별위해 흉부 전산화 단층촬영을 진행하기로 하였다.

#3 Abdominal distension d/t massive ascites
#4 Epigastric pain
#5 Leukocytosis with C-reactive protein elevation
#6 Hypoabluminemia

A)	Hidden malignancy like peritoneal carcinomatosis or peritoneal seeding Tuberculous peritonitis Spontaneous bacterial peritonitis with alcoholic LC Uncomplicated cirrhotic ascites
P)	Diagnostic plan 〉 Diagnostic and therapeutic paracentesis: Ascitic fluid analysis, protein, albumin, LDH, glucose, amylase, lipase, Gram stain/culture, AFB stain/culture Abdomen & pelvis CT review Chest CT Treatment plan 〉 Diagnostic and therapeutic paracentesis NPO, IV hydration

Hospital day #1

#3 Abdominal distension d/t massive ascites
#4 Epigastric pain
#5 Leukocytosis with C-reactive protein elevation
#6 Hypoabluminemia

S)	복수 뽑으니까 조금 덜 답답해요.
O)	Vital signs BP 107/83 mmHg - HR 100 /min - RR 18 /min - BT 37.3℃ CBC 8500/mm^3 - 15.2 g/dL - 431 k/mm^3 Ascitic fluid analysis (paracentesis 1100cc) specific gravity 1.020 pH 7.0 RBC 100/uL WBC 1400/uL (Neutrophil: 4%, Histiocyte: 84%) protein/albumin 4.1/1.9 g/dL ADA 17.1 U/L, glucose 149 mg/dL, LD 208 U/L amylase/lipase 26210/68280 U/L ascites fluid cytology negative for malignant cell Serum-Ascites Albumin Gradient(SAAG): 0.4 g/dL
A)	Pancreatic ascites
P)	Serum amylase/lipase 확인 외부 APCT review 및 chest CT 시행

Hospital day #2

#3 Abdominal distension d/t massive ascites
#4 Epigastric pain
#5 Leukocytosis with C-reactive protein elevation
#6 Hypoabluminemia

S) 명치가 불편한데 많이 아프지는 않아요.

O) Amylase/lipase 773/589 U/L

외부 Abdomen & pelvis CT

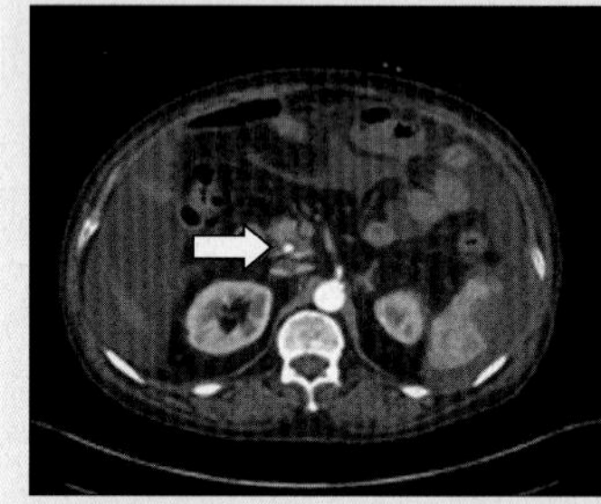

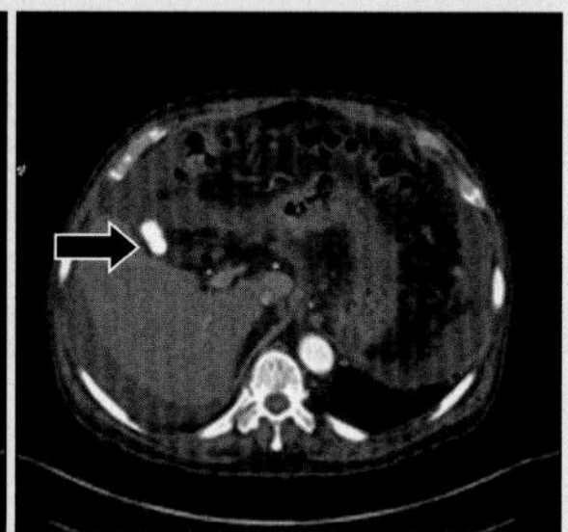

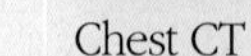

좌측 사진에서 복강 내 복수가 확인되고 있으며, pancreas head에 stone(백색 화살표)이 확인되어 chronic pancreatitis에 합당한 소견이며, focal splenic infarction(백색 화살표 머리)이 확인된다. 우측 사진에서 GB stone(흑색 화살표)이 확인되며, chronic calculous cholecystitis가 있는 것으로 보인다.

Chest CT

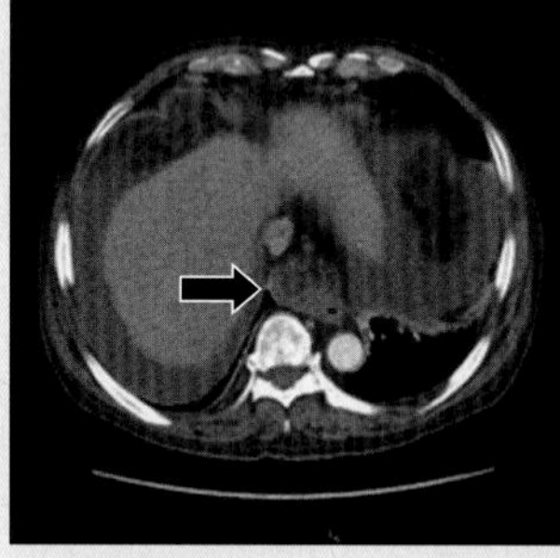

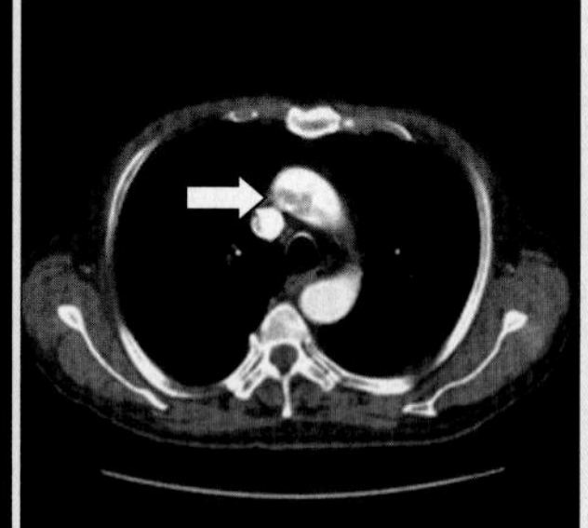

좌측 사진에서 pancreatic pseudocyst가 esophagus까지 확장된 소견(흑색 화살표)이 보이며, 우측 사진에서 ascending aorta에 mass-like lesion(백색 화살표)이 보이나 pseudolesioin인지 여부는 불분명하였다.

A) Chronic pancreatitis with pancreatic ascites
Esophageal pseudocyst
Low attenuation in ascending aorta on chest CT (pseudolesion or true lesion)
Focal splenic infarction on APCT
Chronic calculous cholecystitis

P) 췌담도 파트 상의

Updated problem list

#1 Hypertension (5 years ago) under control with medication

#2 Heavy drinking (주 3회, 소주 3병/회)

#3 Abdominal distension d/t massive ascites

➡ Chronic pancreatitis with pancreatic ascites

#4 Epigastric pain

➡ #3

#5 Leukocytosis with C-reactive protein elevation

➡ #3

#6 Hypoabluminemia

➡ #3

#7 Esophageal pseudocyst

#8 Low attenuation in ascending aorta on chest CT

#9 Focal splenic infarction on APCT

#10 Chronic calculous cholecystitis

Hospital Day #3~4

새롭게 발열이 발생하고 복통이 악화되었으며, bilateral pleural effusion이 증가한 것은 pancreatitis의 악화로 인한 것으로 판단하여 혈액배양, 복수 천자 및 복부 전산화단층촬영을 추적관찰하기로 하였으며, mediastinal widening이 있고 이전 chest CT에서 보였던 ascending aorta의 병변에 대해 review하였을 때 true lesion인지 감별이 분명하지 않아 echocardiography와 aortic dissection CT를 시행하기로 하였다.

발열이 있으면서 호흡곤란을 호소하여 시행한 Chest x-ray 결과 bilateral pleural effusion이 증가하였고, mediastinum widening이 있다.

#3 Chronic pancreatitis with pancreatic ascites
#7 Esophageal pseudocyst
#8 Low attenuation in ascending aorta on chest CT
#9 Focal splenic infarction on APCT

S)	명치가 아파서 못 누워요. 열이 나고 숨이 차요.
O)	Vital signs BP 150/90 mmHg - HR 92 /min - RR 23 /min - BT 37.9℃ Serum amylase/lipase: 1257/507 IU/L, CRP: 14.86 mg/dL 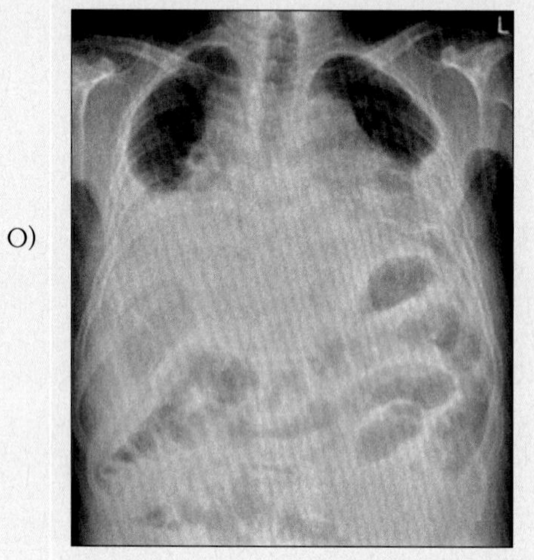 Chest X-ray
A)	Fever and epigastric pain due to aggravated pancreatitis with pancreatic ascites, pleural effusion Eophageal pseudocyst Low attenuation in ascending aorta on chest CT Focal splenic infarction on APCT
P)	Blood culture, paracentesis, APCT Echocardiography(TTE / TEE), Aortic dissection CT NPO, IV hydration 유지

Hospital Day #5~7

#3 Chronic pancreatitis with pancreatic ascites
#7 Esophageal pseudocyst
#8 Low attenuation in ascending aorta on chest CT
#9 Focal splenic infarction on APCT

S) 명치가 아파서 숨 쉬기가 힘들어요.

O)

Ascitic fluid analysis (paracentesis 200 cc)
specific gravity 1.010 pH 7.0
RBC 200 /uL
WBC 1440/uL (Neutrophil: 1%, Histiocyte: 66%)
protein/albumin 4.4/2.1 g/dL
glucose 175 mg/dL LD 294 U/L
amylase/lipase 3267/3089 U/L
ascites fluid cytology negative for malignant cell
Serum-Ascites Albumin Gradient(SAAG) 0.2 g/dL

Blood culture: no growth

Abdomen & pelvis CT

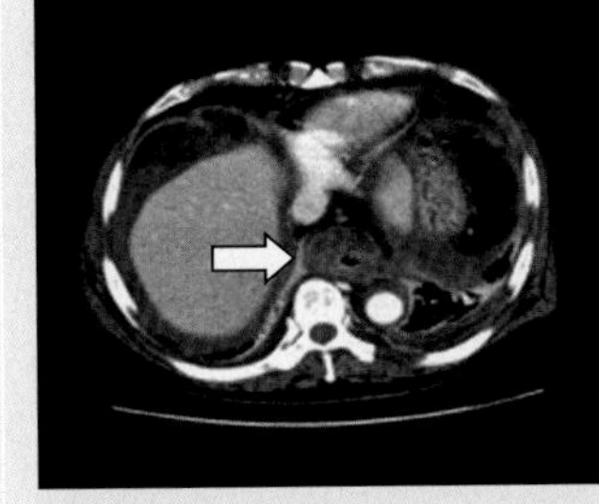
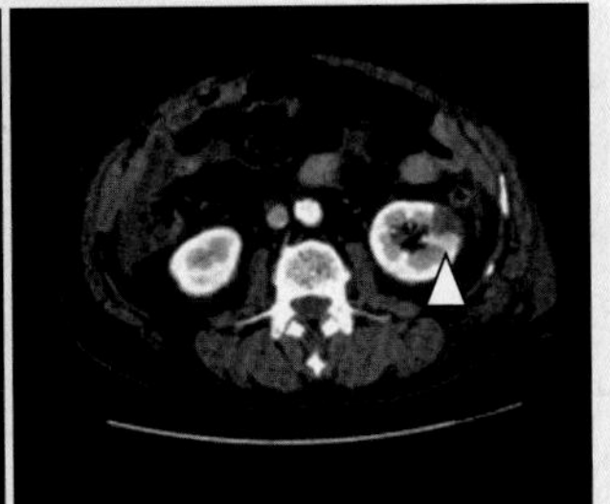

좌측 사진에서 paraesophageal fluid collection (백색 화살표)이 진행된 것이 보이며, 우측 사진에서 Lt. kidney에 focal infarction (백색 화살표 머리)이 새로 발생하였다.

Aortic diassection CT

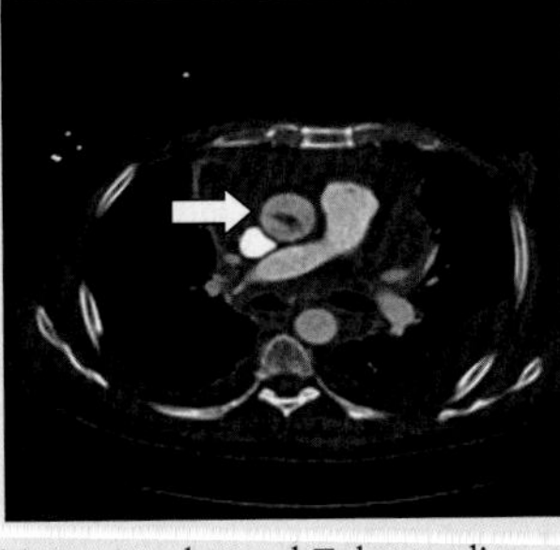
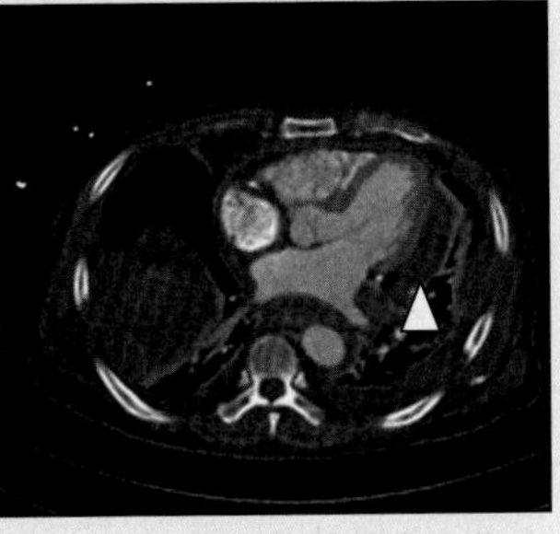

좌측 사진에서 ascending aorta에 floating vegetation or floating thrombi로 의심되는 low attenuation lesion (백색 화살표)이 보인다. 우측 사진에서 pericardial thickening과 함께 pericardial fluid (백색 화살표 머리)가 확인되고, mediastinitis가 있다.

Transesophageal Echocardiography
Multiple mobile low echogenic masses in ascending aorta
r/o tumor v.s. thrombus

Paraesophageal pancreatic pseudocyst가 rupture 되면서 mediastinitis가 발생하였고, pericardium까지 extension된 것으로 판단하였다. Aortic arch의 lesion에 대해서 CS operation을 통하여 확인하기로 하였다. Aortic thrombi 가능성이 있어 thrombophilia로 인한 thrombi 가능성에 대해 work up을 시행하기로 하였다.

A)	Fever and epigastric pain due to aggravated pancreatitis with pancreatic ascites, pleural effusion Mediastinitis with esophageal pseudocyst Aortic thrombi or tumor Focal infarction of left kidney and spleen on APCT
P)	Consider EUS drainage for esophageal pseudocyst CS consultation for thrombi or tumor removal and mediastinal debridement Thrombophilia work up (protein-C, protein-S, antithrombin III, anticardiolipin antibody, beta2-GPI, lupus anticoagulant screen, Russell's viper venom test)

Updated problem list

#1 Hypertension (5 years ago) under control with medication

#2 Heavy drinking (주 3회, 소주 3병/회)

#3 Abdominal distension d/t massive ascites

➜ Chronic pancreatitis with pancreatic ascites

#4 Epigastric pain

➜ #3

#5 Leukocytosis with C-reactive protein elevation

➜ #3

#6 Hypoabluminemia

➜ #3

#7 Esophageal pseudocyst

➜ Mediastinitis with esophageal pseudocyst

➜ #3

s/p thrombi removal, mediastinal debridement

#8 Low attenuation in ascending aorta on chest CT

➜ Floating thrombi in ascending aorta

➜ #3

s/p thrombi removal, mediastinal debridement

#9 Focal splenic infarction on APCT

➜ #8

#10. Chronic calculous cholecystitis

#11 Focal infarction of Lt. Kidney on APCT

➜ #8

Hospital Day #8~16

#3 Chronic pancreatitis with pancreatic ascites
#7 Mediastinitis with esophageal pseudocyst
#8 Floating thrombi in ascending aorta
#9 Focal splenic infarction on APCT

S)	통증은 많이 호전되었어요.
O)	CS operation finding: massive severe infection & multifocal abscess formation이 whole mediastinum,에 확인되어 meticulous mediastinal debridement 시행하였고, pericardium resection과 massive irrigation 시행함 Aortic thrombi에 대하여 complete removal 시행함 Pathology A) Specimen from (aortic thrombi), thrombectomy: - Thrombi. B) Mediastinum, excision: - Acute necrotizing mediastinitis with fat necrosis. Postoperative TTE: no remnant thrombi Aortic dissection CT: diffuse and severe wall thickening with faint enhancement in distal esophagus Thrombophilia work up protein-C 77% total protein-S 84% free protein-S 50% antithrombin III 79% anticardiolipin antibody IgG/IgM (-/-) beta2-GPI IgG/IgM (-/-) LA screen/Russell's viper venom test (-/+)
A)	Pancreatitis with mediastinitis, esophageal pseudocyst, aortic thrombi s/p mediastinal debridement, thrombi removal Focal infarction of spleen and left kidney on APCT
P)	NPO, IV hydration

흉부외과 협진하여 pancreatic pseudocyst로 인해 발생한 necrotizing mediastinitis에 대하여 debridement 시행하였다. Mediastinitis로ascending aorta에 inflammatory change가 조장되고, chronic pancreatitis로 hypercoagulable state가 만들어져서 aorta에 thrombus가 형성된 것으로 설명할 수 있다.

Thrombophilia에 대한 검사 결과 Russell's viper venom test 이외에 특이 소견이 확인되지 않았다. 환자 연령이나 성별, 증상이 anti-phospholipid syndrome과 잘 맞지 않고, Russell's viper venom test 이 양성으로 확인된 경우 3개월 뒤에 다시 follow up 했을 때 다시 양성인 경우에 의미가 있다. 따라서 환자의 경우 thrombophilia가 있다고 보기 어렵다.

Hospital Day #17~33

Focal spleen and kidney infarction는 aortic arch thrombus가 emboli로 떨어져 나가서 spleen과 kidndy에 infarction을 일으킨 것으로 판단하였다.

#5 Chronic pancreatitis with pancreatic ascites
#7 Mediastinitis with esophageal pseudocyst
#8 Floating thrombi in asceding aorta

S)	계속 금식하는 게 힘들어요.
O)	Follow up CT 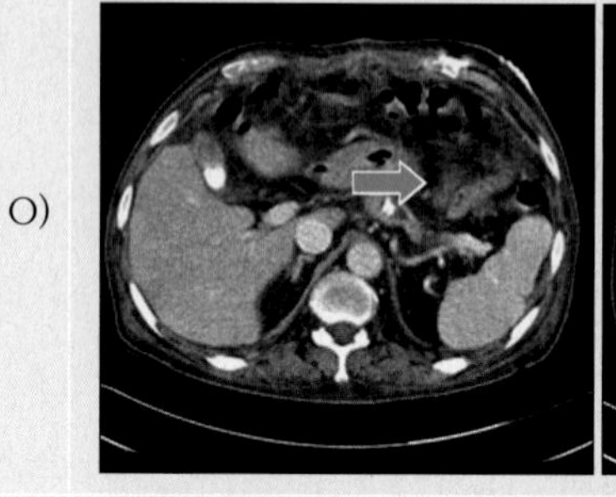 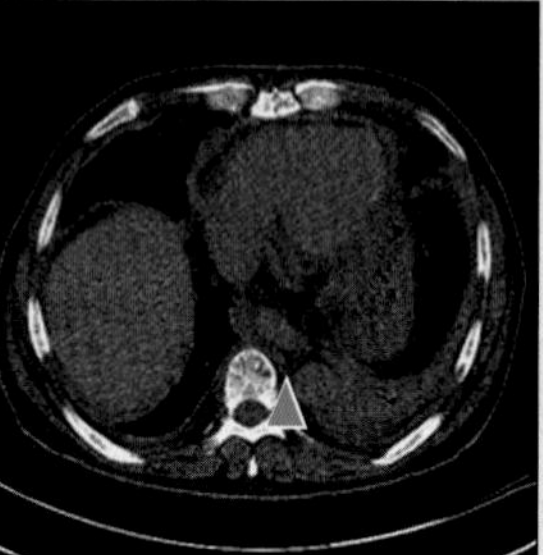
A)	Pancreatitis with mediastinitis, esophageal pseudocyst, aortic thrombi s/p mediastinal debridement, thrombi removal
P)	Keep harinization & warfarinization 식이 진행 퇴원하여 1개월 뒤에 CT 검사 후 외래 follow up

좌측 Abdominal Pelvic CT에서 splenic flexure colon 부근에 hematoma로 여겨지는 병변이 있다. 우측 chest CT에서 debridment 이후 mediastinal fat에 minimal soft-tissue infiltrarion이 있다.

Clinical course

이후 환자는 외래에서 1개월 뒤에 경과 관찰하였고, pancreatic pseudocyst가 mediastinum으로 extension 되어서 발생한 mediastinitis는 완치되었다.

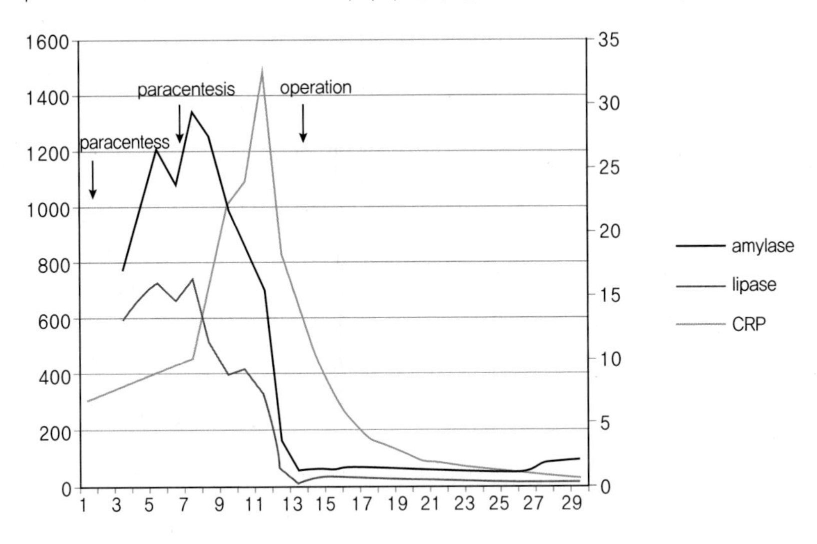

환자는 입원 당시 paracentesis와 ascitic fluid analysis를 통하여 pancreatic ascites를 진단하였다. Hospital day 7일에 pancreatitis가 악화되면서 pleural effusion도 악화되고, dyspnea 발생하였다. 당시 amylase, lipase, CRP 수치가 최고로 상승하였고, mediastinitis도 악화되었다. Hospital day 14일에 수술적 치료 이후 lab이 호전되었고, 환자 증상도 호전되는 경과를 보였다.

Lesson

원인을 알 수 없는 ascites가 확인되면 먼저 ascitic fluid analysis를 진행하고, cell count, albumin, total protein 등을 측정하여 serum-ascites albumin gradient를 구하여 exudates, transudates를 구별한다. 이후 상황에 따라 Gram stain/culture, glucose, LDH, amylase, lipase, cytology, AFB smear/culture 등의 검사를 진행한다.

Pancreatic ascites의 경우 ERCP를 통한 intervention이나 surgery 등의 접근이 성공률이 높기 때문에 먼저 시도해 볼 수 있으나, 본 증례처럼 total parental nutrition과 NPO유지, somatostatin 사용과 같은 보존적 치료도 일부 환자에 있어서는 최선의 치료가 될 수 있으며, 무엇보다 가장 중요한 치료는 금주이다.

Pancreatic ascite의 전반적인 내용과 치료는 The American Journal of Gastroenerology Vol.98,No.3,2003에 실린 내용을 바탕으로 하였다.

CASE 19 2주 전 시작된 두통으로 내원한 53세 여자

1st admission

Chief Complaints

Headache, started 2 weeks ago

Present Illness

5년 전 autoimmune hemolytic anemia 진단 받았으며 steroid 장기간 치료 하였으나 호전 보이지 않아 splenectomy 시행하였다.
2년 전 호흡곤란을 주소로 본원 방문하여 양측 흉수 확인되었고, 검사 결과 SLE로 진단되었다. Systemic lupus erythematosus에 의한 장막염으로 인하여 양측 흉수가 반복적으로 발생하여 총 3차례 고용량 스테로이드 치료 하였다. 반복되는 장막염으로 1년 전부터 5개월 간, cyclophoaphamide 6 차례 투약하였다(500 mg/1회, 12.4.3-12.9.5). 이후 prednisolon 10 mg, hydroxychloroquine 200 mg bid, cyclosphosphamide 75 mg qd 복용하면서 증상 조절 중이었다.
2주 전 부터 두통 발생하였고, 왼쪽 눈의 복시 동반되어 연고지 병원에 입원하여 brain MRI를 2회 시행하였으나 특이 소견 보이지 않고 증상 지속되어 본원 응급실 방문하였다.
두통은 주로 후두부 쪽이며 조이는 양상의 통증이 numeric rating scale (NRS) 7점 정도로 하루에 10-11차례 발생하였으며 20-30분간 지속되었다고 한다. 왼쪽 눈 주위에 통증이 동반되었고 진통제에 반응은 없었으며 메스꺼운 증상 동반 되었다. Neurologic examination에서 motor weakness 및 sensory disturbance는 없었으며, neck stiffness, gait disturbance 역시 없었다.

이전 SLE flare up 시 CRP, ESR은 정상 이었다.

Past History

Hashimoto's thyroiditis (4년전)
diabetes (-)
hypertension (-)
tuberculosis (-)
hepatitis (-)

Family History

malignancy (-)
diabetes (-)
hypertension (-)
tuberculosis (-)

Social History

occupation: 식당 종업원
smoking: never smoker
alcohol (-)

Review of Systems

General

weight loss (+)	easy fatigability (-)
fever (-)	chill (-)

Skin

purpura (-)	erythema (-)

Head / Eyes / ENT

dry eyes (-)	oral ulcer (-)
rhinorrhea (-)	dry mouth (-)
sore throat (-)	

Respiratory

dyspnea (-)	hemoptysis (-)
cough (-)	sputum (-)

Cardiovascular

chest pain (-)	palpitation (-)
orthopnea (-)	dyspnea on exertion (-)

Gastrointestinal

anorexia (-)	nausea (+)
vomiting (-)	dyspepsia (-)

Genitourinary

flank pain (-)	gross hematuria (-)
dysuria (-)	foamy urine (-)

Neurologic

seizure (-)	cognitive dysfunction (-)
psychosis (-)	motor-sensory change (-)

Musculoskeletal

arthralgia (-)	myalgia (-)
back pain (-)	tingling sense (-)

Physical Examination

height 157.0 cm, weight 53.0 kg
body mass index 21.5 kg/m^2

Vital Signs

BP 103/67 mmHg - HR 69 /min - RR 18 /min - BT 36.2℃

General Appearance

Acutely ill-looking	alert
oriented to time, person, place	

Skin

skin turgor: normal	ecchymosis (-)
rash (-)	purpura (-)

Head / Eyes / ENT

visual field defect (-)	pale conjunctivae (-)
icteric sclerae (-)	palpable lymph nodes (-)

Chest

symmetric expansion w/o retraction	Clear breath sounds without crackle

Heart

regular rhythm	normal heart sounds without murmur

Abdomen

soft & flat	normoactive bowel sound
direct tenderness (-)	rebound tenderness (-)

Musculoskeletal

costovertebral angle tenderness (-)	pretibial pitting edema (-)

Initial Laboratory Data

CBC

WBC ($4 \sim 10 \times 10^3/mm^3$)	5,800	Hb ($13 \sim 17g/dl$)	14.7
WBC differential count	neutrophil 42.5% lymphocyte 35.5%	platelet ($150 \sim 350 \times 10^3/mm^3$)	229

Chemical & Electrolyte battery

Ca (8.3~10 mg/dL) /P (2.5~4.5 mg/dL)	9.1/2.7	glucose (70~110 mg/dL)	123
protein (6~8 g/dL) / albumin (3.3~5.2 g/dL)	6.7/3.9	aspartate aminotransferase (AST) (~40 IU/L) / alanine aminotransferase (ALT) (~40 IU/L)	31/21
alkaline phosphatase (ALP) (40~120 IU/L)	77	gamma-glutamyl transpeptidase (r-GT) (11~63 IU/L)	-
total bilirubin (0.2~1.2 mg/dL)	0.3	direct bilirubin (~0.5 mg/dL)	-
BUN (10~26 mg/dL) / Cr (0.7~1.4 mg/dL)	17/0.72	cholesterol	125
C-reactive protein (~0.6 mg/dL)	0.1	Magnesium (1.8~3.0mg/dL)	2.2
Na (135~145 mmol/L) / K (3.5~5.5 mmol/L) / Cl (98~110 mmol/L)	138/4.0/100		

Coagulation battery

prothrombin time (PT) (70~140%)	183.7%	PT(INR) (0.8~1.3)	0.82
activated partial thromboplastin time (aPTT) (25~35sec)	27.1		

Chest X-ray

내원 2달 전 chest X-ray와 비교할 때 Rt. [illegible] angle blunting 소견이 보인다. 이전부터 SLE flare up 시 pleural effusion 발생하였던 분으로 이전 flare up 시와 비슷한 양상을 보이고 있다.

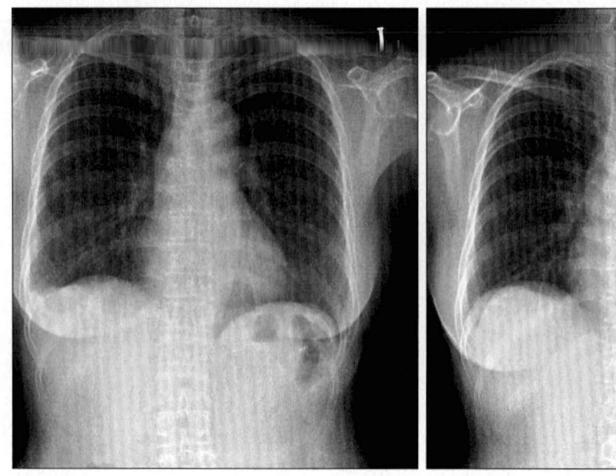

〈내원 당시〉

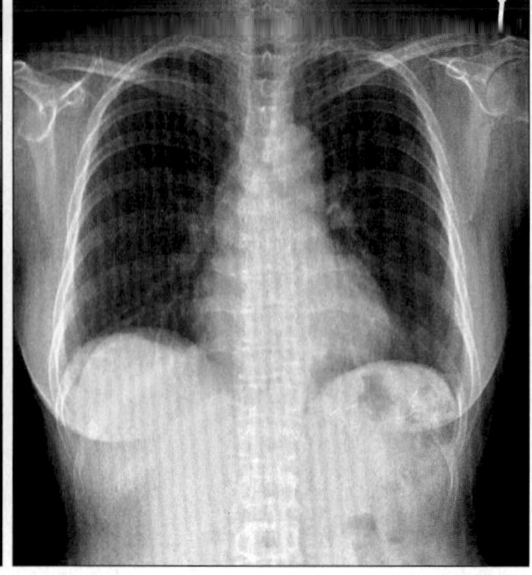

〈내원 2달 전〉

Electrocardiogram

Heart rate 50-60회 정도의 sinus rhythm이다.

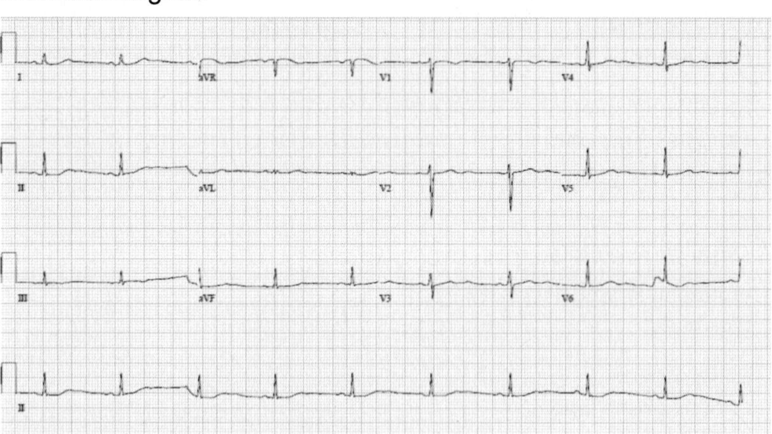

[Brain MRI]

MRI brain with enhance 사진으로 bilateral periventricular/subcortical white mater에 nonspecific tiny multiple high signal intensity를 보이는 lesion들이 있어 small vessel disease 혹은 vasculitis 가능성이 있으나 brain parenchyme에는 특이소견 없었고, leptomeningeal enhancement 없어 meningoencephalitis 등의 가능성은 낮다고 보았다.

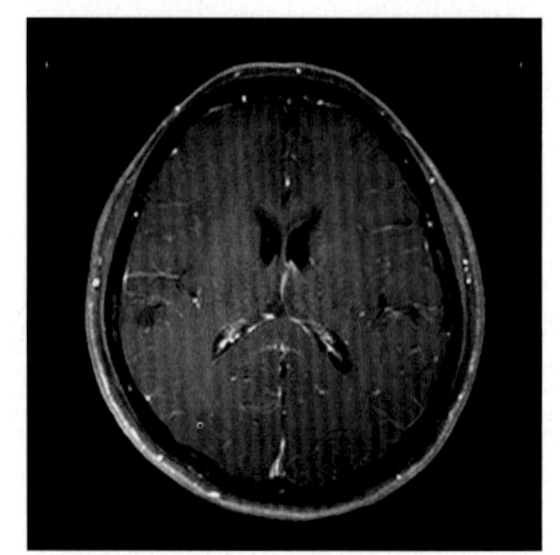

Initial Problem List

#1 h/o autoimmune hemolytic anemia
　s/p splenectomy
#2 h/o Hashimoto's thyroiditis
#3 Systemic lupus erythematosus
#4 Occipital headache, diplopia
#5 Right pleural effusion

Assessment and Plan

#3 Systemic lupus erythematosus #4 Occipital headache, diplopia #5 Right pleural effusion	
A)	SLE flare up with CNS involvement CNS infection, less likely Stroke, less likely
P)	Diagnostic plan 〉 Brain MRI review CSF tapping

Inflammatory marker는 정상 소견이였고, fever 없었던 상태로 infection 가능성은 낮다고 판단하였다. 타원 brain MRI review하였고, brain tumor나 stroke역시 가능성이 낮았던 상태로 경과관찰 하다가, 필요 시 CSF tapping 시행하기로 하였다.

ER #1~#2 [Ophthalmology]

#3 Systemic lupus erythematosus #4 Occipital headache, diplopia #5 Right pleural effusion	
S)	왼쪽 눈으로 사물을 봤을 때 사물이 두개로 보인다.
O)	Disc OD(오른쪽): Abnormal - disc margin blurring OS(왼쪽): Abnormal - disc margin blurring Peripheral OD(오른쪽): Abnormal - retinal splinter hemorrhage OS(왼쪽): Abnormal - retinal splinter hemorrhage
A)	Monoocular diplopia (OU) disc edema with retinal hemorrhage Mild degree left side 6th cranial nerve paresis ➡ Brain stem dysfunction d/t systemic vasculitis
P)	주기적으로 안과 추적관찰

응급실에서 안과 진료 의뢰 하였고, bilateral optic disc edema로 인한 visual disturbance 소견 보였고 6번 뇌신경에 경미한 마비가 있었다. 이러한 증상에 대해 systemic vasculitis로 인한 brain stem dysfunction에 의한 복시로 판단하였고 주기적으로 안과 진료하며 경과 관찰하기로 하였다.

ER #1~#2

#3 Systemic lupus erythematosus
#4 Occipital headache, diplopia
#5 Right pleural effusion

S)	왼쪽 눈으로 사물을 봤을 때 사물이 두개로 보인다. 머리가 아프다.
O)	Fever (-) Chill (-) Rash (-) Arthritis (-) CXR : Rt. Pleural effusion Brain MRI: small vessel disease and vasculitis
A)	SLE flare up with CNS involvement 〉〉 CNS infection
P)	Fever, chill 없고 CRP, ESR 정상 수준으로 MRI에서 vasculitis 소견 보임. Optic disc edema, increased intracranial pressure 소견으로 무리하여 CSF tapping 시행하지 않기로 하고, right pleural effusion 동반되어 있는 상태로 SLE flare up with CNS involvement로 판단하고 methylprednisolone 125 mg IV q 24hr 사용하기로 함

CNS lupus는 SLE 환자에서 40% 정도로 나타난다. 경미한 psychiatric symptoms 부터 seizures, psychosis, stroke, peripheral neuropathy, headahce 등의 다양한 증상을 나타낸다.

HD #1~#7

#3 Systemic lupus erythematosus
#4 Occipital headache, diplopia
#5 Right pleural effusion

S)	사물이 두개로 보이는 것은 좋아졌다. 두통도 남아 있기는 한데 점차 호전되는 추세이다.
O)	BP 132/74 mmHg PR 56 /min RR 16 /min BT 36.4℃ WBC 7100 /uL, ESR 2 mm/hr, CRP 0.1 mg/dL OPH) OU) optic disc edema - slightly improved Retinal hemorrhage – staionary
A)	SLE flare up with CNS involvement
P)	mPD 125 mg iv 3 days ➡ mPD 50 mg iv로 감량

HD #8

#3 Systemic lupus erythematosus
#4 Occipital headache, diplopia
#5 Right pleural effusion

S)	머리가 어제보다 심하게 더 아프다. 뒷부분이 조이는 듯이 아프다. 복시는 좋아지는 것 같다.
O)	BP 123/58 mmHg, PR 55 /min, RR 16 /min, BT 36.8℃ WBC 8000 /uL ESR 2 mm/hr CRP 0.1 mg/dL mPD IV 125mg ➡ 50mg 감량 후 headache 악화된 양상
A)	SLE flare up with CNS involvement
P)	Rituximab 사용 고려함. CSF tapping

Steroid pulse 후 증상 호전 보이다가 steroid 감량 이후 두통 악화되는 양상 보여 CNS lupus 조절되지 않는 것으로 판단되었고, 심한 두통으로 CNS lupus 조절 시급한 상황이나 이전에 여러 종류의 면역 억제제 다량 사용 하였던 분으로 rituximab 사용 고려하기로 하였다. Rituximab 사용 전 감염 배제 위해 CSF tapping 시행하기로 하였다.

HD #9

#3 Systemic lupus erythematosus
#4 Occipital headache, diplopia
#5 Right pleural effusion

S)	어제 검사하고 나서 머리 아픈 것은 좋아진 것 같다. 머리를 움직이면 아프다.
O)	〈CSF, HD#8〉 Opening pr 〉60 cmH_2O Colorless, clear Specific gravity 1.020, pH 6.8 RBC 5 /uL WBC 10 /uL (Neu 43%, Lym 41%) Protein 61.9 mg/dL Glucose 32 mg/dL ADA 2.7 U/L CSF Gram stain WBC: no cells seen Bacteria: no organisms seen CSF AFB stain: Negative CSF India ink preparation: Not observed CSF Cryptococcal Ag: Negative CSF CFW-KOH mount: Not observed
A)	SLE flare up with CNS involvement
P)	mPD 50mg IV Rituximab 500mg IV 1회/주, 4 주간 투약

CSF taaping 시행하였고 CSF analysis에서 감염의 소견은 보이지 않았고, Gram stain, india ink preparation, cyptococcal Ag, KOH mount에서 균 확인되지 않아 rituximab 500mg IV를 주 1회씩 4회 투약하기로 하였다.

HD #12

#3 Systemic lupus erythematosus
#4 Occipital headache, diplopia
#5 Right pleural effusion

S) 주말에 두통이 좀 좋아지는 것 같더니 오늘 아침부터 머리가 너무 많이 아프다. 머리가 아프면 앞이 잘 보이지 않는다. 열이 난다.

Fever 발생한 당일 오전에 이전에 시행했던 CSF fungus culture에서 yeast가 검출되고 있음이 보고 되었다.

O) BP 110/67 mmHg PR 63/min RR 16/min BT 38.7℃
CSF culture (HD#8): yeast

〈CSF, HD#12〉
Opening pr 33 cmH_2O
Colorless, clear
Specific gravity 1.020, pH 6.2
RBC 8 /uL
WBC 40 /uL (Neu 29%, Lym 58%)
Protein 63.6 mg/dL Glucose 36 mg/dL
ADA 3.0 U/L
CSF gram stain
WBC: Rare 〈 1/LPF
Bacteria: no organisms seen
CSF AFB stain: Negative
CSF India ink preparation: Capsule+
CSF Cryptococcal Ag: Negative
CSF CFW-KOH mount: Yeast
〈Blood culture〉
3쌍 ➡ Budding yeast
2일뒤 Cryptococcus neoformans로 보고
Crytococcus neoformans
5-flucytosine ≤ 1S
Amphotericin B 0.5 S
Fluconazole 2 S

A) Cryptococcal meningitis, confirmed
SLE flare up with CNS involvement

P) CSF tapping f/u, Blood culture
mPD 50 mg ➡ mPD 20 mg ➡ mPD 10 mg으로 tapering
Amphotericin 1 mg/kg, 감염내과 협진

Immunocompromised host에서 발생한 cryptococcal meningoencephalitis 환자는 6주 이상의 induction therapy와 적어도 6개월 이상의 consolidation, maintenance treatment가 필요하다. Amphotericin B 0.7-1.0 mg/kg + synergic effect를 고려하여 flucytosine을 병합 요법으로 투약 하는 것이 좋으나 국내에서 flucytosine을 구하기 어려운 상태로 amphotericin 단독으로 1 mg/kg로 사용하기로 하였다. Amphotericin 투약 2주 뒤 CSF tapping f/u 하기로 하였다.

Updated Problem List

#1 h/o autoimmune hemolytic anemia
  s/p splenectomy
#2 h/o Hashimoto' s thyroiditis
#3 Systemic lupus erythematosus
#4 Occipital headache, diplopia
  ➡ #6 #7
#5 Right pleural effusion
  ➡ #7
#6 Cryptococcal meningitis
#7 SLE flare up with CNS involvement

HD #13-#26

#6 Cryptococcal meningitis #7 SLE flare up with CNS involvement	
S)	두통은 남아 있으나 점차 호전되는 추세이다. 복시는 이제 많이 좋아져서 거의 사라졌다.
O)	〈CSF f/u, #26〉 Opening pr 24 cmH2O Colorless, clear Specific gravity 1.020, pH 6.8 RBC 2 WBC 11 /uL (Lym 94%, Mono 6%) Protein 46.9 mg/dL Glucose 33 mg/dL CSF gram stain WBC: No cells seen Bacteria: no organisms seen CSF AFB stain: Negative CSF India ink preparation: Not observed CSF Cryptococcal Ag: Negative CSF CFW-KOH mount: Not observed
A)	Cryptococcal meningitis, confirmed SLE flare up with CNS involvement
P)	CSF tapping f/u(치료 2주 째) mPD 10 mg ➡ PD 10 mg Amphotericin 1 mg/kg 유지

HD #27

#6 Cryptococcal meningitis
#7 SLE flare up with CNS involvement

S)

아침부터 갑자기 머리가 심하게 아프다.
응급실에서 아팠던 것과는 양상이 다르다.
응급실에서 욱씬 거리면서 아팠는데 지금은 쥐어짜는 것 같고 정신이 미쳐버릴 것 같은 기분이 든다.
가슴이 벌떡 거리는 느낌도 있으며, 이전에 SLE 올라올 때와 느낌이 비슷하다.

O)

BP 136/65 mmHg PR 60/min RR 16/min BT 37.2℃

Skin rash (+, face)
Diplopia (-)
Neck stiffness (-)
Motor & Sensory: intact

WBC 7900 /uL, ESR 2 mm/hr, CRP 0.32 mg/dL

〈CXR〉

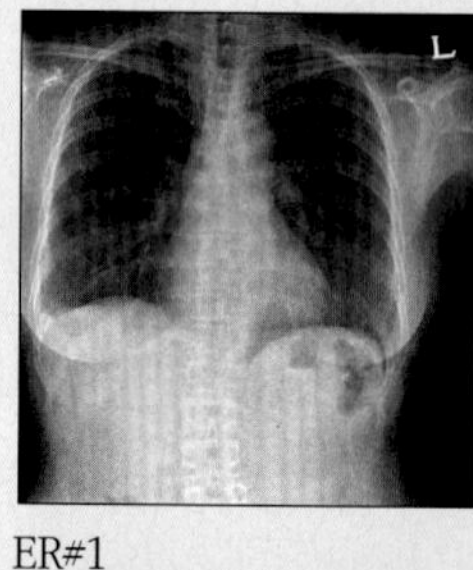
ER#1

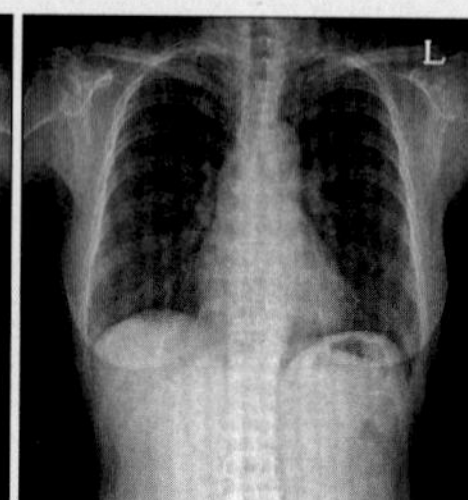
HD#2

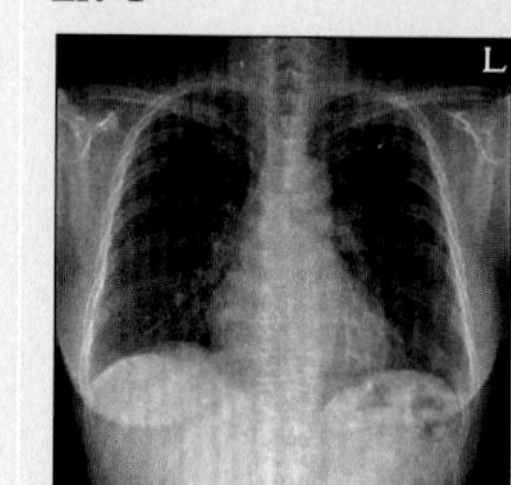
HD#23

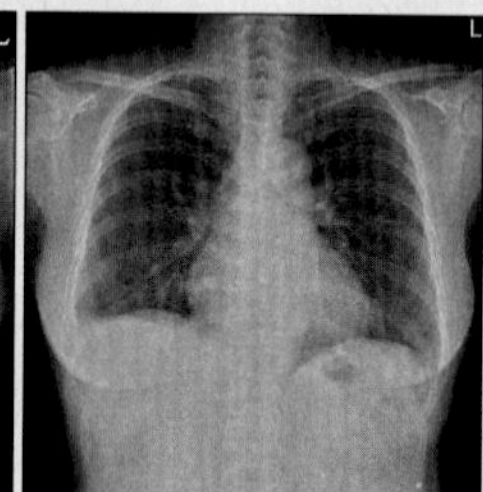
HD#27

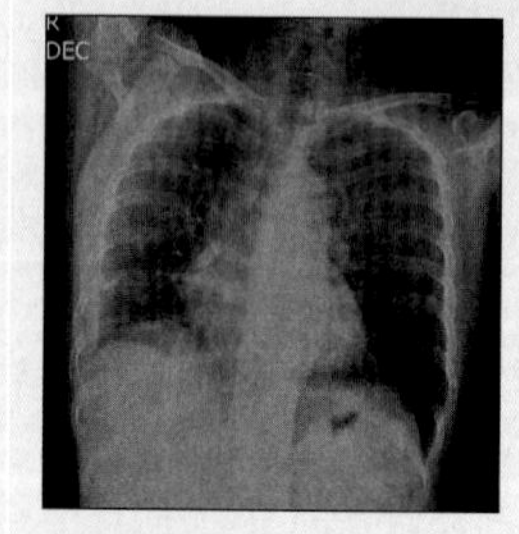
〈decubitus〉

Initial CXR에서 보이던 Rt.pleural effusion은 steroid pulse therapy 하면서 호전되었고 이후 HD#23에 시행한 CXR에서는 거의 없는 것으로 확인되었다. 하지만 HD#27에 HD#8 때와는 다른 양상의 두통을 보이고 처음 응급실에서 보였던 양상과 비슷한 두통이 발생 하였다. 또한 HD#27에 시행한 CXR에서 다시 Rt.pleural effusion 소견 보이고 skin rash 동반된 점을 고려할 때, 이는 steroid 감량하면서 다시 SLE flare up이 된 것으로 판단하였다.

O)	〈Brain MRI, HD#27〉
A)	Cryptococcal meningitis, confirmed SLE flare up with CNS involvement
P)	Amphotericin 유지 Brain MRI 시행하였고 Brain MRI에서 infection 악화 소견 이나 다른 특이 소견 보이지 않아 steroid 증량 하기로 함 PD 10 mg QD ➡ mPD 30 mg IV QD

Brain MRI with enhance로 left basal ganglia에 peripheral enhancement 보이는 새로운 병변 확인되었으나, cryptococcus에 의해 발생하는 brain abscess와는 다른 양상의 모양이고 vasculitis에 더 합당한 소견으로 판단된다

Updated Problem List

#1 h/o autoimmune hemolytic anemia
  s/p splenectomy
#2 h/o Hashimoto's thyroiditis
#3 Systemic lupus erythematosus
#4 Occipital headache, diplopia
  ➡ #6 #7
#5 Right pleural effusion
  ➡ #7
#6 Cryptococcal meningitis
#7 SLE flare up with CNS involvement
#8 Headache
  ➡ #7
#9 Skin rash
  ➡ #7

HD #29-32

#6 Cryptococcal meningitis
#7 SLE flare up with CNS involvement

S)	머리가 덜 아프다. 아직은 움직일 때마다 머리가 '윙' 거리는 듯한 통증이 있으나 전반적으로 두통은 호전되는 추세이고 컨디션도 호전되고 있다.
O)	BP 143/67 mmHg PR 71/min RR 16/min BT 36.5℃ WBC 8400 /uL, ESR 3 mm/hr, CRP 0.14 mg/dL
A)	Cryptococcal meningitis, confirmed SLE flare up with CNS involvement
P)	Amphotericin 1 mg/kg mPD 30 mg IV 연고지 병원으로 전원

Steroid 증량 이후 Rt.pleural effusion은 호전되어 보이지 않는다.

Chest X-ray

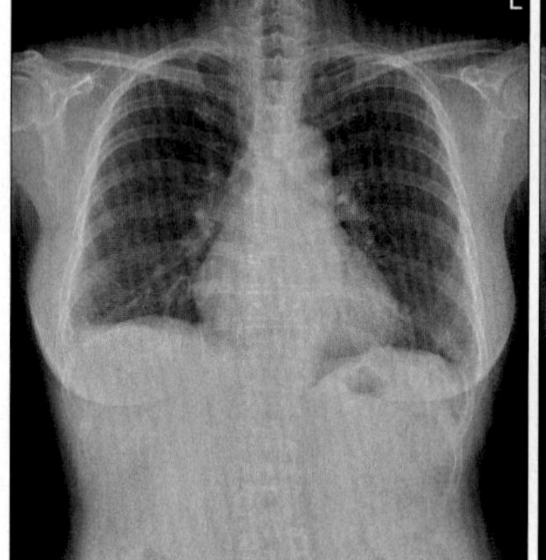

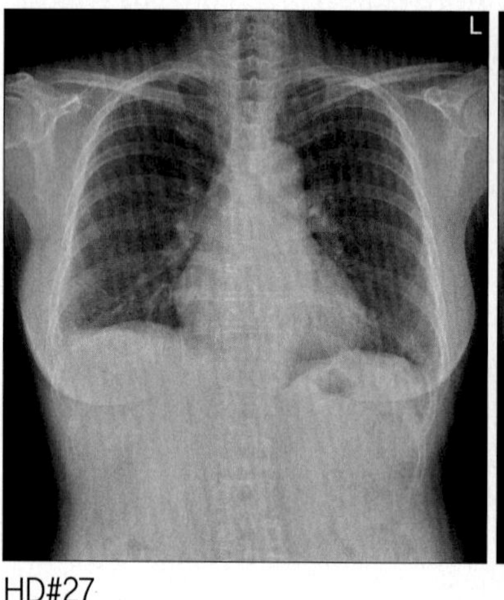

HD#27

HD#32

Lesson of the case

장기간 면역 억제제를 복용하던 SLE 환자로 두통을 주소로 내원한 당시 initial w/u으로 CSF tapping이 필요하였던 분이다. Fever, CRP와 ESR 상승소견 없었고 임상 증상 및 소견만으로 감별 진단하였던 case로 면역 저하 상태에서 두통을 호소할 때 감염성 원인을 꼭 생각해야 함을 상기시켜 주는 case이다. 또한 SLE 환자에서 infection에 의해 SLE가 flare up 될 수 있음을 알 수 있고 SLE 환자에서 감염질환이 동반되었을 때, 면역억제제와 항생제를 잘 조절하여 치료해야 하겠다.

CASE 20 1일 전 시작된 호흡곤란으로 내원한 77세 남자

Chief Complaints

Dyspnea, started 1 day ago

Present Illness

6주 전 냉동 연어를 먹고 1일 후부터 발열, 설사, 두드러기 발생하여 OO병원에 입원하였고, 당시 식중독이라고 듣고 항생제 치료 후 호전되어 퇴원하였다.
퇴원 직후 발열과 함께 왼쪽 다리에 가렵지 않은 피부 발진 발생하여 4주 전 OO병원에 다시 입원하였고, 당시 cellulitis로 진단받고 cefepime, vancomycin 투여 받았다. 이후 발열, 피부 발진은 호전되었고 2주 전에 발열이 재발 하였으나 drug fever로 생각하고 퇴원하였다.
퇴원 이후 발열 지속되며 이전과 비슷한 양상의 피부 발진이 몸통에서 시작하여 전신으로 퍼져나갔고, 이에 OO병원 다시 입원하여 meropenem, vancomycin 투여하였으나 호전되지 않아 amphotericin B까지 투여하였다.
4일 전 피부 발진 병변이 넓어져 약에 의한 발열과 피부 발진 고려하여 piperacillin/tazobactam, ampicillin/sulbactam으로 항생제 변경하였다.
1일 전 호흡곤란을 동반한 shock 발생하여 본원 응급실로 전원되었고, 산소포화도가 적절히 유지되지 않아 기관 삽관 후 중환자실 입실하였다.

〈외부병원 복용력〉

Metoprolol, isosorbide-5 mononitrate, verapamil
Artemisia herb, rebamipide
Donepezil, escitalopram
Cetirizine, hydroxyzine,
Terazocin
Propylthiouracil

내원 26 일전 ~ 16일전	cefepime, vancomycin
내원 15일전	vancomycin
내원 14일전 ~ 10일전	vancomycin, meropenem
내원 9일전 ~ 4일전	vancomycin, meropenem, amphotericin B
내원 3일전 ~ 1일전	piperacillin/tazobactam, ampicillin/sulbactam

Past History

hypertension (25 years ago).

Graves' disease (9 years ago)

prostate cancer: 2년전 진단받고 stable state.

myelodysplastic syndrome: 1년전 OO병원에서 진단.

stable angina pectoris (9 months ago)

hepatitis/tuberculosis/diabetes mellitus (-/-/-)

Operation history (+)

- spinal stenosis, s/p lumbar decompressive laminectomy (10 years ago)
- left femur fracture s/p open reduction internal fixation (8 years ago)

Family History

hepatitis/tuberculosis/diabetes mellitus/ hypertension (-/-/-/-)

Social History

occupation: 목사(현재는 은퇴)

smoking: never smoker

alcohol: non drinker

Review of Systems

General

weight loss (-)	fatigue (-)

Head / Eyes / ENT

headache (-)	rhinorrhea (-)
sore throat (-)	tinnitus (-)

Respiratory

cough (-)	Sputum (-)

Cardiovascular

chest pain (-)	palpitation (-)

Gastrointestinal

anorexia (-)	nausea (-)
vomiting (-)	constipation (-)
diarrhea (-)	abdominal pain (-)
melena (-)	hematochezia (-)

Genitourinary

frequency (-)	dysuria (-)

Physical Examination

height 175 cm, weight 89.5 kg, body mass index 29.2 kg/m^2

Vital Signs

BP 119/51 mmHg -HR 129 /min - RR 33 /min - BT 37.9℃

General Appearance

looking acutely ill	drowsy

환자는 내원 시에 비교적 경계가 명확한 다수의 홍반성, 지도모양의 발진이 온몸에 퍼져있었다.

Skin

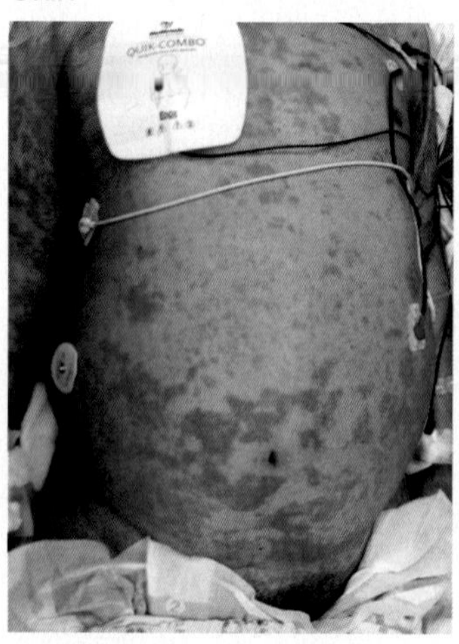

well-demarcated	erythematous
geographic	targetoid

Head / Eyes / ENT

oral mucosal spontaneous bleeding	pinkish conjunctivae (+)
anicteric sclera (+)	palpable lymph nodes (-)
thyroid enlargement (-)	

Chest

symmetric expansion	accessory muscle use
bronchial breath sounds with crackles	

Heart

regular rhythm	normal hearts sounds without murmur

Abdomen

soft & obese	normoactive bowel sound
direct tenderness(-)	rebound tenderness (-)
spleen, not palpable	palpable liver 8 cm under 10th rib on midclavicular line

Initial Laboratory Data

CBC

WBC ($4\sim10\times10^3/mm^3$)	17,500	Hb (13~17g/dl)	10.2
WBC differential count	neutrophil 91.8% lymphocyte 4.4% monocyte 3.6%	platelet ($150\sim350\times10^3/mm^3$)	48
MCV 92.5 fL (80-100fL)			
MCH 32.0 pg (27-33 pg)			
MCHC 34.6 % (32-36 %)			

Chemical & Electrolyte battery

Ca (8.3~10mg/dL) / P (2.5~4.5mg/dL)	8.4/5.1	glucose (70~110 mg/dL)	80
protein (6~8 g/dL) / albumin (3.3~5.2 g/dL)	5.8/2.4	aspartate aminotransferase (AST) (~40 IU/L) / alanine aminotransferase (ALT) (~40 IU/L)	26/ 14
alkaline phosphatase (ALP) (40~120 IU/L)	82	gamma-glutamyl transpeptidase (r-GT) (11~63 IU/L)	81
total bilirubin (0.2~1.2 mg/dL)	1.3	direct bilirubin (~0.5 mg/dL)	1.1
BUN (10~26 mg/dL) / Cr (0.7~1.4 mg/dL)	48/3.34	estimated GFR ($\geq$ 60 ml/min/1.7 m^2)	18
C-reactive protein (~0.6 mg/dL)	22.34	cholesterol	39
Na (135~145 mmol/L) / K (3.5~5.5 mmol/L) / Cl (98~110 mmol/L)	130/4.6/93	total CO_2 (24~31 mmol/L)	8.8

Coagulation battery

prothrombin time (PT) (70~140%)	38.4 %	PT(INR) (0.8~1.3)	1.88
activated partial thromboplastin time (aPTT) (25~35sec)	60.1 sec		

Cardiac markers

CK (50~250 IU/L)	142	CK-MB (~5ng/mL)	4.1
Troponin-I (~1.5ng/mL)	0.006	BNP (0~100 pg/mL)	118

Urine electrolyte

Na (mmol/L)	47	Cr (mg/dL)	106.1

Chest X-ray

수일 내에 bilateral lung opacity가 증가하였다.

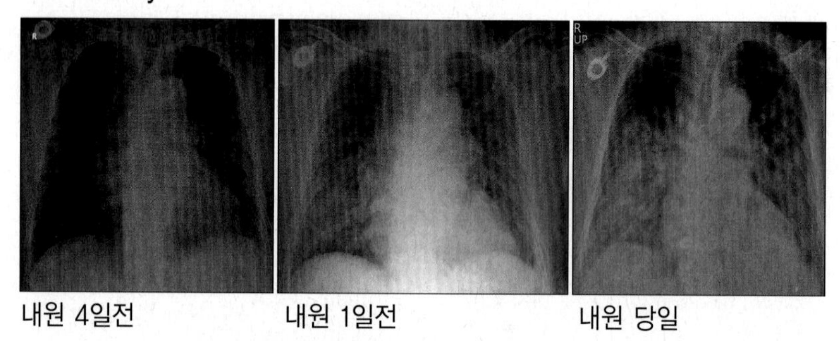

내원 4일전　　내원 1일전　　내원 당일

Initial ECG

HR 115/min의 sinus tachycardia이다.

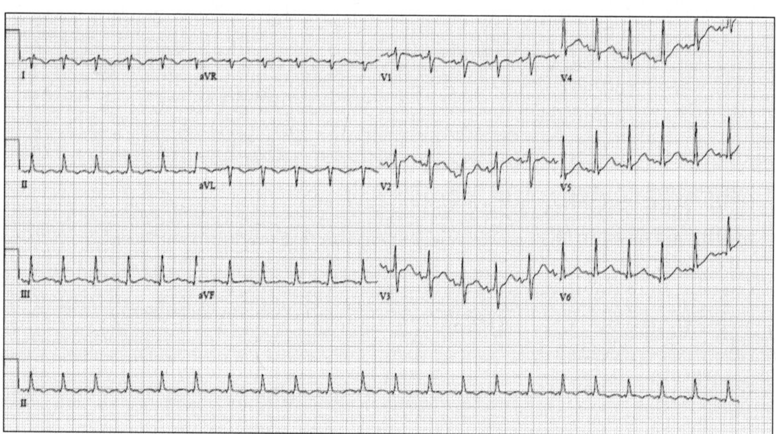

외부병원 chest CT

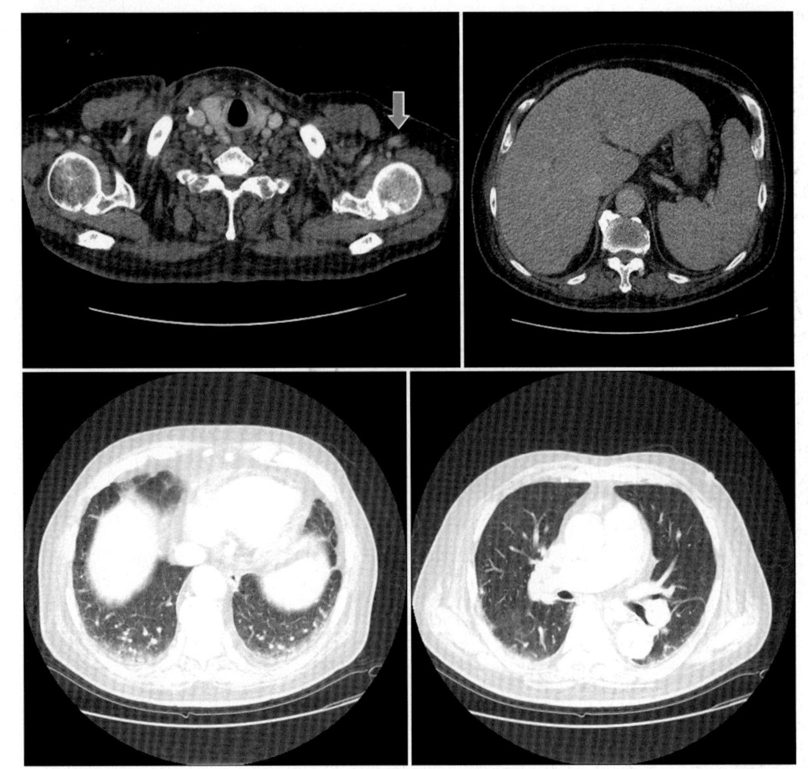

외부병원 Chest CT에서 both lower lung field에 주로 있는 interstitial infiltration, ill-defined patchy groung-glass opacity, well-defined several irregular nodular opacities가 있다.

다수의 경부, 액와, 종격동에 림프절 종대와 간과 비장의 비대가 관찰되었다.

〈systemic inflammatory response syndrome〉
Two or more of the following conditions,
(1) fever (oral temperature 〉38°C) or hypothermia (〈 36°C)
(2) tachypnea (〉24 breaths/min)
(3) tachycardia (heart rate 〉90 beats/min)
(4) leukocytosis (〉12,000/L), leucopenia (〈4,000/L), or 〉10% bands may have a noninfectious etiology.
환자의 경우, 내원 당시 tachypnea (33 breaths/min), tachycardia (129 beats/min), leukocytosis (17500/L)로 SIRS 기준에 만족한다.

Initial Problem List

#1 Systemic inflammatory response syndrome
#2 Shock
#3 Generalized erythematous skin rash
#4 Increased bilateral opacities on both lung field
#5 Azotemia
#6 Prolonged coagulation time
#7 Multiple cervical, axillary, mediastinal lymphadenopathy
#8 Hepatosplenomegaly
#9 S/P lumbar decompressive laminectomy d/t spinal stenosis (10 years ago)
#10 Graves' disease (9 years ago)
#11 S/P internal fixation d/t lt. femur neck fx. (8 years ago)
#12 Stable state of prostate cancer (2 years ago)
#13 Myelodysplastic syndrome (1 year ago)
#14 Stable angina pectoris (9 months ago)

severe pneumonia에 의한 multiple organ failure, focus는 모르지만 septic shock에 의한 lung injury, MDS에 의한 multi-organ involvement를 고려 하였다.

Mycoplama pneumoniae에 의한 skin lesion의 가능성은 호발 연령이 10-15세인 점을 고려 시 가능성은 적으며, Chlamydia infection 가능성은 생각해볼 수 있다.

경과가 길고, 호전과 악화를 반복한 점을 고려했을 때 viral infection의 가능성도 낮다.

충분한 수액공급과 혈압상승제의 투여에도 불구하고 저혈압이 지속되는 vasopressor-refractory septic shock에서 hydrocortisone을 투여하면 septic shock의 지속시간을 감축 시킬 수 있다.

Gourang P. Patel and Robert A. Balk "Systemic Steroids in Severe Sepsis and Septic Shock", American Journal of Respiratory and Critical Care Medicine, Vol. 185, No. 2 (2012), pp. 133-139.

Assessment and Plan

#1 Systemic inflammatory response syndrome
#2 Shock
#3 Generalized erythematous skin rash
#4 Both lungs increased opacities on chest X-ray
#5 Azotemia
#6 Prolonged coagulation time
#13 Myelodysplastic syndrome (1 year ago)

A)	atypical pneumonia with multi-organ failure septic shock with acute lung injury autoimmune manifestation related to myelodyspastic syndrome
P)	Diagnostic plan 〉 blood culture, sputum culture and gram stain, sputum AFB stain and culture polymerase chain reaction(PCR) for atypical pathogen including Chlamydia review outside microbiology Therapeutic plan early goal-directed therapy hydrocortisone d/t refractory to inotropics and vasopressors empirical antibiotics: teicoplanin, meropenem continuous renal replacement therapy

#3 Generalized erythematous skin rash

A)	Skin lesion associated with drug disseminated intravascular coagulation (D.I.C.) myelodysplastic syndrome (MDS)
P)	피부과, 알레르기 내과, 혈액내과 consultation review outside medical record and medication

Hospital Day #2

#1 Systemic inflammatory response syndrome
#2 Shock
#3 Generalized erythematous skin rash
#4 Both lungs increased opacities on chest X-ray
#5 Azotemia
#6 Prolonged coagulation time
#7 Multiple cervical, axillary, mediastinal lymphadenopathy
#8 Hepatosplenomegaly
#13 Myelodysplastic syndrome (1 year ago)

O)

BT 38.7℃
Norepinephrine 0.46 μ/kg/min, vasopressin 0.04 units/min
Hydrocortisone 10 mg/hr 유지하였고
Pressure-controlled ventilation에서 O_2 요구량은 FiO_2 100%에서 FiO_2 60으로 감소하였다.

[알레르기 내과 의견]
Drug-induced hypersensitivity syndrome 가능성이 높고,
다소 호전 경과를 보이는 것은 septic shock에 준하여 투여하고 있는 hydrocortisone 때문으로 생각되므로,
경험적 항생제 치료를 유지하면서 methylprednisolone 투여하여 치료 반응을 평가하는 것을 추천합니다.

[혈액내과 의견]
Myelodysplastic syndrome와 연관되었을 가능성을 배제할 수는 없지만 drug에 의한 것보다는 가능성이 적습니다.
Myelodysplastic syndrome과 연관된 autoimmune symptom일 경우 steroid에 반응이 매우 좋으며 현재 hydrocortisone 정도면 충분합니다.

[피부과 의견]
피부발진은 전신적으로 분포해 있고 비교적 최근에 발생하였으며 별 다른 특징이 없는 반점구진성 발진이므로 약에 의한 발진을 우선적으로 고려해야 하고 다른 감별진단은 모두 가능성이 아주 희박해 보입니다. 임상적으로 진단이 거의 확실하므로 스테로이드의 빠른 투여가 필요하며 의심되는 약을 즉시 중단해야 합니다. 항생제가 원인으로 추정되므로 현재 스테로이드와 함께 항생제를 사용할 계획이라면 예전에 사용한 항생제와 동일하거나 교차반응을 보일 수 있는 항생제는 피해야 합니다. 조직검사를 통해 확진할 수 있습니다. 스테로이드와 함께 항히스타민제의 경구 복용 및 스테로이드 국소도포가 도움이 됩니다.

A)	atypical pneumonia with multi-organ involvement septic shock with acute lung injury drug-induced hypersensitivity syndrome autoimmune manifestation related to myelodyspastic syndrome
P)	Diagnostic Plan 〉 Skin biopsy Treatment Plan 〉 Keep current hydrocortisone infusion empirical antibiotics: teicoplanin, meropenem, levofloxacin

알레르기 내과 의견은 drug-induced hypersensitivity syndrome에 가깝다고 했지만, pneumonia에 의한 septic shock을 완전히 배제할 수 없어 항생제를 유지하고, steroid를 증량하지 않았다.

Hospital Day #4

#1 Systemic inflammatory response syndrome
#2 Shock
#3 Generalized erythematous skin rash
#4 Both lungs increased opacities on chest X-ray
#5 Azotemia
#6 Prolonged coagulation time
#7 Multiple cervical, axillary, mediastinal lymphadenopathy
#8 Hepatosplenomegaly
#13 Myelodysplastic syndrome (1 year ago)

O)	BT 38.7℃ 경과가 지날수록 승압제 요구량은 감소하였다. Norepinephrine 0.36 μ/kg/min에서 0.06 mcg/kg/min으로 감소하였고, Vasopressin 투여는 중단하였다. Pressure-controlled ventilation에서 O_2 요구량도 FiO_2 60%에서 30%으로 감소하였다. CRP는 22.34 mg/dL에서13.37 mg/dL으로 감소하였다. [Skin biopsy 결과] moderated perivascular lymphocytic and eosinophilic infiltrations, favor drug eruption Blood culture: no growth, Sputum culture: carbapenem resistant acinetobacter baumannii (CRAB) M. pneumoniae Ig M/Ig G (-/+) Sputum PCR, Legionella/Mycoplasma/Chlamydia (-/-/-) Nasopharyngeal swab PCR, respiratory virus (-)

fever외에 다른 vital signs은 호전되고 있었다.

배양검사가 음성이고, skin biopsy 결과가 drug hypersensitivity에 합당하여 methylprednisolone을 1 mg/kg로 투여하기 시작하였다

A)	drug-induced hypersensitivity syndrome atypical pneumonia with multiorgan involvement septic shock with acute lung injury autoimmune manifestation related to myelodyspastic syndrome
P)	methylprednisolone 1 mg/kg IV QD empirical antibiotics: levofloxacin only discontinuation of beta lactam

Updated problem list

#1 Systemic inflammatory response syndrome
➡ Drug-induced hypersensitivity syndrome
#2 Shock ➡ see #1
#3 Generalized erythematous skin rash ➡ see #1
#4 Both lungs increased opacities on chest X-ray ➡ see #1
#5 Azotemia ➡ see #1
#6 Prolonged coagulation time ➡ see #1
#7 Multiple cervical, axillary, mediastinal lymphadenopathy ➡ see #1
#8 Hepatosplenomegaly ➡ see #1
#9 S/P lumbar decompressive laminectomy d/t spinal stenosis (10 years ago)
#10 Graves' disease (9 years ago)
#11 S/P internal fixation d/t lt. femur neck fx. (8 years ago)
#12 Stable state of prostate cancer (2 years ago)
#13 Myelodysplastic syndrome (1 year ago)
#14 Stable angina pectoris (9 months ago)

DRESS

최근 Drug-induced hypersensitivity syndrome은 동의어로서 Drug Reaction with Eosinophilia and Systemic Symptoms (DRESS) syndrome으로 불려지기도 한다. 이 환자의 경우처럼 호산구 증가증이 없어도 DRESS syndrome으로 진단이 가능하다.
약물과민반응증후군에서 과민반응 염증이 침범하는 장기는 빈도 순으로 보면 간(80%), 콩팥(40%), 폐(33%), 심장(15%), 췌장(5%) 순이며 이 환자의 경우 스테로이드 치료 반응으로 볼 때 폐와 콩팥의 침범 가능성이 높다.

Hospital Day #9

#1 Systemic inflammatory response syndrome
→ Drug-induced hypersensitivity syndrome
#2 Shock → see #1
#3 Generalized erythematous skin rash → see #1
#4 Both lungs increased opacities on chest X-ray → see #1
#5 Azotemia → see #1
#6 Prolonged coagulation time → see #1
#7 Multiple cervical, axillary, mediastinal lymphadenopathy → see #1
#8 Hepatosplenomegaly → see #1
#13 Myelodysplastic syndrome (1 year ago)

skin rash 호전 및 체온도 정상화 되었다.

스테로이드 치료 후 빠르게 호전되어서 약물 과민반응의 진단이 정확했을 가능성이 높아졌다.

O)
BT 37.2℃
No more vasopressors
T-piece, FiO_2 35%

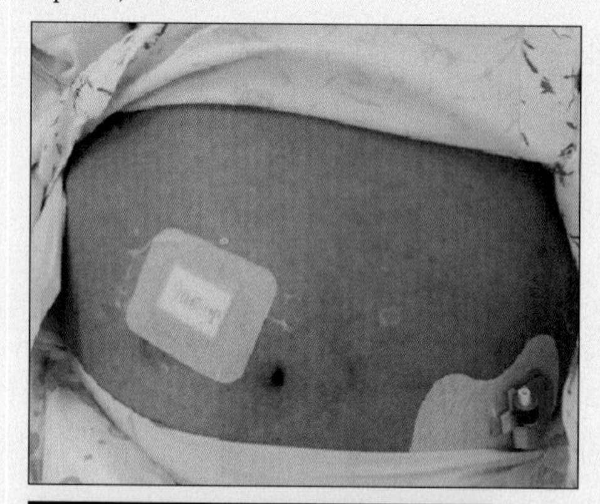

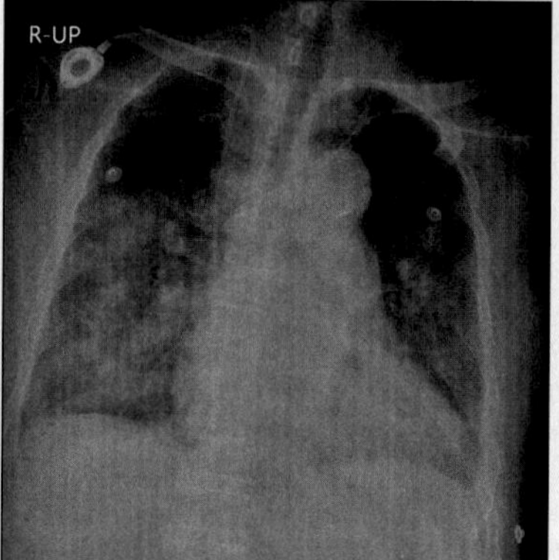

A) Drug-induced hypersensitivity syndrome

P)
Extubation
apply high flow nasal cannula
Taper methylprednisolone by 10 mg/3 days
Continue Empirical antibiotics: levofloxacin

Clinical course

mental status 변화 및 간헐적으로 multifocal myoclonus가 있어 시행한 EEG에서 비정상 소견 보이지 않아 seizure를 배제하였다. 투여하던 remifentanil에 의한 metabolic encephalopathy로, remifentanil 중단후 mental status와 myoclonus 모두 호전되었다.

Lesson of the case

약제 사용과 관련된 부작용은 흔히 피부관련 증상만을 생각하지만 fever, lymphadenopathy, hepatitis, nephritis, carditis, eosinophilia 등 여러 장기의 부전을 동반할 수 있다. 피부 병변을 동반한 multi-organ failure 환자에서 자세한 병력 청취를 통해 감염 뿐만 아니라, 약제에 의한 hypersensitivity syndrome을 고려해야 한다.

CASE 21 4년전 시작된 혈변으로 내원한 25세 여자

Chief Complaints

Abdominal pain with hematochezia, started 4 years ago

Present Illness

어릴 적부터 쉽게 멍이 들고 코피가 잘 멈추지 않았으나 생리양이 많지는 않았다. 4년전부터 간간히 복통, 혈변, 설사 있어 OO병원에서 장염으로 치료받았으나 증상이 지속되었다.

4년 전 미용성형위해 시행한 혈액 검사이상으로 OO병원 내원하였고 PT (INR 2.51), aPTT (42.3 sec) 연장되었고 Mixing test 결과 PT 교정되었고 factor 2. 7. 9. 10 (12%, 17%, 8%, 21%) 감소보여 Vitamin K-dependent coagulation factors deficiency 진단받았다.

이후 경구 Vittamin K를 처방 받았으나 불규칙적으로 복용해왔다.

3개월전 복통, 혈변, 설사 악화되어 OO병원에서 대장내시경시행 하였고 크론병 의심되어 본원 입원하였다.

복통이 하루에 평균 3회 발생하였고 1시간정도 유지되었으며 특별한 악화, 완화요인없이 심하지 않은 양상이었다. 이와 동반되어 혈변이 간간히 있었고 하루 2-3회 정도 설사를 보는 중 이었다.

연관된 증상으로 식욕부진, 구토, 오심, 변비, 흑변 등은 없었다.

Past History

hepatitis / tuberculosis / diabetes mellitus / hypertension (-/-/-/-)

Pseudoxanthoma elasticum (2 years ago): 늘어진 피부로 ○○병원에서 진단

Operation history (-)

Family History

hepatitis/tuberculosis/diabetes mellitus/ hypertension (-/-/-/-)

Social History

smoking : never smoker

alcohol (-)

Review of Systems

General

fatigue (-)	

Head / Eyes / ENT

headache (-)	rhinorrhea (-)
sore throat (-)	tinnitus (-)

Respiratory

cough (-)	Sputum (-)

Cardiovascular

chest pain (-)	palpitation (-)

Gastrointestinal → see present illness

Genitourinary

frequency (-)	dysuria (-)

Physical Examination

height 146.5 cm, weight 47.9 kg, body mass index 22.3 kg/m^2

Vital Signs

BP 98/61 mmHg HR 77/min - RR 17/min - BT 36.1℃

General Appearance

Not so ill-looking appearance	Alert

Skin

Redundant (axilla,groin,trunk)	

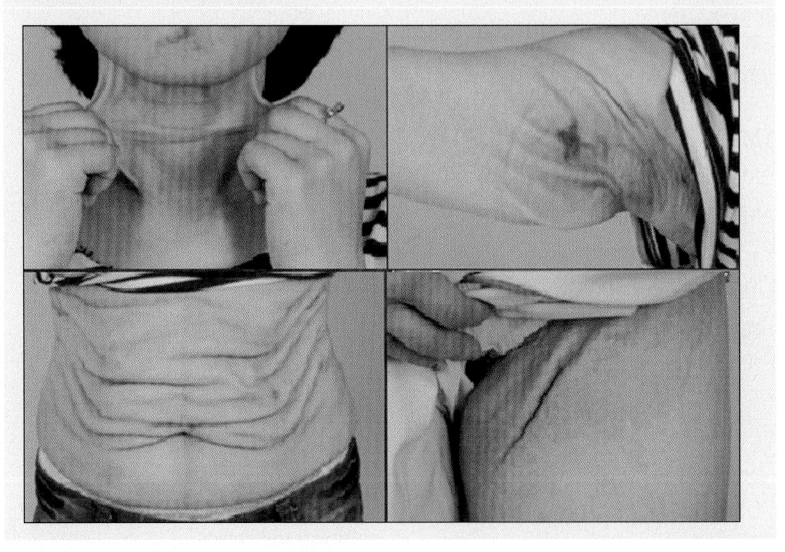

Head / Eyes / ENT

oral cavity : clear	pinkish conjunctivae
anicteric sclera	palpable lymph nodes (-)
thyroid enlargement (-)	

Chest

symmetric expansion	accessory muscle use
bronchial breath sounds without crackles	

Heart

regular rhythm	normal hearts sounds without murmur

Abdomen

soft & obese	normoactive bowel sound
direct tenderness(-)	rebound tenderness (-)
spleen, not palpable	Liver, not palpable

Initial Laboratory Data

CBC

WBC ($4 \sim 10 \times 10^3/mm^3$)	7,500	Hb (13~17g/dl)	11.8
WBC differential count	neutrophil 64.8% lymphocyte 25.2% monocyte 6.0%	platelet ($150 \sim 350 \times 10^3/mm^3$)	361
MCV 74.2 fL (80-100fL)			
MCH 24.1 pg (27-33 pg)			
MCHC 32.5 % (32-36 %)			

Chemical & Electrolyte battery

Ca (8.3~10mg/dL) /P (2.5~4.5mg/dL)	8.8/4.1	glucose (70~110 mg/dL)	98
protein (6~8 g/dL) / albumin (3.3~5.2 g/dL)	6.5/2.6	aspartate aminotransferase (AST) (~40 IU/L) / alanine aminotransferase (ALT) (~40 IU/L)	11/ 9
alkaline phosphatase (ALP) (40~120 IU/L)	99	gamma-glutamyl transpeptidase (r-GT) (11~63 IU/L)	31
total bilirubin (0.2~1.2 mg/dL)	0.2	direct bilirubin (~0.5 mg/dL)	0.1
BUN (10~26 mg/dL) / Cr (0.7~1.4 mg/dL)	8/0.55	estimated GFR ($\geq$ 60 ml/min/1.7 m^2)	81
C-reactive protein (~0.6 mg/dL)	8.5	cholesterol	130
Na (135~145 mmol/L) / K (3.5~5.5 mmol/L) / Cl (98~110 mmol/L)	139/4.0/105	total CO_2 (24~31 mmol/L)	27.8

Coagulation battery

prothrombin time (PT) (70~140%)	40.1%	PT(INR) (0.8~1.3)	1.78
activated partial thromboplastin time (aPTT) (25~35sec)	35.7 sec		

Chest X-ray

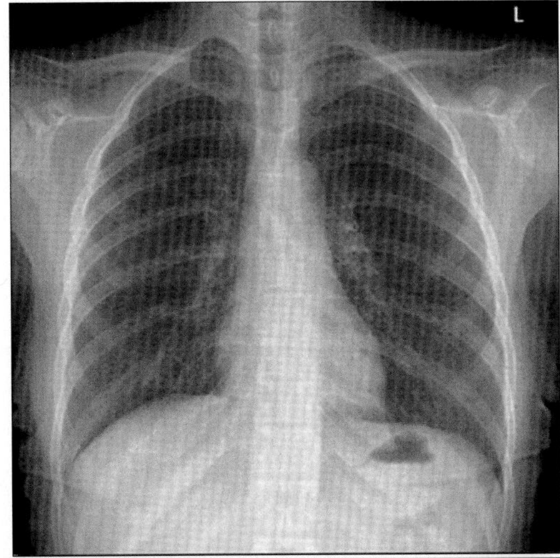

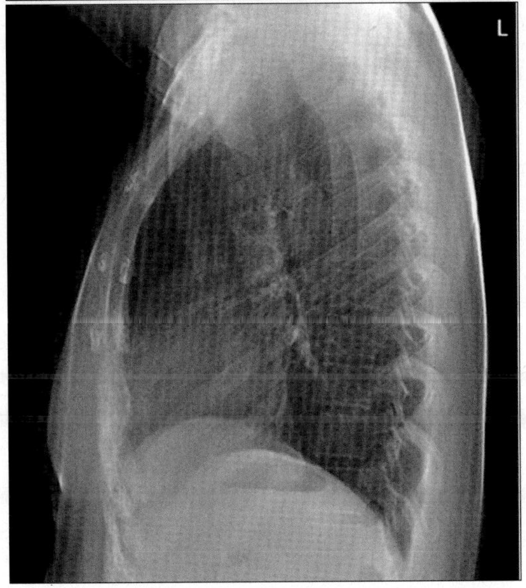

신체검사 결과와 같이 양측 옆구리 피부가 접혀져 있었으며 폐 실질에 이상병변은 없었다.

비연속적인며 비대칭적인
병변이 보이며 [illegible]
조약돌이 깔린듯한 점막이
돌출된 양상을 보이고 있습니다.

Out side colonoscopy

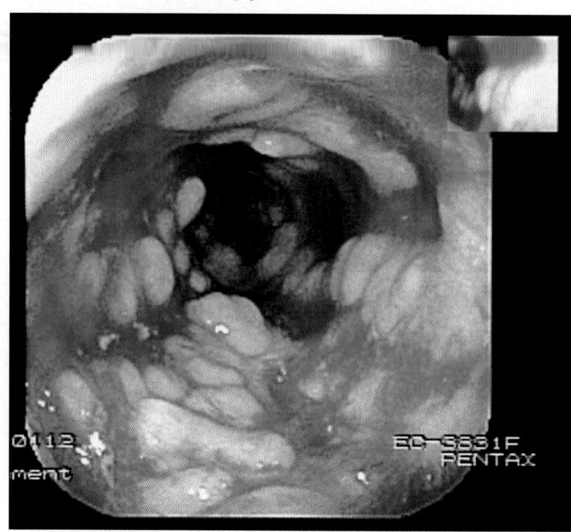

HR 90/min의 정상심전도

Initial ECG

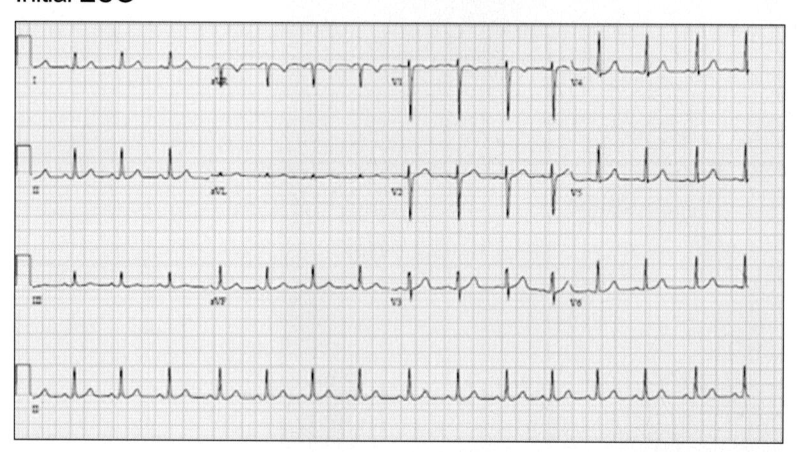

Initial Problem List

#1 Chronic abdominal pain with hematochezia and diarrhea

#2 Vitamin K-dependent coagulation factor deficiency

#3 Pseudoxanthoma elasticum

#4 Microcytic hypochromic anemia

#5 Hypoalbuminemia

Assessment and Plan

#1 Chronic abdominal pain, hematochezia, diarrhea #4 Microcytic hypochromic anemia #5 Hypoalbuminemia	
A)	Crohn' s disease, most likely Ulcerative colitis Intestinal Tuberculosis
P)	Colonoscopy and biopsy Small bowel series, Esophagogastroduodenoscopy, MR enterography

외부병원 대장내시경 소견 고려하여 크론병 가능성이 가장 높다고 판단하였고 진단 확인을 위해 조직 검사를 하였으며, 누공, 협착 등의 합병증 확인위해 위장관 조영술 및 MR 검사를, 낮은 확률로 상부 위장관의 크론병 확인을 위해 위내시경을 진행하였다.

#2 Vitamin K-dependent coagulation factor deficiency	
A)	Vitamin K-dependent coagulation factor deficiency d/t Malabsortion
P)	PT, aPTT mixing test Factor assay IV Vitamin K replacement Hematochezia 악화 시 fresh frozen plasma 수혈 고려

#3 Pseudoxanthoma elasticum	
A)	Pseudoxanthoma elasticum
P)	Dermatology consultation for skin biopsy Considering ABCC6 mutation analysis

Pseudoxanthoma elasticum에서 ABCC6 gene mutation이 연관있다고 연구된 논문이 있다
Ref〉 Nat Genet. 2000 Jun; 25(2): 228-31. By Bergen AA

#4 Microcytic hypochromic anemia	
A)	Iron deficiency anemia d/t hematochezia Combined anemia of chronic disease
P)	Peripheral blood smear, reticulocyte iron, TIBC, ferritin Colonoscopy

Hospital Day #2

#1 Chronic abdominal pain, hematochezia, diarrhea
#5 Hypoalbuminemia

O)

Colonoscopy 〉〉

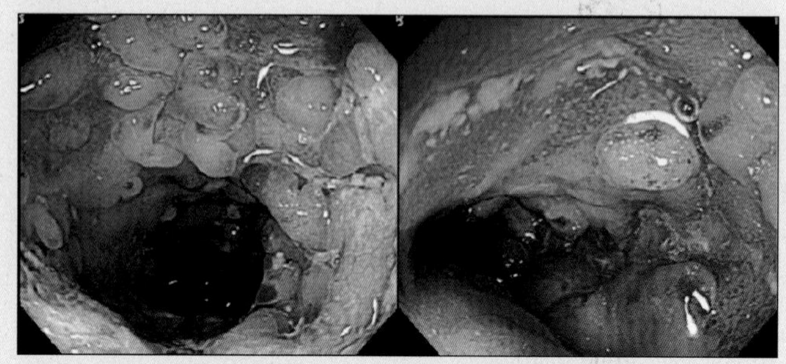

말단회장에 종주 궤양 및 지도상 궤양이 관찰됨, 상행결장,
횡행결장, 에스결장에 종주궤양 및 지도상 궤양이 관찰되고,
횡행결장, 에스결장은 조약돌 및 협착이 관찰됨
(횡행결장 협착 때문에 소아용 대장내시경으로 검사함)
하행결장은 aphthous ulcer 외에 병변이 없고,
직장에는 solitary ulcer가 관찰됨

MR enterography 〉〉

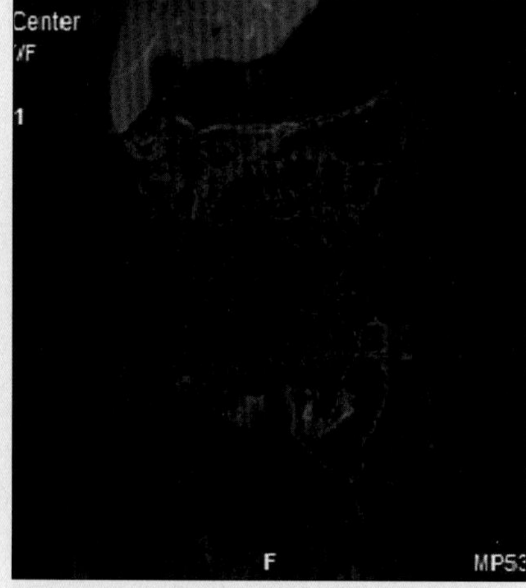

상행결장, 횡행결장, 에스결장에 활동성의 크론병 소견이 확인됨

O)	Small bowel series 〉〉 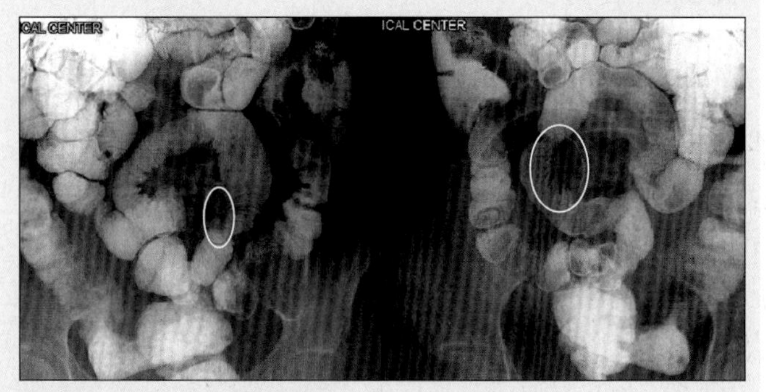 Distal and terminal ileum에 linear ulcer, fold thickening, postinflammatory pseudopolyp and mucosal irregularity가 있음 Active Crohn's disease에 의한 소견으로 생각됨 Colon의 luminal narrowing도 보이며 colon involvement 또한 의심됨
A)	Crohn's disease, most likely (CDAI 131) Intestinal Tb, less likely
P)	mesalazine 조직검사 결과 확인

CDAI (Crohn's Disease Activity Index)
하루 배변횟수, 복통의정도, 전신안녕감, 합병증, 지사제 사용, 복부종괴, 빈혈, 표준체중과의 차이

이를 합산하여
150 미만: 비활동성
150 이상: 활동성
450 이상: 중증 활동성

Hospital Day #2

#2 Vitamin K-dependent coagulation factors	
O)	PT, aPTT Mixing test 〉〉 Base〉 PT (%) 31.6 (70~140) INR 2.19 (0.8~1.3) aPTT (sec) 46.6 (25~35) PT mixing (%) 86.8% (70~140) INR 1.05 (0.8~1.3) aPTT mixing (1:2) 29.8 sec mixing (1:4) 29.3 sec ➡ Corrected Factor assay: pending
A)	Vitamin K-dependent coagulation factors deficiency d/t Malabsortion d/t Poor oral intake
P)	Factor assay IV vitamin K replacement Hematology consultation

Hospital Day #3

#3 Pseudoxanthoma elasticum	
O)	DER reply〉〉 - Cutis laxa with elastic fiber, Pseudoxanthoma elasticum 모두 가능성 있다는 답변
A)	Cutis laxa c elastic fiber vs Pseudoxanthoma elasticum
P)	Skin biopsy (involved lesion) Elastic fiber, calcium stain(vonkosa)

Hospital Day #5

#1 Chronic abdominal pain, hematochezia, diarrhea

S)	배아픈것도 많이 좋아지고 설사 횟수도 줄었어요.
O)	CFS Bx 〉〉 - Terminal ileum: nonspecific inflammation with ulcer - Large intestine: chronic active colitis with ulcer with cryptitis and crypt abscess with noncaseating granuloma
A)	Crohn' s disease (CDAI : 48)
P)	Pentasa 1g tid 유지 Considering steroid or azathioprine

#2 Vitamin K-dependent coagulation factors

O)

Factor assay 〉〉

Factor II	28	%	79	131
Factor V	125	%	62	139
Factor VII	20	%	50	129
Factor X	16	%	77	131
Factor VIII	71	%	50	150
Factor IX	68	%	65	150
Factor XI	115	%	65	150
Factor XII	103	%	48	118

Vitamin K dependent coagulation factor인 factor 2, 7, 10에서 deficiency가 확인되었다.

HEM reply 〉〉
Pseudoxanthoma elasticum과 Vit K deficiency가 동반되는 경우가 있습니다. 현재 유지중인 Vit K replacement를 유지하여 주시기 바랍니다.

A)	Pseudoxanthoma elasticum like syndrome, more likely Malabsorption d/t Crohn' s disease
P)	Vit. K replacement HEM OPD f/u

Pseudoxanthoma elasticum like syndrome은 Pseudoxanthoma elasticum과 비슷한 임상양상을 가진다 하지만 Pseudoxanthoma elasticum like syndrome에서 피부가 늘어지는 경향이 더 많고 vitamin K dependent coagulation factor deficiency가 동반되며 GGCX 유전자 변이가 동반되는 경우가 많다.

#3 Pseudoxanthoma elasticum (PXE)	
O)	Skin biopsy 〉 Pseudoxanthoma elasticum
A)	Pseudoxanthoma elasticum like syndrome
P)	ABCC6, GGCX mutation analysis Consult to OPH for Angioid streak Consult to CV for coronary artery disease

Pseudoxanthoma elasticum에서는 눈과 심장에서 이상소견이 발견되는 경우가 많으며 ABCC6 유전자 변이가 확인되는 경우가 많다.

#3 Pseudoxanthoma elasticum (PXE)	
O)	CV reply 〉〉 Coronary artery occlusion, MI 등 발생 가능하나 현재 thallium scan결과 정상 소견으로 환자 나이 고려하였을 때 추가적인 검사는 필요하지 않으리라 판단됩니다. OPH reply 〉〉 혈관 벽 등에 문제를 일으켜 retinal hemorrhage 등이 발생가능하며 또한 망막에 angioid streak, Peau d'orange change, comets in the retina, wing sign 등이 발생가능하나 현재 이상소견 없습니다.

Hospital Day #6

Oral vitamin K, folic acid, mesalazine을 처방받고 퇴원함

Medical genetics OPD

#3 Pseudoxanthoma elasticum (PXE)

O)

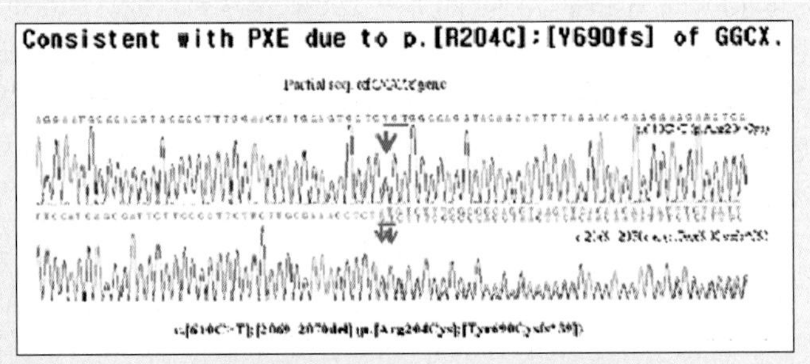

Pseudoxanthoma elasticum (PXE) - like disorder with multiple coagulation factor deficiency는 GGCX (Gamma-glutamyl carboxylase) 유전자의 돌연변이에 의한 질환으로 본 검사대상자는 GGCX 유전자의 exon5와 14에서 c.610C 〉 T (p.Arg204Cys) (R204C)와 c.2069_2070del (p.Tyr690Cysfs*39) (Y690fs) 변이를 각각 이형접합자로 확인되었다.

A) Pseudoxanthoma elasticum like syndrome

P) Oral Vitamin K

Updated Problem List

#1 Chronic abdominal pain, hematochezia, diarrhea

➡ Crohn's disease

#2 Vitamin K-dependent coagulation factors deficiency

➡ associated with #3

#3 Pseudoxanthoma elasticum (PXE)

➡ Pseudoxanthoma elasticum like syndrome d/t mutation in GGCX gene

#4 Microcytic hypochromic anemia

➡ associated with #1

#5 Hypoalbuminemia

➡ associated with #1

Lesson of the case

본 증례는 Crohn's disease에 의해 기저의 Pseudoxanthoma elasticum like syndrome이 악화되어 Vitamin K와 연관된 혈액응고인자 결핍이 확인되었던 환자이다. Pseudoxanthoma elasticum like syndrome은 GGCX gene mutation으로 발생하는 질환으로 피부 병변 이외에도 coagluopathy 및 눈, 심장 등에 병변을 유발할 수 있는 희귀 질환이다. 이러한 다른 증상들이 한가지 질환에 의해 설명될 수 있는 증례였다.

CASE 22 11일 전 시작된 노작성 흉통으로 내원한 81세 남자

Chief Complaints

effort related chest pain, started 11 days ago

Present Illness

30년 전 당뇨, 고혈압 진단 후 경구 혈당 강하제와 혈압 강하제를 복용하였으며 3년 전부터 주로 등산하는 중에 흉통이 있었으나 특별한 검사 시행하지 않고 지냈다.
6개월 전부터 배뇨 처음부터 끝까지 나오는 어두운 갈색의 소변을 보았고, 11일 전 등산로 입구에서 오르막 길을 두세 발자국만 걸어도 흉통 및 호흡곤란(NYHA Fc III) 발생하여 심장내과 외래 통해 입원하였다.

Chest pain

onset: remote - 3 years ago
recent - 11 days ago
location: left anterior chest area
quality: 짓누르는 듯함
duration: 1 min
radiation: neck (-), shoulder (-), back(-)
associated symptom:
dyspnea / dizziness / diaphoresis / palpitation (+/-/-/-)
severity: 3-4/10 (numerical rating scale)
aggravating factor: exercise
relieving factor: resting
nitroglycerin response: not tried

Past History

hepatitis / tuberculosis (- / -)
diabetes mellitus: 30년 전 진단받고 sitagliptin, metformin, glimepiride 복용중임
hypertension: 30년 전 진단받고 celiprolol, diltiazem 복용중임
spinal stenosis: 4년 전 진단받고 epidural steroid injection 시행받음

Family History

hepatitis / tuberculosis / diabetes mellitus/ hypertension (-/-/+/-)
malignancy (-)
sudden cardiac death (-)

Social History

occupation: 사업(현재는 은퇴)
smoking: 56 packs-years, ex-smoker, 4년 전 중단
alcohol: 소주, 1병/주, 60년

Review of Systems

General

weight loss (-)	fatigue (+)

Head/Eye/ENT

headache (-)	hearing disturbance (-)
rhinorrhea (-)	sore throat (-)

Respiratory

hemoptysis (-)	cough (-)

Cardiovascular ➡ see present illness

Gastrointestinal

anorexia (-)	nausea (-)
vomiting (-)	constipation (-)
diarrhea (-)	abdominal pain (-)
melena (-)	hematochezia (-)

Genitourinary

flank pain (-)	voiding difficulty (-)
frequency (-)	dysuria (-)

Neurologic

seizure (-)	cognitive dysfunction (-)
psychosis (-)	motor-sensory change (-)

Musculoskeletal

arthralgia (-)	tingling sense (-)
back pain (-)	muscle pain (-)

Physical Examination

height 167 cm, weight 72 kg
body mass index 26.1 kg/m^2

Vital Signs

BP 118/50 mmHg - HR 60 /min - RR 20 /min - BT 36℃

General Appearance

not so ill-looking appearance	alert
oriented to time,person,place	

Skin

skin turgor: normal	ecchymosis (-)
rash(-)	purpura (-)

Head / Eyes / ENT

visual field defect (-)	pale conjunctiva (+)
icteric sclera (+)	palpable lymph nodes (-)
pharyngeal injection (-)	tonsilar hypertrophy (-)
thyroid enlargement (-)	

Chest

symmetric expansion without retraction	normal tactile fremitus
percussion : resonance	clear breath sound without crackle

Heart

irregular rhythm	abnormal hearts sounds with pansystolic murmur

Abdomen

soft & flat abdomen	normoactive bowel sound
tenderness (-)	rebound tenderness (-)
splenomegaly (-)	hepatomegaly (-)

Neurology

motor weakness (-)	sensory disturbance (-)
gait disturbance (-)	neck stiffness (-)

Initial Laboratory Data

CBC

WBC ($4 \sim 10 \times 10^3/mm^3$)	10,100	Hb (13~17g/dl)	8.7
WBC differential count	Neutrophil 55.9% lymphocyte 32.7% monocyte 7.1%	platelet ($150 \sim 350 \times 10^3/mm^3$)	269
MCV 114 fL (80-100 fL) MCH 39.4 pg (27-33 pg) MCHC 34.5% (32-36%) Hct 25.5 % (39~52) RDW 17.8% (11.5~14.5)			

Chemical & Electrolyte battery

Ca (8.3~10mg/dL) /P (2.5~4.5mg/dL)	8.2/3.6	glucose (70~110 mg/dL)	193
protein (6~8 g/dL) / albumin (3.3~5.2 g/dL)	6.6/3.6	aspartate aminotransferase (AST) (~40 IU/L) / alanine aminotransferase (ALT) (~40 IU/L)	26/33
lactate dehydrogenase (120~250 IU/L)	437		
alkaline phosphatase (ALP) (40~120 IU/L)	103	gamma-glutamyl transpeptidase (r-GT) (11~63 IU/L)	98
total bilirubin (0.2~1.2 mg/dL)	3.7	direct bilirubin (~0.5 mg/dL)	1.7
BUN (10~26 mg/dL) / Cr (0.7~1.4 mg/dL)	20/1.3	estimated GFR (≥ 60 ml/min/1.7 m^2)	53
C-reactive protein (~0.6 mg/dL)	3.49	cholesterol	141
Na (135~145 mmol/L) / K (3.5~5.5 mmol/L) / Cl (98~110 mmol/L)	136/5.0/99	total CO_2 (24~31 mmol/L)	20.6

Coagulation battery

prothrombin time (PT) (70~140%)	95.4 %	PT (INR) (0.8~1.3)	1.01
activated partial thromboplastin time (aPTT) (25~35 sec)	31.6 sec		

Urinalysis

specific gravity (1.005~1.03)	1.025	pH (4.5~8)	5.0
albumin (trace)	++	glucose (-)	-
ketone (-)	-	bilirubin (-)	+
occult blood (-)	-	urobilinogen (trace)	++
RBC (0~2)	0~2	WBC (0~2)	0~2
nitrate (-)	-		

Chest X-ray

cardiothoracic ratio 0.56으로 mild cardiomegaly 외에 특이소견 없다

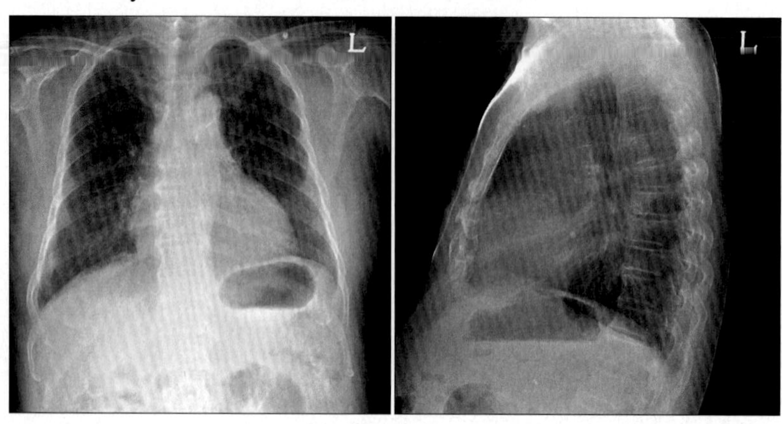

EKG

EKG에서 PR 간격이 점차 늘어나다가 차단되는 second degree atrioventricular block I형 (Mobitz type I, Wenckebach phenomenon)이 관찰된다.(arrow: p wave)

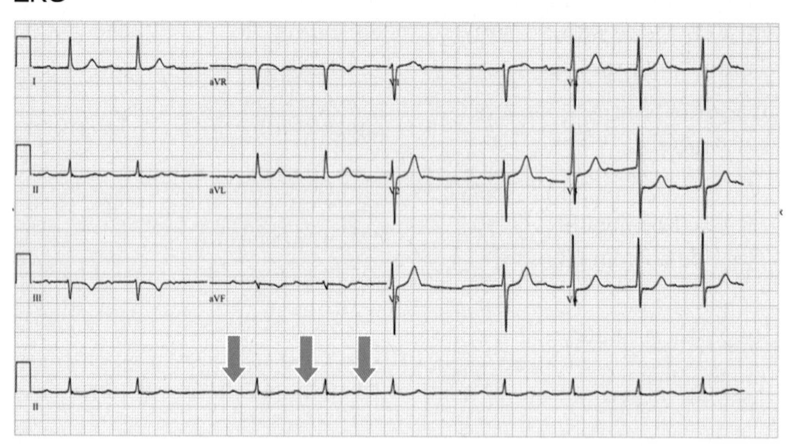

Initial Problem List

#1 Effort related chest pain

#2 Dyspnea on exertion, NYHA Fc III

#3 Macrocytic normochromic anemia with increased RDW and LDH

#4 Isolated indirect hyperbilirubinemia, urobilinogenuria, and bilirubinuria

#5 Albuminuria and azotemia

#6 Mobitz type I (Wenckebach) AV block

#7 Diabetes mellitus (× 30years), inadequately controlled with medication

#8 Hypertension (× 30years), controlled with medication

#9 Spinal stenosis s/p epidural steroid injection

Assessment and Plan 1

#1 Effort-related chest pain #2 Dyspnea on exertion, NYHA Fc III #7 Diabetes mellitus (x 30years), inadequately controlled with medication #8 Hypertension (x 30years), controlled with medication	
A)	Unstable angina
P)	Diagnostic plan 〉 - Thallium SPECT - Transthoracic echocardiography Therapeutic plan 〉 - Aspirin, statin, angiotensin II receptor blocker NTG, if needed

#3 Macrocytic normochromic anemia with increased RDW and LDH #4 Isolated indirect hyperbilirubinemia, urobilinogenuria, and bilirubinuria	
A)	Hemolytic anemia Folate deficiency anemia Vitamin B12 deficiency anemia Liver disease such as hepatocellular jaundice, less likely
P)	Peripheral blood smear, reticulocyte production index Haptoglobin, plasma hemoglobin Direct Coombs test, indirect Coombs test Folic acid, Vitamin B12 Liver ultrasonography Viral marker: HBs Ag, HBs Ab, Anti-HCV Transthoracic echocardiography

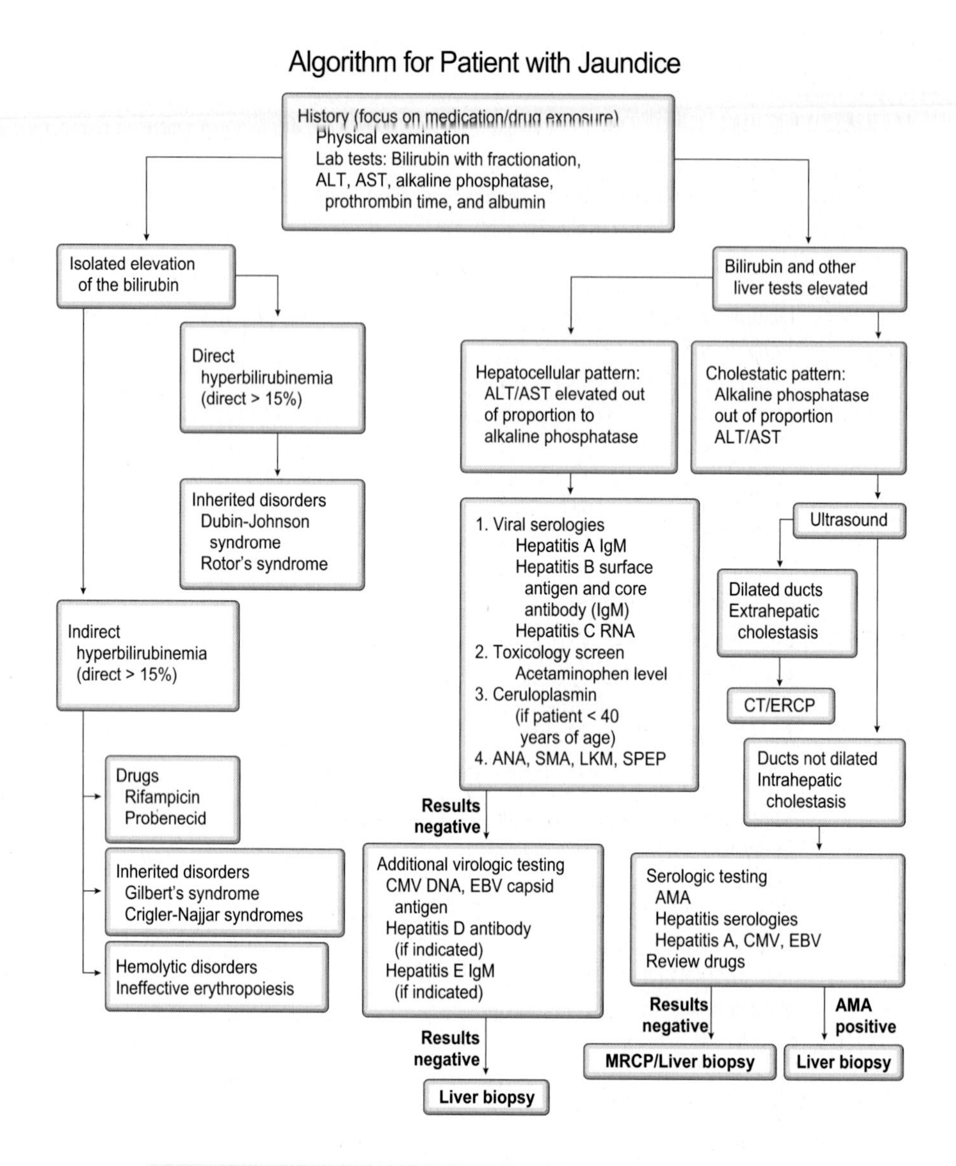

#5 Albuminuria and azotemia
#7 Diabetes mellitus (× 30years), inadequately controlled with medication

A)	DM nephropathy
P)	ACE inhibitor DM complication work up, albuminuria 정량검사

Mobitz type I (wenckenbach) AV block은 PR 간격이 점점 길어지고, RR간격이 짧아지면서 pause를 보여준다.

#6 Mobitz type I (Wenckebach) AV block

A)	d/t medication such as calcium channel blocker, beta-blocker d/t myocardial infarction, coronary spasm especially RCA
P)	Holter monitoring, telemetry monitoring

Hospital day #2

#1 Effort related chest pain
#2 Dyspnea on exertion, NYHA Fc III
#7 Diabetes mellitus (× 30years), inadequately controlled with medication
#8 Hypertension (× 30years), controlled with medication

S) 답답하지 않아요.

O) Thallium SPECT

〈stress image〉

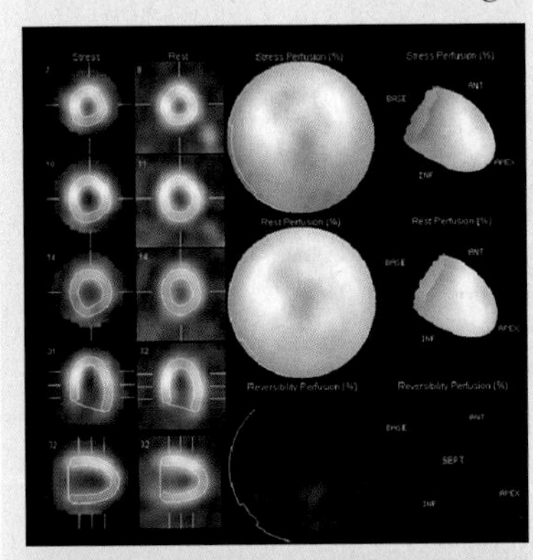

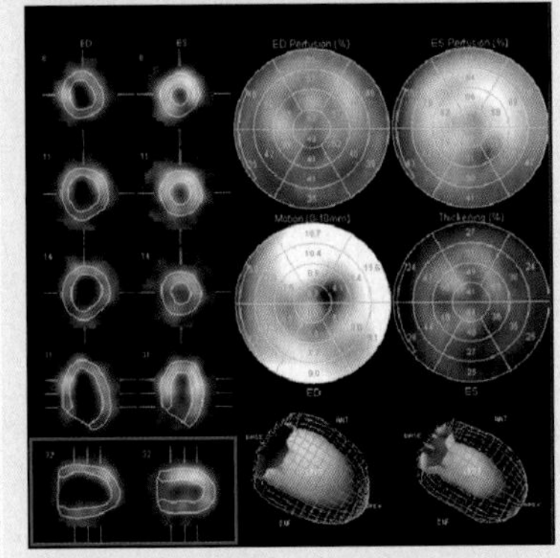

Thallium SPECT검사를 보면 stress image에서 inferior wall area에 mild to moderately decreased perfusion을 보이고, rest image에서는 normal uptake를 보인다. 이를 바탕으로 inferior wall의 reversible perfusion이 있음을 알 수 있다.(red box)

Transthoracic echocardiography
- normal LV systolic function (ejection fraction: 64%)
- moderate TR (TR Vmax 4.1 m/sec, PG 67 mmHg)
- IVC plethora 동반되며 severe resting pulmonary HTN 소견임

A) Unstable angina

P) Coronary angiography after hydration and N-acetylcysteine

Hospital day #2

#3 Macrocytic normochromic anemia, increased RDW and LDH
#4 Isolated hyperbilirubinemia, urobilinogenuria, and bilirubinuria

S) 변에 피가 섞여 나오지는 않습니다. 움직이면 숨이 찹니다.

Peripheral blood smear

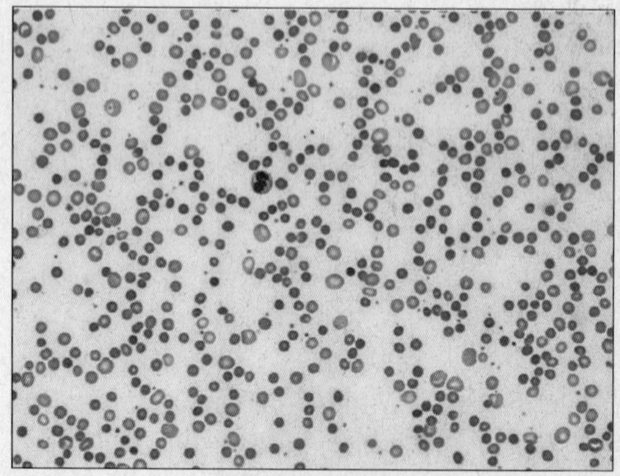

Peripheral blood smear로, macrocytic normochromic RBC 및 spherocyte가 관찰된다.

O)
Hb 7.7 g/dL Hematocrit 23.2% (38~52%)
reticulocyte 10.75% (0.5~1.8%)
reticulocyte production index 2.77
LDH 418 IU/L (120~250 IU/L)

Reticulocyte production index는 absolute reticulocyte count를 maturation time correction으로 나눈 값이며, absolute reticulocyte count는 환자 hematocrit을 정상 수치의 hematocirt으로 나눈 값에 환자 reticulocyte를 곱하여 구한다.

Iron 95 ug/dL (50~170ug/dL) TIBC 303 ug/dL (280~400 ug/dL)
Ferritin 190.1 ng/ml (20~320 ng/ml)
Haptoglobin < 7.6 mg/dL (16~200 mg/dL)
Vit B12 291 pg/ml (211~911 pg/ml)
RBC folate 696 ng/ml (280~791 ng/ml)
Plasma hemoglobin 13.5 mg/dL (< 5 mg/dL)

Direct coombs test는 RBC막에 IgG나 complement (C3d)가 부착되어 있는지를 보는 검사이다. 환자의 washed RBC에 antiglobulin serum (시약)을 첨가하여 반응을 보고, 환자 RBC 막에 IgG나 C3d가 부착되어 있으면 응집이 발생한다.

Direct coombs test positive(1+)
Indirect coombs test positive(3+)
Anti-IgG (D.coombs test) positive (1+)
Anti-IgM (D.coombs test) positive (1+)
Anti-IgA (D.coombs test) positive (1+)
Anti-IgC3d (D.coombs test) positive (1+)
Anti-C and anti-E alloantibodies and
warm reactive autoantibody (+)

indirect coombs test는 혈청 중에 있는 RBC에 대한 autoantibody들이 RBC막에 결합은 하지만 응집을 유발하지 못하는 경우가 있다. 환자 혈청에 O형 RBC 및 antiglobulin serum (시약)을 첨가하여 반응을 보고, 환자 혈청 내에 antibody가 있다면 응집이 발생한다.

A) Autoimmune hemolytic anemia

P)
The least incompatible packed RBC transfusion:
target Hb > 10 g/dL
스테로이드 치료가 필요한데 부작용이 우려되지만, underlying coronary disease 등을 고려할 때 빈혈에 대한 치료가 필요.
중간용량 스테로이드(prednisolone 35 mg per os once daily)를 우선 시작

증상이 있는 acute coronary syndrome 환자들에서 hemoglobin을 10g/dL 이상을 유지하는 것이 survival이 높다. Heart J. 2013; 165(6): 964.

Hospital Day #2

#6 Mobitz type I (Wenckebach) AV block	
S)	아무런 증상이 없는데 맥이 느리다고 하네요.
O)	EKG: 2nd degree AV block Holter monitoring - sinus rhythm으로, occasional junctional escape beat를 동반하고, 최대 pause가 2.16인 second dgree AV block (Wenckebach)이다.
A)	d/t medication such as calcium channel blocker, beta-blocker d/t myocardial infarction, coronary spasm especially RCA
P)	beta-blocker에 의한 AV block이므로 약 중단하고 경과관찰, 지속된다면 pacemaker insertion 고려

Updated Problem List

#1 Effort related chest pain ➡ Unstable angina
#2 Dyspnea on exertion, NYHA Fc III ➡ #1
#3 Macrocytic normochromic anemia, increased RDW and LDH
➡ autoimmune hemolytic anemia
#4 Isolated hyperbilirubinemia, urobilinogenuria, and bilirubinuria ➡ #3
#5 Albuminuria and azotemia ➡ DM nephropathy
#6 Mobitz type I (Wenckebach) AV block
➡ resolved after quiting beta-blocker
#7 Diabetes mellitus (× 30years), inadequately controlled with medication
#8 Hypertension (× 30years), controlled with medication
#9 Spinal stenosis s/p epidural steroid injection
#10 Pulmonary hypertension , associated with #3

Hemolytic anemia 발생 시 pulmonary hypertension이 생길 수 있다는 보고가 있다.

International Journal of Cardiology
Volume 115, Issue 1, 31 January 2007, Pages E1-E2

Hospital Day #6

#1 Effort related chest pain
#2 Dyspnea on exertion, NYHA Fc III
#7 Diabetes mellitus (× 30years), inadequately controlled with medication
#8 Hypertension (× 30years), controlled with medication

S)	움직일 때 숨차거나 아프지 않아요.
O)	BUN/Cr 17/0.97 mg/dL 〈Coronary angiography〉 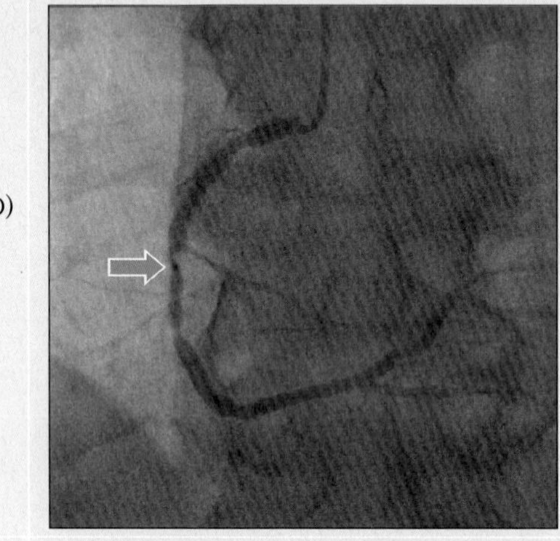
A)	1 vessel disease s/p PCI at mRCA
P)	Hydration and BUN/Cr f/u Aspirin, clopidogrel, statin, angiotensin II receptor blocker

Coronary angiography의 LAO view로 mid-right coronary artery stenosis가 보인다. (arrow)

Clinical course

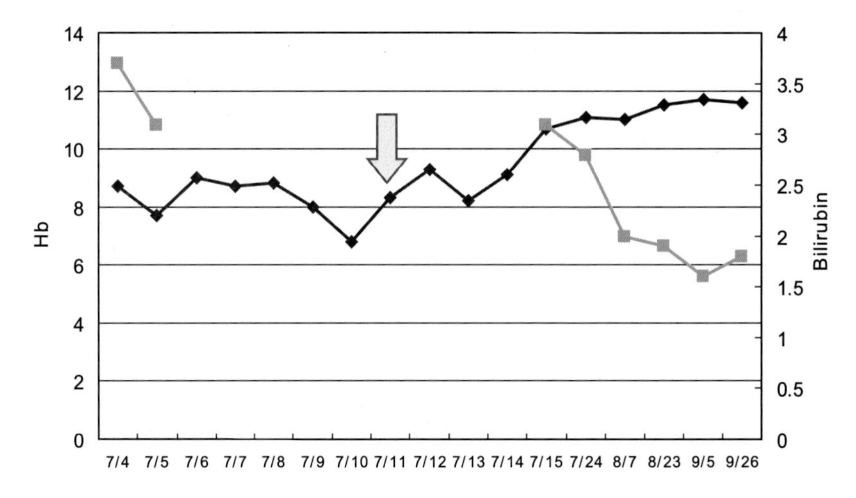

Prednisolon 30 mg 투여 후(arrow) hemoglobin은 증가하고, bilirubin은 감소하였다.

Lesson of the case

Acute conorary syndrome 발생 시 이를 유발할 수 있는 anemia와 같은 교정 가능한 원인이 있는지를 고려해야 한다.

CASE 23 폐의 종괴로 내원한 75세 남자

Chief Complaints

Growing lung nodule on chest X-ray

Present Illness

7년 전 부터 금연하고 있는 55 pack years의 ex-smoker로 6년 전 건강검진 위해 시행한 흉부사진에서 right upper lobe의 lung mass 있어 타원에서 조직검사 없이 정기적으로 추적 관찰해 왔다.
2개월 전 흉부사진에서 mass size 증가하여 percutaneous needle biopsy 시행하였으며 소세포폐암 및 선암으로 진단되어 본원 진료 원하여 외래 내원하였다.
Weight loss, cough, sputum, dyspnea의 동반 증상은 없었다.

Past History

diabetes (-)
hypertension (-)
tuberculosis(-)
hepatitis (-)

Family History

diabetes (-)
hypertension (-)
tuberculosis (-)
malignancy (+)
큰형: hepatocelluar carcinoma

Social History

alcohol: 소주 1병, 1회/week, 20년 전 금주

Review of Systems

General

generalized weakness (-)	easy fatigability (-)
dizziness (-)	weight loss (-)

Head / Eyes / ENT

headache (-)	rhinorrhea (-)
sore throat (-)	dizziness (-)

Respiratory ➞ see present illness

Cardiovascular

chest pain (-)	palpitation (-)
orthopnea (-)	dyspnea on exertion (-)

Gastrointestinal

anorexia (-)	nausea (-)
vomiting (-)	constipation (-)
diarrhea (-)	abdominal pain (-)
hematochezia (-)	melena (-)

Genitourinary

flank pain (-)	gross hematuria (-)
genital ulcer (-)	costovertebral angle tenderness (-)

Neurologic

motor-sensory change (-)	cognitive dysfunction (-)

Musculoskeletal

pretibial pitting edema (-)	back pain (-)

Physical Examination

Vital Signs

BP 126/72 mmHg

외래에서 시행한 V/S으로 blood pressure만 측정하였다.

General Appearance

not so ill - looking	alert
oriented to time, person, place	(+/+/+)

Skin

skin turgor: normal	ecchymosis (-)
rash (-)	purpura (-)

Head / Eyes / ENT

visual field defect (-)	pale conjunctiva (-)
anicteric sclera (-)	palpable lymph nodes (-)

Chest

symmetric expansion without retraction	normal tactile fremitus
percussion : resonance	clear breath sound

Heart

regular rhythm	normal hearts sounds

Abdomen

soft and flat abdomen	normoactive bowel sound
abdominal tenderness (-)	rebound tenderness (-)

Back and extremities

costovertebral angle tenderness (-/-)	pretibial pitting edema (-/-)

Neurology

motor weakness (-)	sensory disturbance (-)

Initial Laboratory Data

CBC

WBC ($4\sim10\times10^3/mm^3$)	11,300	Hb (13~17g/dl)	14.6
MCV (81~96 fl)	89.9	MCHC (32~36 g/dl)	33.0
WBC differential count	neutrophil 73.6% lymphocyte 18.2% monocyte 7.4%	platelet ($150\sim350\times10^3/mm^3$)	299

Chemical & Electrolyte battery

Ca (8.3~10mg/dL)	8.7	glucose (70~110 mg/dL)	99
protein (6~8 g/dL)/ albumin (3.3~5.2 g/dL)	7.0/3.9	aspartate aminotransferase (AST) (~40 IU/L) / alanine aminotransferase (ALT) (~40 IU/L)	23/32
alkaline phosphatase (ALP) (40~120 IU/L)	77	total bilirubin (0.2~1.2 mg/dL)	0.6
Cr (0.7~1.4mg/dL)	1.0	estimated GFR ($\geq$ 60 ml/min/1.7 m^2)	77
Na (135~145 mmol/L) / K (3.5~5.5 mmol/L) / Cl (98~110 mmol/L)	140/4.1/103	total CO^2 (24~31 mmol/L)	26.6

Coagulation battery

prothrombin time (10~13sec)	118.9	PT(INR) (0.8~1.3)	0.92
activated partial thromboplastin time (aPTT) (25~35 sec)	26.8 sec		

Urinalysis with microscopy

specific gravity (1.005~1.03)	1.011	pH (4.5~8)	5.0
albumin (TR)	(-)	glucose	(-)
ketone	(-)	bilirubin	(-)
occult blood	(-)	nitrite	(-)
urobilinogen	(-)	WBC	(-)

Chest PA

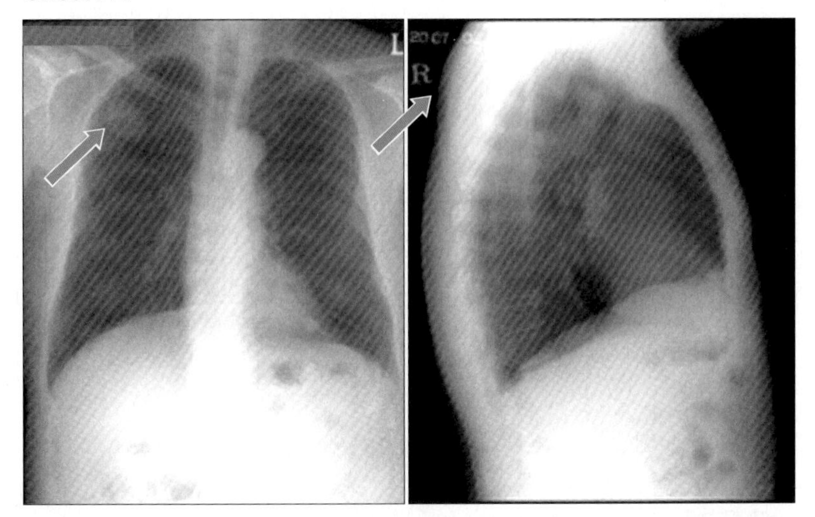

Trachea가 midline에 위치해 있는 chest PA사진으로 RUL에 약 2 cm size되는 nodule이 발견되었다(화살표).

Outside chest CT

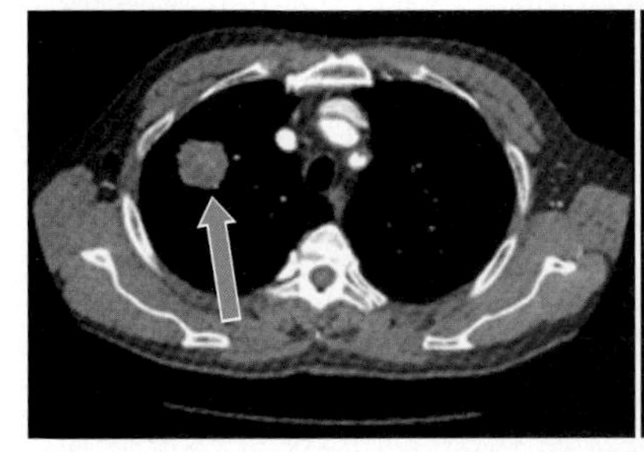

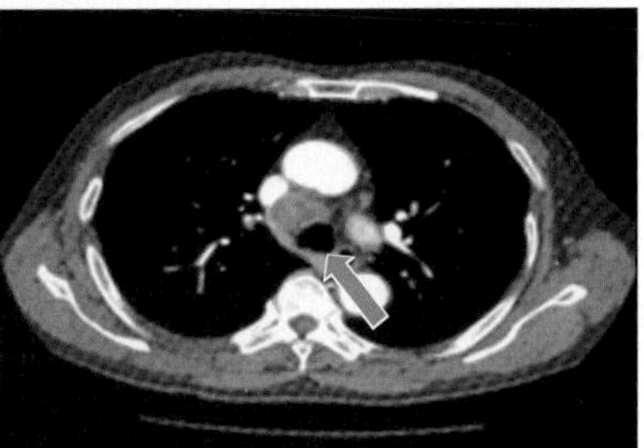

Right upper lobe에 3 cm size mass가 관찰되고 있다. '긴 화살표'
약 2 cm size의 Rigt lower paratracheal area lymph node가 있다. '짧은 화살표'
영상검사에서 mass와 nodule의 차이의 기준은 3 cm이다.

Outside PET CT

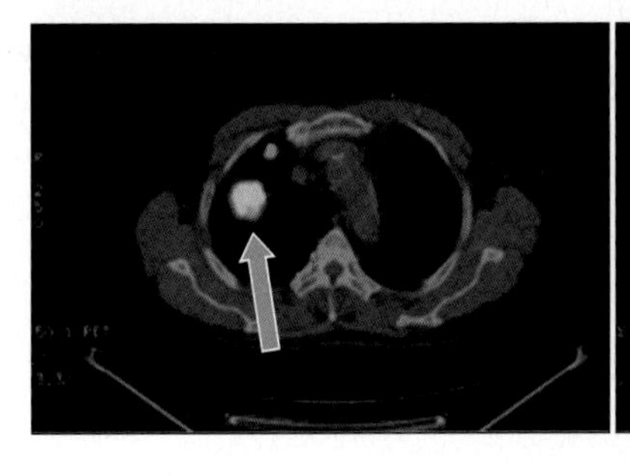

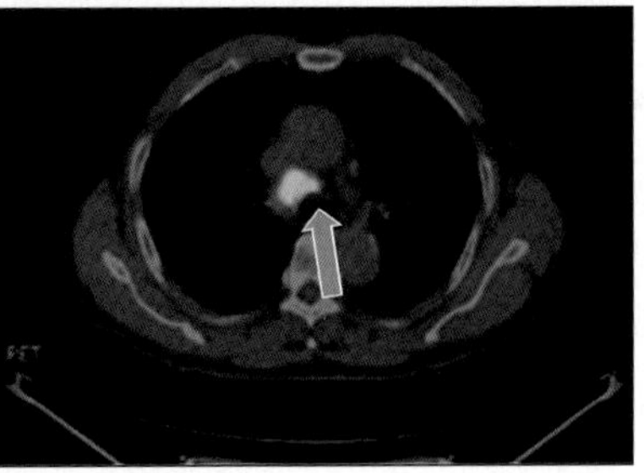

Right upper lobe에 SUV 10.24의 malignant FDG uptake를 보이는 lesion이 있고 lung cancer로 생각할 수 있다. '긴 화살표'

Rt. Lower paratracheal area에도 focal uptake를 보이는 lymph node가 있다. '짧은 화살표'

Bone metastasis를 시사하는 병변은 없다.

Outside Bone scan

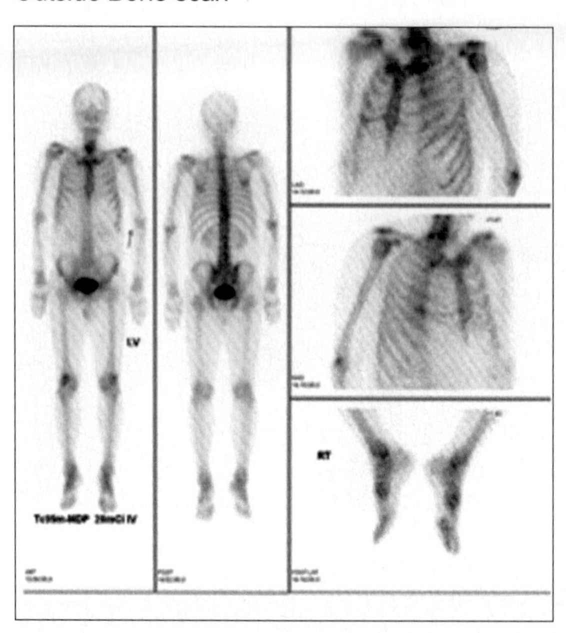

Initial Problem List

#1 Lung cancer at right upper lobe

Assessment and Plan

#1 Lung cancer at right upper lobe		
	A)	1. Lung cancer at right upper lobe, $cT_2N_2M_0$, stage IIIA
	P)	Diagnostic plan 〉 외부 Pathologic review

OPD 2(07.02.27)

#1 Lung cancer at right upper lobe, $cT_2N_2M_0$, stage IIIA

S)	앞으로의 치료는 어떻게 되나요?
O)	Outside biopsy tissue: Lung - combined neuroendocrine carcinoma and adenocarcinoma 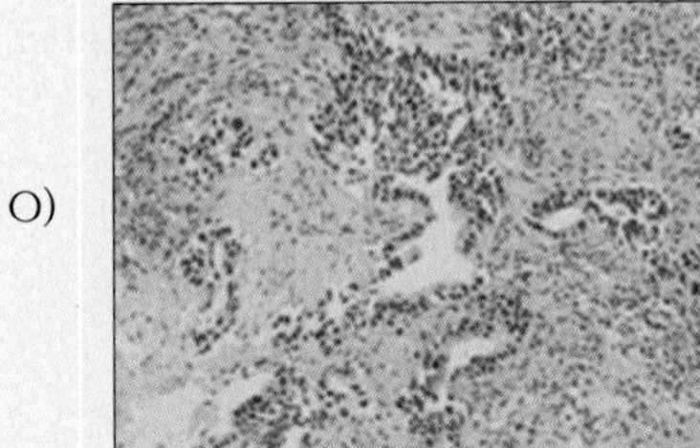 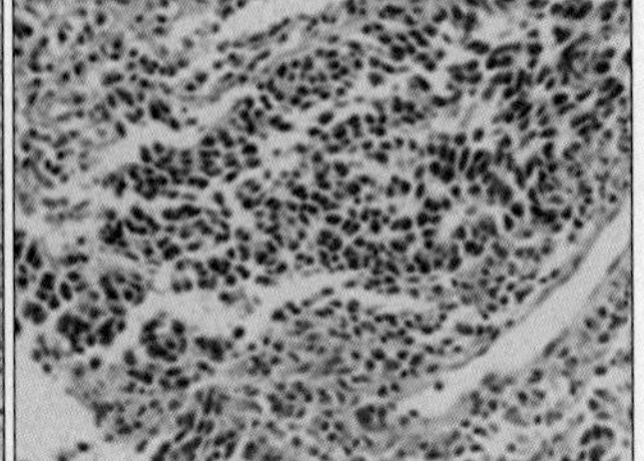 [Haematoxylin and eosin stain] [Haematoxylin and eosin stain]
A)	Lung cancer [Adenocarcinoma, Small cell lung cancer]
P)	Concurrent chemoradiotherapy Radiotherapy (30F/6600cGy) + weekely-docetaxel #5

(좌측 H&E stain x400 고배율) glandular structure를 보이고 있는 병리 조직 소견으로 adenocarcinoma에 합당하다. (우측) hyperchromatic nucleus를 가지며 N/C ratio가 높은 비교적 monomorphic한 atypia를 보이며 neuroendocrine component를 보이고 외부 immunohistochemical 결과 chromogranin (+)로 small cell lung cancer에 합당하다.

Small cell lung cancer의 30%에서 nonsmall cell lung cancer component가 동반되어 있으며 combined small cell lung cancer와 small cell lung cancer의 임상양상에는 큰 차이가 없다. 두 그룹간의 overall survival에는 큰 차이가 없으나 chemotherapy 에의 early series response에는 차이가 있다.
- American Society for Clinical Pathology, 131, 376-382. Combined small cell lung carcinomas

외래경과

이후 5차례 weekly docetaxel chemotherapy와 total 6600cGy의 Radiotherapy 시행하였고 치료 시작 이후 4개월 뒤 chest CT 시행하였고 Right upper lobe의 lung cancer, paratracheal lymph node 모두 size가 감소하였다.

OPD 13

#1 Lung cancer at right upper lobe, cT2N2M0, stage IIIA
#2 s/p concurrent chemoradiotherapy c weekly docetaxel
#3 Right lung infiltration with cough

S)	기침이 조금 나옵니다. 가래는 없어요. 3주 전부터 물만 마셔도 걸리는 느낌이 있어서 내시경 했어요.
O)	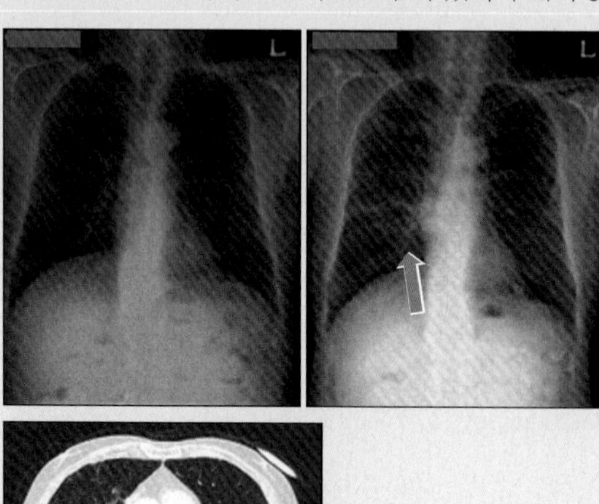 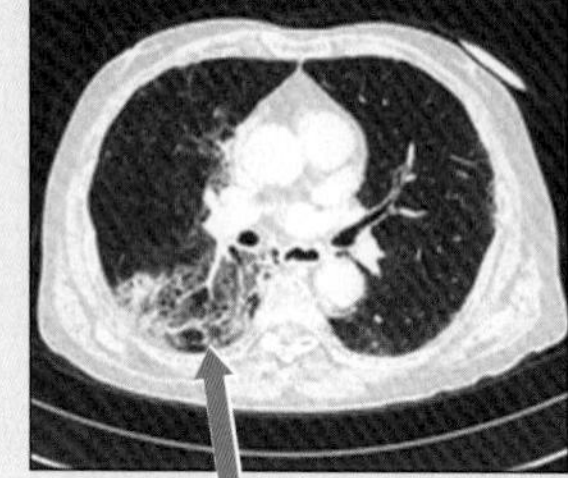 외부위내시경: Esophageal candidiasis
A)	Radiation pneumonitis Bacterial pneumonia, less likely Esophageal candidiasis
P)	Start prednisolone 50 mg Fluconazole 100 mg qd

과거 x-ray와 비교하여 right middle, right lower lung field에 ground glass opacity를 동반한 병변이 있다. '짧은 화살표' chest CT에서 right middle and lower lobe에 ground glass opacity를 동반한 병변이 생겼고 방사선치료 과거력 고려 방사선 폐렴을 가장 의심할 수 있다. '긴 화살표'

Updated problem list

#1 Lung cancer [Adenocarcinoma, Small cell lung cancer]
$cT_2N_2M_0$, Stage IIIA
#2 s/p concurrent chemoradiotherapy with weekly docetaxel
#3 Radiation pneumonitis, right lower lobe
#4 Esophageal candidiasis

OPD 18

#1 Lung cancer at right upper lobe, $cT_2N_2M_0$, stage IIIA
#2 s/p concurrent chemoradiotherapy c weekly docetaxel
#3 Radiation pneumonitis, right lower lobe
#4 Esophageal candidiasis

S)	기침도 좋아지고 다른 불편한 증상은 없어요. 목에 걸리는 느낌은 많이 좋아졌어요.
O)	Steroid 50 mg으로 시작하여 15일마다 10 mg씩 tapering 하였다. 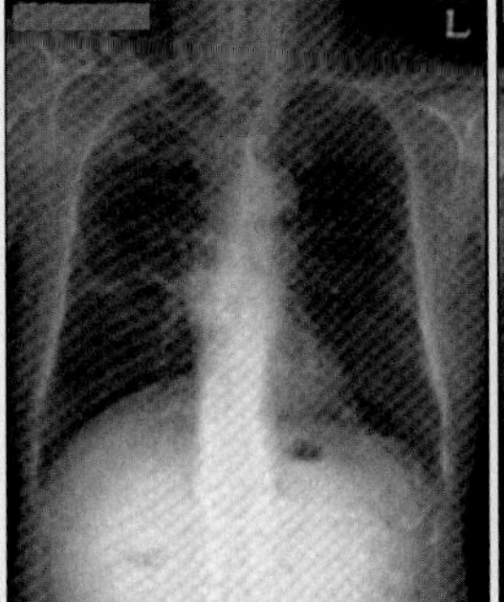 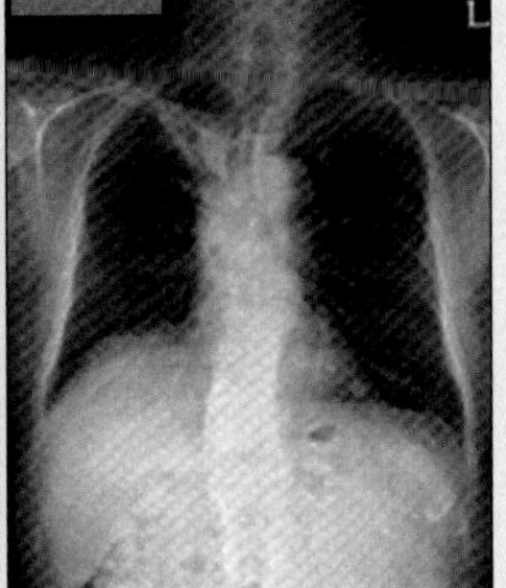 [치료 시작 시 x-ray] [치료 시작 2달뒤 x-ray]
A)	Improvement of radiation pneumonitis
P)	Steroid tapering

Serial CXR상 Rt. upper lobe에 ateltectasis, fibrotic change 보이고 있으며 RMLF and RLLF의 radiation pneumonitis의 호전을 볼 수 있다.

Rt. uper lobe에 atelectasis와 fibrotic change가 동반되어 있으며 bilateral lung field에 numerous tiny nodule 들이 있다.

OPD 20

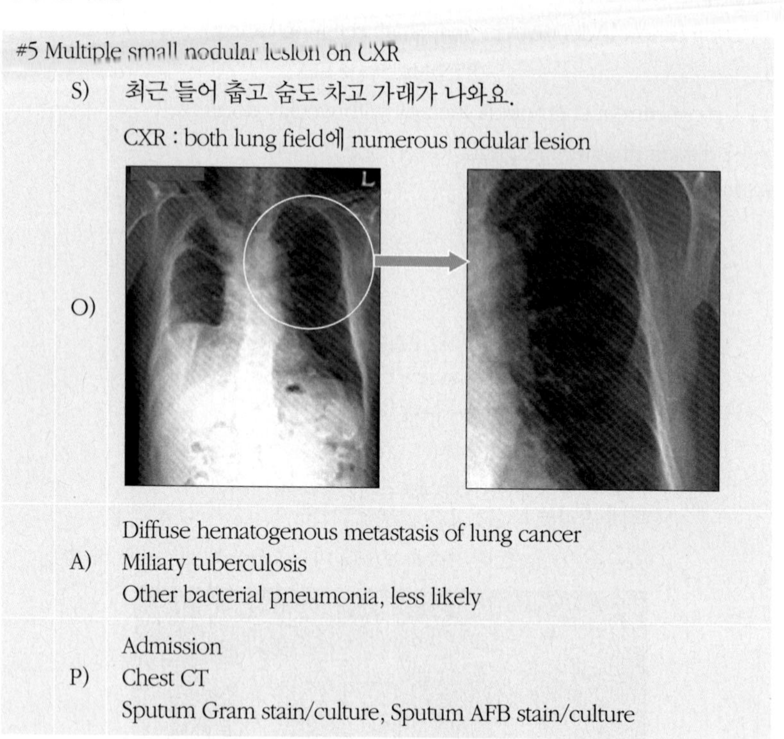

#5 Multiple small nodular lesion on CXR	
S)	최근 들어 춥고 숨도 차고 가래가 나와요.
O)	CXR : both lung field에 numerous nodular lesion
A)	Diffuse hematogenous metastasis of lung cancer Miliary tuberculosis Other bacterial pneumonia, less likely
P)	Admission Chest CT Sputum Gram stain/culture, Sputum AFB stain/culture

1st Admission

Chief Complaints

Fever with dyspnea (started 3weeks ago)

Present Illness

6년전 건강검진 위해 시행한 흉부사진에서 폐의 우상엽에서 폐결절 보여 타원에서 정기적으로 추적 관찰해 오던 환자로 내원 7개월전 흉부사진에서 크기가 증가하여 조직검사 시행하여 폐암이 진단되었다.
조직 검사 결과 선암, 소세포폐암으로 5cycle의 weekly docetaxel + 6600 cGy의 radiation therapy시행하였으며 response 확인 위해 시행한 chest CT에서 폐, 림프절 병변의 크기는 감소하였으나 방사선 폐렴 소견으로 총 90일간 스테로이드 치료를 시행하였다.
3주 전부터 저녁에 주로 발생하는 fever, chill, sweating, anorexia, general weakness 그와 동반되어 medical research council scale II의 dyspnea, cough, white sputum 있어 시행한 흉부 x선 촬영에서 이상소견 보여 입원하였다.

Review of Systems

General ➞ see present illness

Head / Eyes / ENT

headache (+)	dizziness (-)
rhinorrhea (-)	sore throat (-)

Respiratory ➞ see present illness

Cardiovascular

chest pain (-)	palpitation (-)
orthopnea (-)	dyspnea on exertion (-)

Gastrointestinal

anorexia (+)	nausea (-)
vomiting (-)	constipation (-)
diarrhea (-)	white stool (-)
hematochezia (-)	melena (-)

Genitourinary

flank pain (-)	gross hematuria (-)
genital ulcer ( )	costovertebral angle tenderness (-)

Neurologic

seizure (-)	motor-sensory change (-)

Musculoskeletal

pretibial pitting edema (-)	muscle pain (-)

Physical Examination

Vital Signs

BP 137/95 mmHg HR 108/min RR 22/min BT 36.2℃

General Appearance

Acute ill-looking appearance	alert
oriented to time, person, place	(+/+/+)

Head / Eyes / ENT

Pinkish conjunctiva (-)	anicteric conjunctiva (-)
Neck vein engorgement(-)	palpable lymph nodes (-)

Chest

symmetric expansion without retraction	normal tactile fremitus
percussion : resonance	clear breath sound without crackle

Heart

normal hearts sounds without murmur	regular rhythm

Abdomen

soft and flat abdomen	normoactive bowel sound
abdominal tenderness (-)	rebound tenderness (-)

Back and extremities

pretibial pitting edema (-/-)	costovertebral angle tenderness (-/-)
flapping tremor (-)	

Neurology

motor weakness (-)	sensory disturbance (-)
gait disturbance (-)	neck stiffness (-)

Initial Laboratory Data

CBC

WBC ($4 \sim 10 \times 10^3/mm^3$)	14,500	Hb (13~17g/dl)	12.6
WBC differential count	neutrophil 73.6% lymphocyte 18.2% monocyte 7.4%	platelet ($150 \sim 350 \times 10^3/mm^3$)	299

Chemical & Electrolyte battery

Ca (8.3~10mg/dL)	9.1	glucose (70~110 mg/dL)	107
protein (6~8 g/dL)/ albumin (3.3~5.2 g/dL)	6.4/2.9	aspartate aminotransferase (AST) (~40 IU/L) / alanine aminotransferase (ALT) (~40 IU/L)	21/23
alkaline phosphatase (ALP) (40~120 IU/L)	103	total bilirubin (0.2~1.2 mg/dL)	0.8
Cr (0.7~1.4mg/dL)	1.1	estimated GFR (≥ 60 ml/min/1.7 m^2)	69
Na (135~145 mmol/L) / K (3.5~5.5 mmol/L) / Cl (98~110 mmol/L)	133/3.7/96	total CO_2 (24~31 mmol/L)	26.6

Coagulation battery

prothrombin time (10~13sec)	91.1	PT(INR) (0.8~1.3)	1.05
activated partial thromboplastin time (aPTT) (25~35 sec)	31.4 sec		

Trachea는
right side deviation되어 있으며
right upper lung field에
fibrotic change를 동반한
atelectasis 변화가 있으며
bilateral lung field에 numerous
small nodular lesion들이 있다.

Chest PA

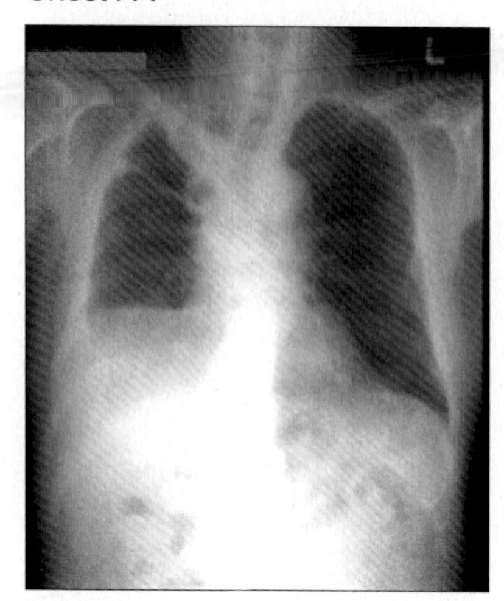

Right upper lobe에
consolidation들 동반한
fibrotic change가 있다(화살표).

Bilateral lung field에
tiny numerous nodule들이
있다(사각형).

Lung cancer보다는 infection을
시사하는 tree-in-bud pattern을
보이고 있다(동그라미).

Outside chest CT

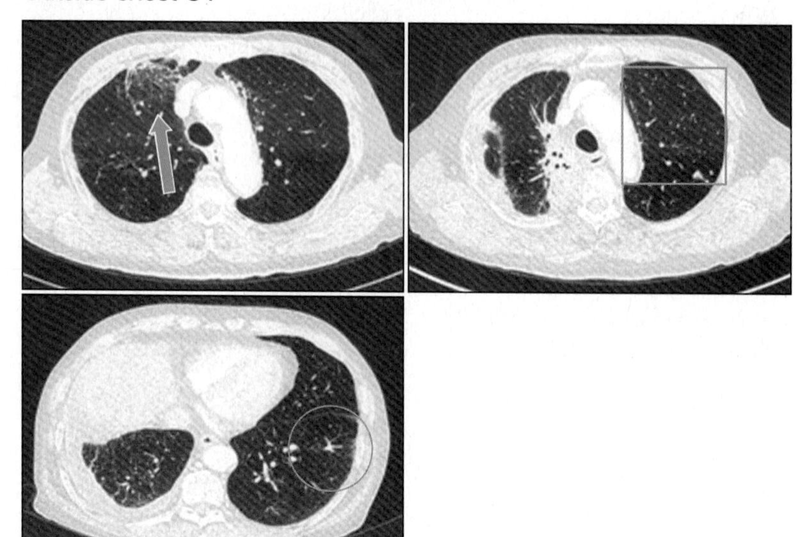

Updated problem list

#1 Lung cancer [Adenocarcinoma, Small cell lung cancer]

$cT_2N_2M_0$, Stage IIIA

#2 s/p concurrent chemoradiotherapy c weekly docetaxel

#3 h/o Radiation pneumonitis

#4 h/o Esophageal candidiasis

#5 Fever with dyspnea

#5 Fever with dyspnea	
A)	Miliary tuberculosis Diffuse hematogenous metastasis of lung cancer Other bacterial pneumonia, less likely
P)	Diagnostic plan 〉 Sputum Gram stain/culture Sputum AFB stain/culture

HD 2-3

#5 Fever and dyspnea	
S)	어제 저녁에 열이 났어요.
O)	BT 37.6 ℃ WBC 17,300/mm^3, Hb 12.7 g/dl, PLT 344K/mm^3 CRP 14.70 mg/dl Sputum AFB stain: 4+
A)	Miliary Tuberculosis Other bacterial pneumonia, less likely
P)	Start anti-Tbc medication (INH, RPF, PZA, EMB) Pulmonology consultation for Tbc medication Ophthalmology examination Sputum AFB culture 결과 확인

Chest x-ray상 numerous pulmonary nodule의 수와 크기가 증가하였다.

OPD 24

#5 Fever and dyspnea

S)	열이랑 기침, 가래는 좋아졌어요. 항결핵제 2개월 복용중이다. Sputum AFB (-) Sputum culture (-)
O)	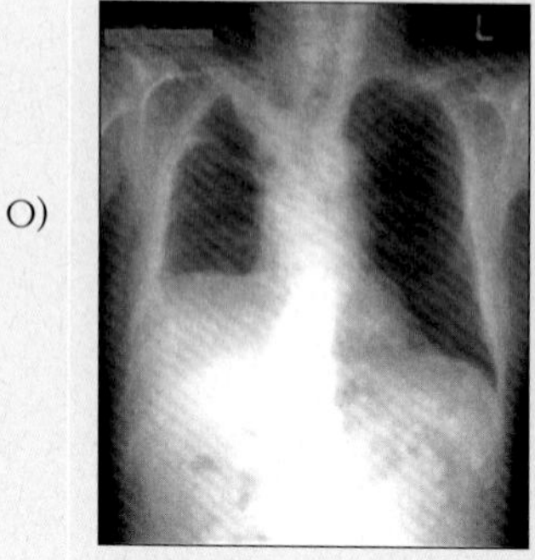 [치료 시작 시점 x-ray] 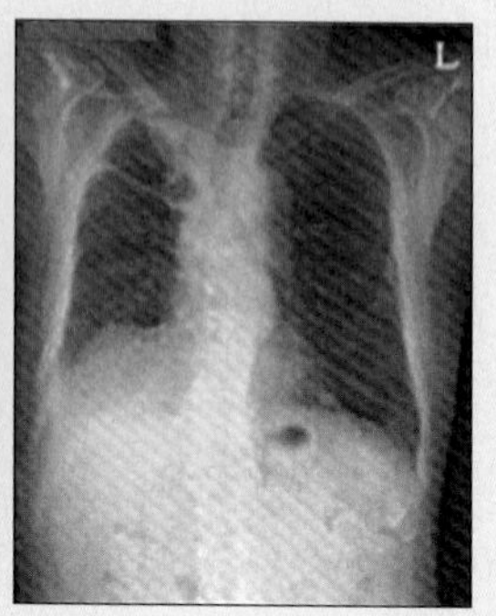 [치료 시작 2개월 후 x-ray]
A)	Diffuse hematogenous metastasis of lung cancer Drug resistant tuberculosis Other bacterial pneumonia, less likely
P)	Admission Chest CT Sputum Gram stain/culture, Sputum AFB stain/culture

이에 입원하여 chest CT촬영하였으며 bilateral lung field에 numerous tiny nodules의 size와 extent가 증가된 것을 확인 하였다.
이에 bronchoscopy시행하였고 bronchoalveolar lavage, transbronchial lung biopsy시행하였다. 결과 TB-PCR (+) 이었으며 lung biopsy 결과는 interstitial fibrosis이외에 다른 소견은 없었다. 또한 drug sensitivity test결과 isoniazid, cycloserin resistance로 확인되었다. 이에 항결핵제를 rifampin, etambutol, levofloxacin으로 변경하여 총 9개월 복용 후 항결핵제 치료를 중단하였으며 추적 관찰 위해 시행한 chest CT에서는 miliary nodules은 호전되었고 cancer recur소견은 보이지 않았다.

폐암 진단 이후 3년뒤 시행한 chest CT에서 left upper lobe에 약 2.4 cm의 폐결절 발견되어 재 입원하여 percutaneous needle biopsy 시행하였고 조직검사 결과 Tb granuloma로 확인되어 이에 항결핵제 치료를 다시 시작하였다.

1달 정도 항결핵제를 복용하였으나 시행한 chest x-ray에서 left upper lobe의 nodule size 증가하여 재입원하였다.

Updated problem list

#1 Lung cancer [Adenocarcinoma, Small cell lung cancer]
$cT_2N_2M_0$, Stage IIIA
#2 s/p concurrent chemoradiotherapy with weekly docetaxel
#3 h/o Radiation pneumonitis
#4 h/o Esophageal candidiasis
#5 Fever and dyspnea
→ Miliary tuberculosis d/t drug resistant mycobacterium infection
#6 (OU) Cataract
#7 h/o Gout with PZA use
#8 Left upper lobe TB granuloma
#9 Increased size of Left upper lobe nodule

4th Admission

Chief Complaints

Growing lung mass on chest X-ray

Present Illness

3년전 우상엽의 폐암으로 진단받고 항암화학방사선요법 치료 받은 환자로 반응평가 위해 시행한 chest CT에서 방사선폐렴 소견을 보여 스테로이드 치료 받던 중, 다발성 폐결절 및 sputum AFB + TB PCR + 소견으로 속립결핵으로 진단, 결핵약 시작하였다.
9개월 동안 결핵약 복용 후 종료한 환자로 이후 추적 관찰 위해 시행한 chest CT에서 left upper lobe에 약 2.4 cm의 nodule 발견되었고 percutaneous needle biopsy 시행 후 TB granuloma 진단되어 2개월 전부터 다시 항결핵약제 복용 시작하였음. follow up 기간 중 left upper lobe nodule의 크기가 증가되어 evaluation 위해 입원하였다.

Review of Systems

General

not so ill - looking	alert
oriented to time, person, place	(+/+/+)

Head / Eyes / ENT

headache (-)	dizziness (-)
rhinorrhea (-)	sore throat (-)

Respiratory

dyspnea (-)	hemoptysis (-)
cough (-)	sputum (-)

Cardiovascular

chest pain (-)	palpitation (-)
orthopnea (-)	dyspnea on exertion (-)

Gastrointestinal

anorexia (-)	nausea (-)
vomiting (-)	constipation (-)
diarrhea (-)	white stool (-)
hematochezia (-)	melena (-)

Genitourinary

flank pain (-)	gross hematuria (-)
genital ulcer (-)	costovertebral angle tenderness (-)

Neurologic

seizure (-)	motor-sensory change (-)

Musculoskeletal

pretibial pitting edema (-)	muscle pain (-)

Physical Examination

Vital Signs

BP 144/79 mmHg HR 98 /min RR 20 /min BT 36.2℃

General Appearance

Acute ill-looking appearance	alert
oriented to time, person, place	(+/+/+)

Head / Eyes / ENT

Pinkish conjunctiva (-)	anicteric conjunctiva (-)
Neck vein engorgement(-)	palpable lymph nodes (-)

Chest

symmetric expansion without retraction	normal tactile fremitus
percussion : resonance	clear breath sound without crackle

Heart

normal hearts sounds without murmur	regular rhythm

Abdomen

soft and flat abdomen	normoactive bowel sound
abdominal tenderness (-)	rebound tenderness (-)

Back and extremities

costovertebral angle tenderness (-/-)	pretibial pitting edema (-/-)

Neurology

motor weakness (-)	sensory disturbance (-)
gait disturbance (-)	neck stiffness (-)

Initial Laboratory Data

CBC

WBC ($4\sim10 \times 10^3/mm^3$)	7,700	Hb (13~17g/dl)	12.6
WBC differential count	neutrophil 65.6% lymphocyte 20.0% monocyte 7.7%	platelet ($150\sim350 \times 10^3/mm^3$)	264

Chemical & Electrolyte battery

Ca (8.3~10mg/dL)	8.8	glucose (70~110 mg/dL)	190
protein (6~8 g/dL)/ albumin (3.3~5.2 g/dL)	6.9/4.0	aspartate aminotransferase (AST) (~40 IU/L) / alanine aminotransferase (ALT) (~40 IU/L)	15/13
alkaline phosphatase (ALP) (40~120 IU/L)	113	total bilirubin (0.2~1.2 mg/dL)	0.5
Cr (0.7~1.4mg/dL)	1.1	estimated GFR ($\geq$ 60 ml/min/1.7 m^2)	65
Na (135~145 mmol/L) / K (3.5~5.5 mmol/L) / Cl (98~110 mmol/L)	138/4.0/102	total CO_2 (24~31 mmol/L)	27.6

Coagulation battery

prothrombin time (10~13sec)	110.0	PT(INR) (0.8~1.3)	0.95
activated partial thromboplastin time (aPTT) (25~35 sec)	27.6 sec		

Chest PA

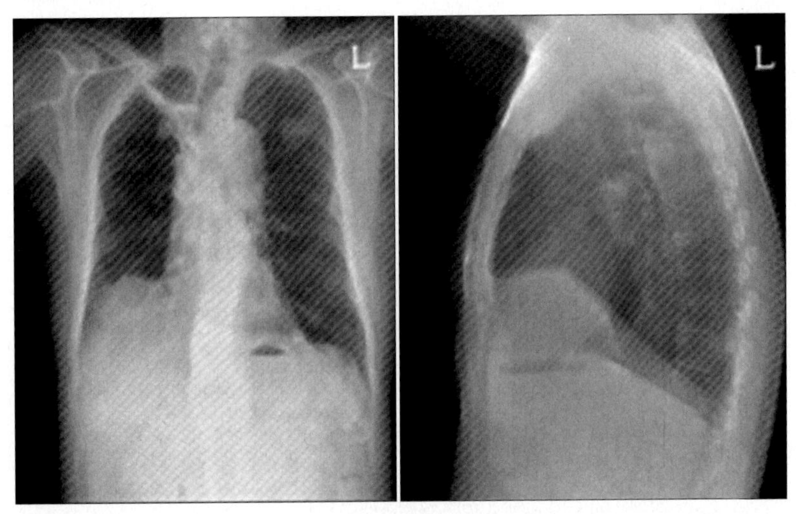

Trachea는 right side deviation되어 있으며 right upper lung field에 fibrotic change를 동반한 atelectasis 변화가 있으며 left upper lung에 field에 nodule이 있다.

Chest CT

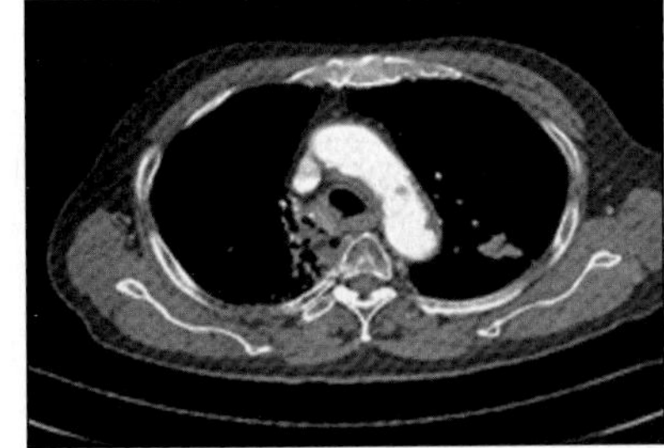

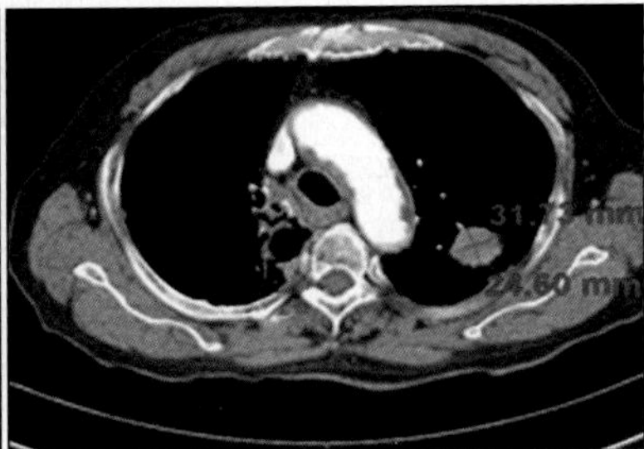

[내원 2달전] [이번 입원시]

시행한 chest CT에서 left upper lobe에 과거 2.4 cm에서 3.2 cm으로 size가 증가된 spiculated mass가 관찰되고 있다.

HD 2-3

#9 Increased size of left upper lobe nodule

S)	기침, 가래도 없고 요즘 컨디션은 좋아요.
O)	WBC 77,000 /mm^3 Hb 12.6 g/dl PLT 264 K/mm^3 Na-K-Cl 138-4.0-102 Cr/BUN1.1/18
A)	Progression of lung cancer Primary lung cancer Paradoxical response of TB granuloma
P)	Percutaneous needle aspiration and biopsy

OPD 46

#9. Increased size of left upper lobe nodule

S)	조직검사 결과는 어떻게 되었나요?
O)	Pathology 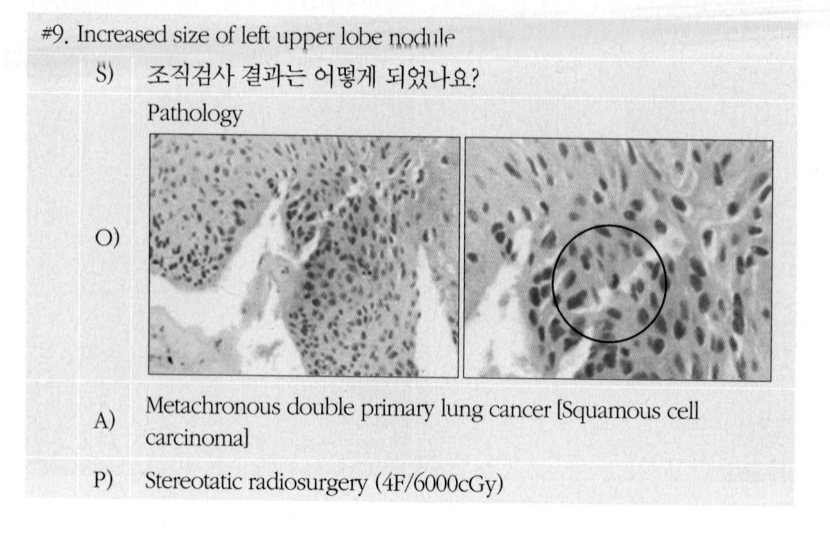
A)	Metachronous double primary lung cancer [Squamous cell carcinoma]
P)	Stereotatic radiosurgery (4F/6000cGy)

고배율 사진으로 hyperchromatism을 보이는 cell이 있고 mitosis를 보이는 부분(동그라미)이 있어 squamous cell carcinoma moderate differentiation으로 확인되었다.

Updated problem list

#1 Lung cancer [Adenocarcinoma, Small cell lung cancer]

$cT_2N_2M_0$, Stage IIIA

#2 s/p concurrent chemoradiotherapy with weekly docetaxel

#3 h/o Radiation pneumonitis

#4 h/o Esophageal candidiasis

#5 Miliary tuberculosis d/t drug resistant mycobacterium infection

#6(OU) Cataract

#7 h/o Gout with PZA use

#8 Left upper lobe TB granuloma

#9 Metachronous double primary lung cancer [Squamous cell carcinoma]

OU(oculus uterque): 안과 용어로 양안이라는 뜻이다

Lesson

본 증례는 lung mass가 발견되었을 때 evaluation과정에서 biopsy 결과가 benign으로 나오는 경우에도 mass 전체를 excisional biopsy를 시행하는 것이 아니므로 정확하지 않다는 가능성을 항상 염두 해두고 추적 관찰이 필요하다는 것을 가르쳐 주고 있다.

CASE 24 2일 전 시작된 전신위약감으로 내원한 57세 여자

Chief Complaints

General weakness, started 2 days ago

Present Illness

10년전 원인미상의 말기신부전으로 혈액투석하며 지냈다.
1개월전 뇌사자공여 신장이식을 시행받았으며 면역억제제로 cyclosporine, mycophenolate sodium 복용하였다. 신기능 회복이 지연되었으며 거부반응보다는 공여자의 신기능이 좋지 않았을 것이라고 판단하고 보존적 치료 받다가 3일전 퇴원하였다.
2일전 온몸에 힘이 없고 가슴이 답답하며 열은 없지만 오한이 발생하여 내원하였다.

Past History

Operation history (+)
- hyperthyroidisms / total thyroidectomy (16년 전)
- right breast cancer / modified radical mastectomy (11년 전)

hypertension (20 년 전)
hepatitis/tuberculosis/diabetes mellitus (-/-/-)

Family History

hepatitis/tuberculosis/diabetes mellitus/ hypertension (-/-/-/-)

Social History

occupation: 주부
smoking: never smoked
alcohol (-)

Review of Systems

General

weight loss (-)	fatigue (-)

Head / Eyes / ENT

headache (-)	rhinorrhea (-)
sore throat (-)	tinnitus (-)

Respiratory

cough (-)	sputum (-)

Cardiovascular

palpitation (-)	

Gastrointestinal

anorexia (+)	nausea (-)
vomiting (-)	constipation (-)
diarrhea (-)	abdominal pain (-)
melena (-)	hematochezia (-)

Genitourinary

frequency (-)	dysuria (-)

Physical Examination

height 163 cm, weight 38.5 kg, body mass index 1.3 kg/m^2

Vital Signs

BP 94/64 mmHg - HR 116 /min - RR 24 /min - BT 36.5℃
(이전 입원 시 baseline SBP 100-120 이였다. 내원 시 낮았던 혈압은 응급실에서 Normal saline 300cc hydration 이후 110/78 mmHg로 회복되었다.)

General Appearance

acutely ill-looking appearance	alert

Head / Eyes / ENT

pale conjunctiva (-)	icteric sclera (-)
tonsilar hypertrophy (-)	palpable lymph nodes (-)
thyroid enlargement (-)	

Chest

symmetric expansion	accessory muscle use (-)
clear breath sound	

Heart

regular rhythm	normal hearts sounds without murmur

Abdomen

soft	normoactive bowel sound
direct tenderness (-)	rebound tenderness (-)
spleen, not palpable	JP drain removal site: redness, swelling

Initial Laboratory Data

CBC

WBC (4~10×10^3/mm^3)	14,000	Hb (13~17g/dl)	8.1
WBC differential count	neutrophil 94.4% lymphocyte 4.1% monocyte 1.2%	platelet (150~350×10^3/mm^3)	106
MCV 89.4 fL (80-100fL)			
MCH 32.0 pg (27-33 pg)			
MCHC 34.6 % (32-36 %)			

Chemical & Electrolyte battery

Ca (8.3~10mg/dL) /P (2.5~4.5mg/dL)	8.5/1.6	glucose (70~110 mg/dL)	80
protein (6~8 g/dL) / albumin (3.3~5.2 g/dL)	4.7/2.0	aspartate aminotransferase (AST) (~40 IU/L) / alanine aminotransferase (ALT) (~40 IU/L)	34/8
alkaline phosphatase (ALP) (40~120 IU/L)	69	gamma-glutamyl transpeptidase (r-GT) (11~63 IU/L)	30
total bilirubin (0.2~1.2 mg/dL)	0.4	direct bilirubin (~0.5 mg/dL)	0.2
BUN (10~26 mg/dL) / Cr (0.7~1.4 mg/dL)	69/2.2	estimated GFR (≥ 60 ml/min/1.7 m^2)	22
C-reactive protein (~0.6 mg/dL)	12.5	cholesterol	178
Na (135~145 mmol/L) / K (3.5~5.5 mmol/L) / Cl (98~110 mmol/L)	133/5.5/105	total CO_2 (24~31 mmol/L)	6.7

Coagulation battery

prothrombin time (PT) (70~140%)	65.2 %	PT(INR) (0.8~1.3)	1.27
activated partial thromboplastin time (aPTT) (25~35sec)	30.0 sec		

Cardiac markers

CK (50~250 IU/L)	177	CK-MB (~5ng/mL)	30.0
Troponin-I (~1.5ng/mL)	9.902	BNP (0~100 pg/mL)	2849

Urinalysis

WBC	+	Nitrite	-
Occult blood	++++		

Urine electrolyte

Na (mmol/L)	60	Cr (mg/dL)	31.4

Chest x-ray는 정상소견을 보였다.

Chest X-ray

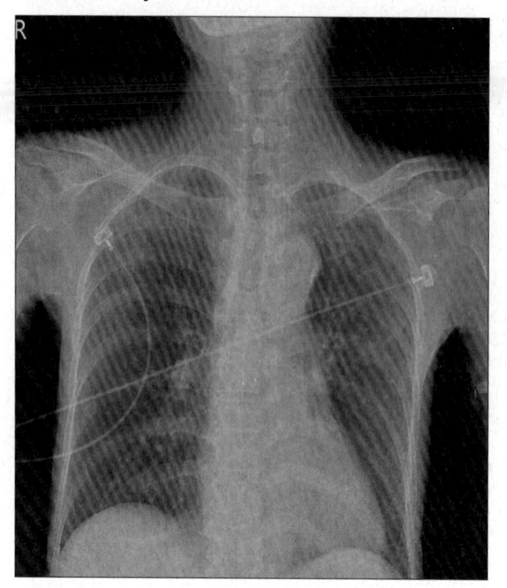

내원 당일

HR 115/min의 sinus tachycardia이며 Lead II, III, aVF, V2-5에서 ST elevation이 있다.

EKG

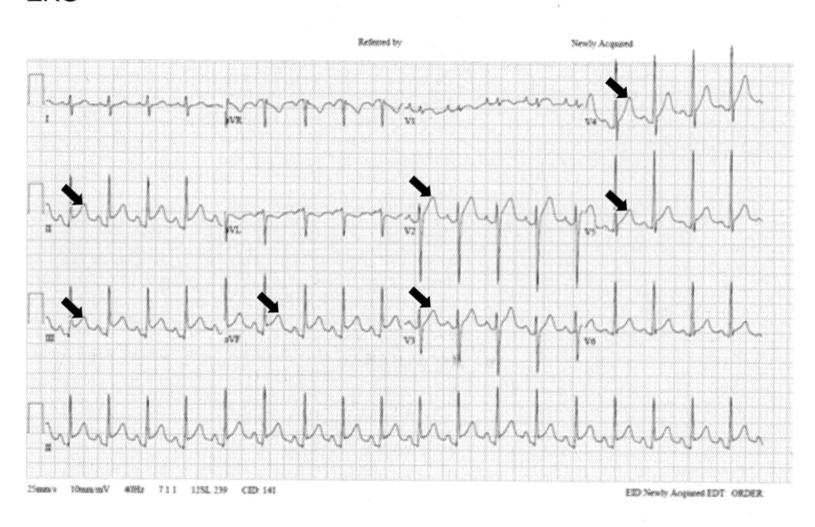

Initial Problem List

#1 End stage renal disease on hemodialysis
#2 s/p cadaveric kidney transplantation d/t #1
#3 General weakness with chills
#4 JP removal site redness with swelling
#5 Pyuria and hematuria
#6 Poor graft function
#7 Chest discomfort
#8 ST elevation on II III aVF V2-5 with cardiac enzyme elevation

Assessment and Plan 1

#3 General weakness with chills #4 JP removal site redness with swelling #5 Pyuria and hematuria #6 Poor graft function	
A)	urinary tract infection surgical site infection
P)	Diagnostic plan 〉 blood culture, urine culture abdomen & pelvis CT Therapeutic plan 〉 empirical antibiotics: piperacillin/tazobactam

Assessment and Plan 2

#7 Chest discomfort #8 ST elevation on II III aVF V2-5 with cardiac enzyme elevation	
A)	ST elevation myocardial infarction acute myocarditis stress-induced cardiomyopathy
P)	Diagnostic plan 〉 echocardiography coronary angiogram Therapeutic plan 〉 antiplatelet agent IV heparin, isosorbide dinitrate infusion

Hospital Day #2

#3. General weakness with chills
#4. JP removal site redness with swelling
#5. Pyuria and hematuria
#6. Poor graft function

S)	전체적으로 힘이 없어요.
O)	BT 37.6 ℃ JP site swelling 있는 부위에서 1 cm 가량 incision & drainage 시행하였고 yellowish pus가 배출되었다. 〈abdomen & pelvis CT without enhancement review〉 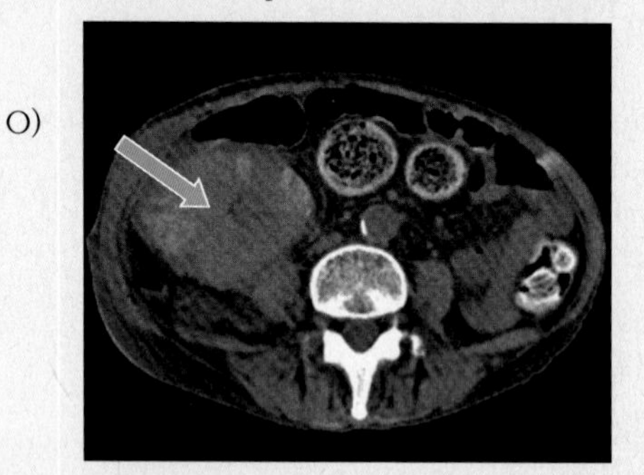
A)	surgical site infection with pyelonephritis
P)	Diagnostic plan 〉 closed pus culture Therapeutic plan 〉 empirical antibiotics: piperacillin/tazobactam, vancomycin

Transplanted kidney에 swelling이 있고 perinephric infiltration과 fluid collection이 있다.

Surgical site infection with pyelonephritis 의심되는 소견이 보였고 원인균주로 MRSA 가능성 있어 Vancomycin을 추가하였다.

Hospital Day #2

#7 Chest discomfort
#8 ST elevation on II III aVF V2-5 with cardiac enzyme elevation

S)	가슴이 답답해요.
O)	Coronary angiogram: normal Transthoracic echocardiography (TTE): normal LV systolic function (EF 69%) Borderline concentric LVH (no interval change) CK 177 IU/L CK-MB 32 ng/mL Troponin-I 16.16 ng/mL
A)	Stress-induced cardiomyopathy
P)	EKG, cardiac enzyme, TTE follow-up Conservative management

Coronary angiogram은 정상소견을 보여 심근경색을 배제하였다.

Hospital Day #4

#3 General weakness with chills
#4 JP removal site redness with swelling
#5 Pyuria and hematuria
#6 Poor graft function
#9 Altered mentality

S)	자꾸 잠이 와요.
O)	V/S 81/59 - 37.8℃ - 111 - 20 Drowsy Mentality Urine culture: no growth Blood culture: 2 day no growth JP site closed pus culture: *Scedosporium spp.* (many)
A)	Surgical site infection with pyelonephritis by *Scedosporium spp* Possibly combined CNS involvement
P)	Diagnostic plan 〉 Fundoscopy CSF analysis Scedosporium species identification Therapeutic plan 〉 IV voriconazole, caspofungin

Scedosporium

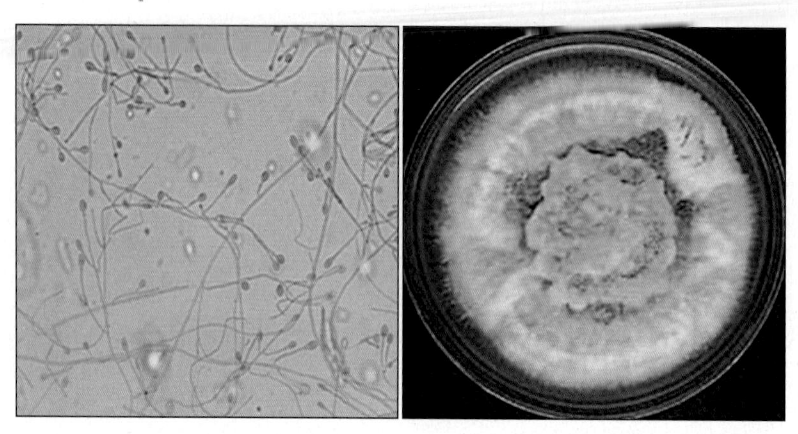

Scedosporium은 주로 오염된 물에 서식하며 immunocompromised host에서 localized infection부터 severe disseminated infection까지 일으킬 수 있는 fungal pathogen이다. Human infection은 Lung, paranasal sinus를 통하여 spore를 흡입하거나 skin puncture를 통하여 direct inoculation되어 일어난다. 오염된 하수에 빠진 이후 발현하는 pneumonia의 원인균으로 발견되는 경우가 있다. Scedosporium의 치료로, voriconazole은 문헌에서 효과가 증명되었고 caspofungin은 in vitro에서 scedosporium에 듣지는 않지만 voriconazole과 combination therapy가 효과가 있다는 산발적인 보고가 있어 함께 사용하였다.

Hospital Day #4

#7 Chest discomfort
#8 ST elevation on II III aVF V2-5 with cardiac enzyme elevation

S)	숨이 차요.
O)	V/S 81/59 – 37.8℃ - 111 – 20 Drowsy mental status CK 639 IU/L CK-MB 124 ng/mL Troponin-I 143.6 ng/mL BNP 4600 pg/mL Portable TTE: severe biventricular dysfunction (EF 18%)
A)	Acute myocarditis d/t Scedosporium spp (Disseminated scedosporiosis) Stress-induced cardiomyopathy
P)	EKG, cardiac enzyme, TTE f/u transfer to ICU Inotropics Continuous renal replacement therapy

Hospital Day #5

#3 General weakness with chills
#4 JP removal site redness with swelling
#5 Pyuria and hematuria
#6 Poor graft function
#9 Altered mentality

O)	CK/CK-MB/TN-I : 808/199.7/103.6/4300 TTE: EF 18% CSF analysis: WBC 0 Protein 42.1 Glucose 62 Fundoscopy: endogenous fungal endopthalmitis with chorioretinitis 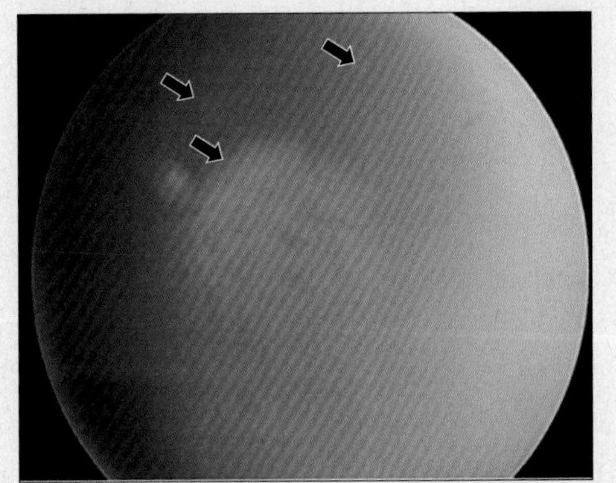
A)	Disseminated scedosporiosis involvement of graft kidney, CNS, heart
P)	ECMO IV voriconazole, caspofungin Intravitreal voriconazole injection

CSF study는 정상이였고, Brain imaging은 환자 general condition이 좋지 않아 시행하지 못하였다. 안과검진상에서 haze retina, multiple white retinal infiltration이 있다.

심장초음파에서 EF 18%의 severe LV dysfunction 보이고 vital sign 불안정하여 ECMO (extracorporeal membrane oxygenation)를 적용하였다.

Updated problem list

#1 End stage renal disease on hemodialysis
#2 s/p cadaveric kidney transplantation d/t #1
#3 General weakness with chills ➡ disseminated scedosporiosis
#4 JP removal site redness with swelling ➡ associated to #3
#5 Pyuria and hematuria ➡ associated to #3
#6 Poor graft function ➡ associated to #3
#7 Chest discomfort ➡ associated to #3
#8 ST elevation on II III aVF V2-5 with cardiac enzyme elevation associated to #3
#9 Altered mentality ➡ associated to #3

Hospital Day #28

#10 Disseminated scedosporiosis: graft kidney, CNS, heart		
	O)	환자는 multiorgan failure로 사망하였으며 Species identification에서 *scedosporium apiospermum*이 확인되었다.
	A)	Disseminated scedosporiosis - Surgical site infection with APN - CNS involvement - Endophthalmitis with chorioretinitis - Acute myocarditis

이식받은지 1달뒤 transplanted kidney에 scedosporium infection이 발생하는 것은 흔하지 않은 일이며 scedosporium infection이 익사자에게 잘 생긴다는 보고가 있어 donor와 other recipient를 확인하였다.

Donor

24세 남자환자로 성산대교 부근의 한강 고수부지에서 한강으로 투신하여 119 통해 심정지, 호흡정지상태로 응급실 내원하였고, 입원 6일째 뇌사판정 받고 장기를 기증하였다. 입원기간 중 3일째 한차례 발열이 있었으며 혈액, 소변, 객담 배양검사에서 확인된 균은 없었다.

Recipient 1 (Heart)

19세 남자환자로 HCMP로 심장이식 시행 받았다. 수술 11일째 Right side weakness 호소하여 시행한 Brain MR에서 Multiple embolic infarction 소견이 보였다. 심장초음파에서 papillary muscle에 Mass like lesion이 확인되었으며 수술 16일째 다장기 부전으로 사망하였다. 사후 혈액배양에서 scedosporium spp 확인되었다.

Recipient 2 (Other kidney)

56세 남자환자로 DM ESRD로 신장이식 시행 받았다. 수술 24일째 Fever 발생하였으며 수술부위의 wound dehiscence 발생하였다. 이식신주위로 complicated fluid collection 보였고 수술 32일째 다장기 부전으로 사망하였다. 사후 혈액, 소변배양에서 scedosporium spp 확인되었다.

Recipient 3 (Liver)

36세 남자환자로 HBV Liver cirrhosis로 간이식 시행 받았다. 나머지 recipient가 scedosporium infection으로 사망하였기에 환자는 특이증상 보이지 않았으나 예방적으로 voriconazole 복용을 시작하였고 안정적인 경과로 추적 관찰 중이다.

Clinical course - summary

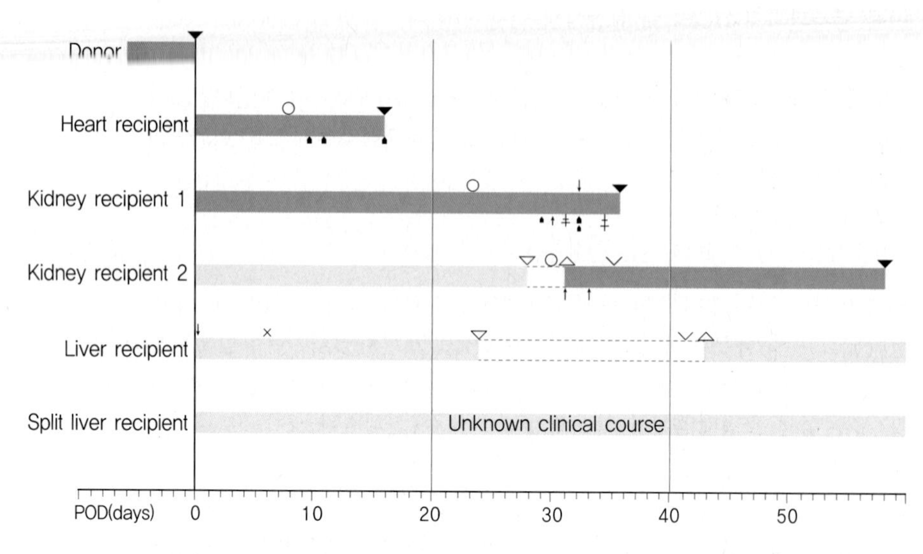

△ Admission • Positive culture result of Scedosporium from blood ⬇ Received liposomol amphotericin B
○ Symptomonset • Positive culture result of Scedosporium from urine V Received voriconazole
▽ Dischorge † Positive culture result of Scedosporium from closed pus x Stopped receiving ontifungal agent
▼ Deatch ‡ Positive culture result of Scedosporium from wound

Lesson of the case

Solid organ transplantation 환자에서 이식 초기에 unusual pathogen에 의한 감염이 있을 경우 graft-related infection 가능성을 꼭 고려해야 한다. Unusual pathogen이 확인되었다면 공여자와 동일 공여자에게 장기를 수여자들을 찾아 임상경과를 확인하는 것이 중요하며 익사자의 경우 scehdosporium 감염 발생 가능성에 대해 고려할 필요가 있다.